Cómo solucionar la
disfunción
eréctil

Manual de autoayuda

Koldo Seco Vélez

Cómo solucionar la disfunción eréctil

Manual de autoayuda

EDICIONES PIRÁMIDE

COLECCIÓN «PSICOLOGÍA»
Sección: Manuales Prácticos

Director:
Francisco J. Labrador
Catedrático de Modificación de Conducta
de la Universidad Complutense de Madrid

Diseño de cubierta: Anaí Miguel

Ilustraciones: Marco Gemelli

© Koldo Seco Vélez
© Ediciones Pirámide (Grupo Anaya, S. A.), 2019
Juan Ignacio Luca de Tena, 15. 28027 Madrid
Teléfono: 91 393 89 89
www.edicionespiramide.es
Depósito legal: M. 7.181-2019
ISBN: 978-84-368-4108-4
Printed in Spain

Dedicado a Begoña e Íñigo.

Los dibujos que aparecen a lo largo del libro son obra de Marco Gemelli, artista contemporáneo italiano (gemellimarco.wis.com/gemellimarco), a quien agradezco especialmente su mérito por haber sabido expresar a través de ellos la problemática de la disfunción eréctil y su afectación en la vivencia erótica de la pareja.

ÍNDICE

Prólogo.   15

Introducción   19

Instrucciones de uso: cómo conseguir el máximo provecho de este
   libro.   25

PARTE PRIMERA
Conocer la disfunción eréctil (DE) y sus circunstancias

1. Conceptos fundamentales para entender la DE.   33
   Introducción   33
   1. Preguntas y respuestas   33

2. Mitos y verdades sobre la DE   59
   Introducción   59
   1. DE y enfermedad   59
   2. DE y técnicas quirúrgicas   68
   3. DE y educación sexual.   69
   4. DE y hábitos no saludables   76
   5. DE y desempeño sexual.   78
   6. DE y relación de pareja   84
   7. DE y el papel de la mujer.   86
   8. DE y actitud del hombre ante el sexo   89
   9. DE y fármacos.   90
   10. DE y la presión sexual de la nueva mujer.   92

3. La DE a lo largo de la historia   95
   Introducción   95
   1. La erección a lo largo de la historia.   95
   2. El pene como símbolo de poder y patriarcado. Todo arrancó con
      Freud y el complejo de Edipo.   96
   3. La ciencia apaga la superstición   98
   4. La disfunción eréctil a lo largo de la historia   98
   5. La Edad Moderna y el cambio social de la mujer.   101

4. La DE en las distintas etapas de la vida 105

Introducción 105
1. DE y adolescencia. Los primeros encuentros, placer y miedo en la misma vivencia 106
2. DE y juventud. De los 18 a los 32 años. El esplendor sexual 110
3. DE y madurez. De los 32 a los 65 años. La pareja como encuadre vital. 111
4. DE y tercera edad. Cómo asumir las limitaciones del envejecimiento sin renunciar al sexo 112

5. El hombre y la mujer ante la DE 125

Introducción 125
1. Visión y actuaciones diferentes del hombre y de la mujer ante la DE. 125
2. Actuación genérica del varón ante un problema de DE 126
3. Consecuencias generales de la DE en el varón. 128
4. Consecuencias sexuales de la DE en el varón. 129
5. Actuación genérica de la mujer ante un problema de DE. 131
6. Consecuencias no sexuales de la DE en la mujer 131
7. Consecuencias sexuales de la DE en la mujer 132
8. Proceso de demanda de ejecución en el hombre 133
9. Rol de rendimiento y demanda de ejecución: incremento de la ansiedad 135
10. Consecuencias de la DE en la relación de pareja 136
11. El papel de la mujer en la DE. 136

6. Causas de la DE 145

Introducción 145
1. Factores de riesgo asociados con la disfunción eréctil 145
2. Causas orgánicas de la DE. 146
3. Causas psicológicas de la DE 157
4. Conclusiones sobre los factores causantes de la DE 170

7. Cómo orientarse en el diagnóstico y evaluación de tu problema de erección. Tipos, grados y pruebas existentes 171

Introducción 171
1. El diagnóstico 171
2. Preguntas básicas en la consulta profesional 172
3. Cuestionarios útiles para conocer tu grado posible de DE. 174
4. Índice de salud sexual para el varón (cuestionario SHIM) 174
5. Cómo diferenciar si tu problema de erección es de origen orgánico o psicológico. 177
6. Disfunción eréctil de origen psicológico 177
7. Disfunción eréctil de origen orgánico 180
8. DE de caracterología mixta. 183
9. Tipos de pruebas disponibles para un diagnóstico más preciso de causas orgánicas 186

8. **Recursos, técnicas y estrategias para el tratamiento de la DE** . . 195

Introducción 195
1. Recursos generales para la intervención en DE. 195
2. Recursos sexológicos 196
3. Recursos psicológicos 203
4. Recursos médicos. 210

PARTE SEGUNDA
Tratamiento de la DE

9. **Tratamiento de la DE para hombres con pareja sexual** 223

Introducción 223
1. Objetivos del programa de tratamiento de la DE para hombres con pareja sexual 223
2. Pasos iniciales de preparación psicológica y sexológica para la aplicación y desarrollo del programa de autotratamiento de la DE 224
3. Programa de tratamiento de la DE de origen y caracterología psicológicos (desarrollado por semanas) 224
4. Programa de tratamiento de la DE para hombres con pareja (desarrollado por pasos y técnicas). 231
5. Prescripciones que debe realizar únicamente el varón 243
6. Tratamiento de la DE de origen orgánico 249
7. Tratamiento de la DE mixta 257
8. La DE y el clítoris. Recurriendo a la masturbación. Algunas consideraciones. 262
9. Cómo afrontar algunas dificultades que pueden surgir durante el desarrollo del tratamiento 264

10. **Tratamiento de la DE para hombres sin pareja sexual**. 269

Introducción 269
1. Programa de tratamiento de la DE para hombres sin pareja sexual. 270
2. Pasos o ejercicios que debe realizar únicamente el hombre . . . 270
3. Cómo cambiar algunas ideas desacertadas sobre tu problema de DE. 272
4. Técnicas de asertividad. Atreverse a relacionarse y salir con chicas. 274
5. Cambiar las ideas equivocadas mediante la terapia cognitiva . . . 280
6. Técnicas de reestructuración cognitiva 281
7. Algunas ideas equivocadas sobre la DE que, si las tuvieras, te conviene cambiar. 283
8. Cómo atreverte a relacionarte. 288
9. La búsqueda de una chica como pareja sexual y los tres niveles de implicación 290

10. Las tres dudas: decírselo o no. Cuándo y cómo 292
11. Desarrollo progresivo de los pasos eróticos que se han de realizar con la nueva pareja sexual para superar la DE 293
12. Técnicas en entrenamiento en habilidades sociales (EHS) 294
13. Técnicas de reducción de ansiedad. 297

Bibliografía 299

PRÓLOGO

Actualmente no queda nadie que no reconozca la necesidad de abordar la disfunción eréctil (en adelante, DE) que —los datos son aplastantes— acaba afectando a muchas personas en alguna época de su existencia. Son muchos los que han dedicado sus energías a ofrecer soluciones a ese problema que generalmente se lleva en silencio e incluso conduce al sujeto a negarlo o a obviarlo recurriendo a vanas autojustificaciones.

En los medios de comunicación, en los anuncios de televisión, en redes sociales y casi en cualquier periódico o revista podemos encontrar muchas y variadas fórmulas que ofrecen la solución de la DE, lo que pone de relieve que es un tema que ha saltado una barrera y comienza a tratarse con cierta normalidad. Algunas de las soluciones ofrecidas no solo carecen de una base científica sino que abiertamente constituyen un fraude que rara vez se denuncia, dada la naturaleza «delicada» del asunto; desde cremas mágicas, conjuros de brujería y pastillas falsificadas hasta jugos de plantas que ni siquiera existen. Estas ofertas recuerdan al antiguo charlatán que hacía solemnes ofrecimientos de crecepelos, potenciadores de la virilidad y otros ungüentos por las calles de nuestras ciudades y pueblos. El sujeto que ha sido víctima de estas panaceas puede llegar a perder la esperanza y a declinar cualquier propuesta realista que, efectivamente, le devolvería algo tan importante como la salud sexual.

Sin duda la DE constituye un mercado, con miles de potenciales clientes, que puede ser abordado desde el oportunismos o desde un enfoque científico y honrado, capaz de ofrecer soluciones efectivas al problema, devolviendo al sujeto una parte muy importante de su personalidad.

En este libro Koldo despliega pone su talento para presentarnos un magnífico instrumento que, sin duda, puede ayudar a cualquier persona, sobre una base científica y experimental, a superar la DE, partiendo de un desglose exhaustivo de las causas que pueden provocarla y abordando, desde esas bases, un conjunto de soluciones realistas y eficaces. No encontraremos en este libro ni fórmula mágica ni bálsamo reparador. Por el contrario, descubriremos algunas técnicas que cualquier persona puede poner en práctica, sin más conocimientos que los que el propio libro ofrece y también, agotadas otras posibilidades, la opción de recurrir a fármacos, de cuya eficacia ya no existe duda, e incluso, *in extremis,* a los tratamientos quirúrgicos actualmente disponibles.

No puede encontrarse una idea más completa del conocimiento de lo que es la DE y su significado, tratado con una delicadeza sutil, en un lenguaje claro y asequible que desmitifica, para racionalizar, una cuestión que no debe avergonzar a nadie ni convertirse en tabú.

El libro es capaz de romper la costra invalidante que rodea la DE sin estridencias. Puede leerse con la velocidad del rayo, pues el estilo del autor, sin abandonar el rigor científico, es ameno, no exento de humor, y nos lleva directamente al meollo de la cuestión sin perderse en digresiones plúmbeas.

Cuando alguien se enfrenta a la DE, su autoestima sufre un duro golpe que suele conducir a la búsqueda de soluciones desesperadas cuando, en realidad, la respuesta está al alcance de su mano aunque perdido en algún lugar que, sin grandes esfuerzos, Koldo nos ayuda a encontrar para recuperar el deseo y la pasión.

No debe soslayar el lector la lectura de ninguno de los capítulos porque todos son sumamente aprovechables. De hecho, dedica uno a relatarnos de manera breve pero realista la valoración e importancia que los hombres han otorgado a la DE a lo largo de la historia, y otro, a ilustrar claramente cómo afecta la DE al varón en las distintas etapas de su ciclo vital. Esta es una parte del libro tan alejada del tedio que se devora sin detenimiento y va colocando progresivamente al lector en un ambiente propicio para abordar desde una visión global el entendimiento de sus causas, su diagnóstico y su tratamiento.

Asimismo, me ha llamado particularmente la atención el capítulo dedicado a enseñar al varón a autoorientarse en el propio diagnóstico de causalidad y tratamiento de su problema de erección (psicológico, orgánico o mixto). Me parece sumamente clarificador para el lector, ya que le va a permitir situar su problema en el mapa clínico del enfoque preciso, concreto y adecuado que pueda necesitar.

No debe tener miedo alguno, por tanto, el lector a introducirse en los conceptos fundamentales que configuran las causas y el comportamiento del hombre y la mujer cuando se presenta un problema de erección.

Entre las técnicas y estrategias para el tratamiento de la DE, presentadas en tres grupos principales: sexológicas, psicológicas y médicas, resultan de suma importancia las dos primeras. Es ahí donde Koldo echa el resto y demuestra sus conocimientos y experiencia en ese terreno. Los ejercicios, que se describen con todo detalle y, cabe decir, con un estilo no exento de una sutil o quizá expresa carga erótica, crearán en el lector una necesidad casi inmediata de llevarlos a la práctica. No es necesario ser equilibrista ni gozar de una excelente forma física para realizarlos; cualquiera está en condiciones de ejecutarlos. En ausencia de causa orgánica, no existe duda de que el deseo, que se va creando, crecerá paulatinamente y acabará indefectiblemente con la DE.

No se olvida el autor de las personas sin pareja, a las que no solo ofrece unas técnicas adaptadas a su situación sino que, quizá sobrepasando con fortuna el propio objetivo del libro, las anima a perder el miedo y relacionarse para buscar pareja sexual. Es un gran detalle del autor con las personas que por timidez o cualquier otra causa tienen dificultades, no patológicas, para «ligar».

No huye este libro de la realidad de la existencia, tras la DE, de causas psicológicas y orgánicas. Las soluciones que la sexología ofrece cuando estas se presentan, solas o combinadas, están indudablemente probadas. De hecho llevan desde la década de los sesenta demostrando su eficacia en base a estudios y a la evidencia clínica cotidiana. Tales técnicas y recursos entran dentro del concepto conocido como terapia sexual, que funciona eficazmente en los problemas de causalidad psicológica (una gran mayoría de los casos). También anima el autor a superar las reticencias a recurrir a la ayuda de los fármacos cuando el problema tiene una causa orgánica o mixta (factores psicológicos con alguna causalidad orgánica). Finalmente, en lo que se refiere a los recursos, explica la radicalidad de la última esperanza: la cirugía de prótesis (sustituir el interior del pene por una prótesis mecánica), cuando han fallado las otras opciones y solo queda tal posibilidad. Pero tal recurso es ya un tema «mayor», que requiere una gran madurez psicológica del paciente y supone proporcionarle una información completa de dónde se mete y obtener su consentimiento, ya que es un opción irreversible, casi a la «desesperada», pero no exenta de posibilidades en la mayoría de los casos.

En todo este libro monográfico dedicado a la DE, el autor mantiene el tono objetivo, realista y divulgativo, describe el estado actual del tratamiento de la DE y reenvía al lector a los profesionales especialistas en estas materias. Sin trampa ni cartón.

Sintéticamente, pero apoyándose en sus 30 años de experiencia clínica en el diagnóstico y tratamiento de cientos de pacientes, Koldo nos adentra en el mundo de la DE con un enfoque científico y realista que huye del terreno de las falsas expectativas, ofreciendo soluciones viables, que cualquiera puede aplicar con resultados perceptibles. El lector aprenderá a conseguir controlar sus erecciones y a entender que la respuesta sexual necesita el acompañamiento de la mente. También de la pareja, quien disponga de ella, claro. Todo varón aspira por encima de su vanidad a satisfacer a «su chica», pero debe admitir con humildad y motivación la conveniencia de buscar el apoyo de su pareja sexual en la realización de algunos de los ejercicios clínicos que requieren la intervención de ambos. Está demostrado que una compañera solícita y emocionalmente implicada con el varón contribuye notoriamente a una mejor y más rápida solución del problema. Es un error, por tanto, renunciar al apoyo de la compañera sexual en la solución del problema, pero lo es aún más hacer de la erección un motivo de dominio y perpetuación machista. El varón actual debe admitir que han pasado ya los tiempos de atribuir exclusiva o mayoritariamente a la erección y al rendimiento sexual la valoración de su masculinidad u hombría y la base del funcionamiento de una relación. Los tiempos están cambiando, y lo harán aún más. Los varones que no lo entiendan así quedarán confinados en el vagón de las antiguallas sexuales y la historia les pasará factura.

Acabar con la DE va más allá del legítimo derecho del hombre a la búsqueda del placer, a recuperar su autoestima y a buscar la complicidad y apoyo de su pareja sexual. Superar la DE es una cuestión de salud sexual, concepto este aportado en tiempos relativamente recientes por la ciencia sexológica y legitimado a principios de este siglo por la OMS (Organización Mundial de la Salud), que sitúa un problema sexual por encima de los prejuicios y las valoraciones medrosas. El sexo es placer, reproducción y comunicación. Pero no lo olvidemos: fundamentalmente es salud y bienestar (físico, psicológico y relacional).

Desde tal perspectiva, el autor introduce al gran público en el conocimiento divulgativo pero no exento de rigor científico de la DE, alumbrando las zonas oscuras de su conceptualización, y nos devuelve con elegancia, con soltura, con ciencia y con innovación a un mundo de posibilidades que seguramente no habíamos imaginado.

Si lo que deseamos es que nuestro deseo, eso que tenemos en el cerebro, se traslade y se manifieste en el esplendor de una erección, este artefacto que tengo entre las manos (me refiero al manuscrito del libro) será una magnífica ayuda.

Juan Antonio Redondo Parral
Licenciado en Derecho
Subdirector General de RRHH
del Ministerio de Economía y Empresa

Madrid, junio de 2018

INTRODUCCIÓN

Se sabe que a lo largo de la historia siempre han existido casos de disfunción eréctil (DE). Aunque la esperanza media de vida del ser humano durante siglos ha sido muy inferior a la que hoy en día existe, es de suponer que la diabetes, la hipertensión y los problemas cardiovasculares ya tenían su influencia como causa orgánica de DE en muchos hombres a lo largo de épocas pasadas.

Sin embargo, las causas psicológicas, como la ansiedad de rendimiento, el sentimiento de culpa o el rol de autoobservación, son de cuño más reciente, han aparecido con la modernidad, con el cambio psicológico, sexual y social reciente de la mujer y el consecuente deseo de muchos hombres de estar a la altura sexual esperada, siendo reivindicaciones por tanto de finales del siglo pasado y de insignificante influencia sociológica en siglos anteriores.

Tener dificultades en el manejo de la erección es una cuestión que siempre ha existido, pero tener conciencia de que un problema de erección es un problema de salud sexual es algo muy reciente, apenas de finales del siglo pasado. Hago hincapié en este hecho porque lo primero que debe entender y aceptar todo varón con dificultades erectivas es que la DE es un problema que pertenece al campo de la salud sexual. Asumir tal realidad debería quitar hierro y ayudar a muchos varones a entender y aceptar que «su problema» no tiene que ser ocultado como si fuera un estigma vergonzoso de su alicaída masculinidad.

Hasta que Albert Kinsey en los cincuenta y Masters & Johnson en los años sesenta del siglo pasado apuntalaron las bases de la sexología moderna, no existía tradición alguna de acudir a una consulta para resolver un problema sexual. Hasta entonces nunca en la sociología de las relaciones entre hombres y mujeres había estado contemplada tal posibilidad. Los ciudadanos no acudían a consulta. No había tradición. Tampoco existían posibles expertos preparados para ello (apenas algunos psicoanalistas, pero con un enfoque desfasado), ni tampoco se conocían los avances médicos, psicológicos y sexológicos actuales.

Durante décadas se ha venido utilizando el término «impotencia» para designar los problemas de erección. Pero hoy en día dicho término está en desuso. Tiene connotaciones peyorativas y ha creado un significado excesivamente negativo para definir los problemas de erección. Además, es un término que también se puede aplicar (según la Real Academia de la Lengua Española) a las personas que son incapaces de engendrar un hijo. De hecho, en sus orígenes el término «impotencia» se asociaba a cualquier problema que impidiera el funcionamiento sexual y la reproducción en el varón. Muchos varones con problemas de erección sí son capaces de concebir hijos. Por tanto, es un vocablo impreciso en lo que define y un tanto malsonante.

Actualmente se considera que el término «disfunción eréctil» (DE) describe mejor la naturaleza del problema (exclusivamente problemas de erección del varón) y elimina los matices peyorativos. También conviene aclarar que muchos hombres con problemas de erección sí son capaces de realizar el acto sexual de vez en cuando y para otros muchos también es posible satisfacer a su pareja de otras formas diferentes a la penetración. Razón de más, pues, para descartar cualquier referencia al término «impotencia», inexorablemente asociado a «no poder».

El hombre actual está sometido a múltiples presiones en lo referente a su rendimiento sexual. Incrédulo y cabizbajo, ha sido testigo y parte del cambio de roles que muchas mujeres han tenido en las últimas décadas.

Aunque el macho alfa antaño tan demandado sigue teniendo sus «seguidoras», ha quedado (en general) desfasado, dejando entrever las costuras rotas de una masculinidad caduca, rancia y denostada que ya no encuentra su sitio natural en el mundo de las féminas.

Ahora la mujer busca un hombre más cercano y emocional, más comprensivo, más tierno, un compañero igualitario que aun siendo amante no deje de ser un amigo íntimo. Tal búsqueda va acompañada de la aparición de un nuevo modelo de mujer más segura y firme en lo sexual, más activa en su deseo erótico y más exigente en su demanda orgásmica.

Ello ha promovido la aparición de un varón inseguro, dubitativo y confundido en su nuevo rol. Alguien que no termina de encontrar su lugar en la relación con la mujer. Que percibe que la mujer ha cambiado y exige más. Le han movido el trono sobre el que se aposentaba y ya no se siente el rey. Cuestionado y confundido en su nuevo rol, siente sobre sus espaldas la presión del rendimiento sexual.

Si a ello unimos las presiones ajenas, en teoría, al sexo pero vinculadas al éxito y al poder, como es el rendimiento laboral y el triunfo social, nos encontramos con un perfil de hombre sumamente estresado que ha llevado al campo sexual sus preocupaciones, su necesidad de estar «a la altura» y el miedo paralizante al fracaso erótico, ese que encuentra su máxima expresión en la pérdida de erección de su pene o en la incapacidad para conseguirla. Todo ello, por supuesto, en el escenario por excelencia de los sueños eróticos: el encuentro coital, donde la penetración vaginal anida como reina de la consumación amorosa.

Esta configuración de circunstancias ha promovido que se hayan incrementado los problemas de erección, produciéndose un aumento notorio en la asistencia de los varones a las consultas de sexología, andrología y medicina sexual.

La Organización Mundial de la Salud (OMS) define el concepto de salud sexual como «un estado de bienestar físico, mental y social en relación con la sexualidad, que requiere un enfoque positivo y respetuoso de la sexualidad y de las relaciones sexuales, así como la posibilidad de tener experiencias sexuales placenteras y seguras, libres de toda coacción, discriminación y violencia».

En línea con tal definición, hemos de reconocer que la DE puede afectar al bienestar físico, psicológico y relacional de una persona. Durante años, y en épocas lejanas, a la DE no se le prestó la atención necesaria. El derecho al placer sexual de las personas no siempre ha estado reconocido. Solo se daba importancia al factor reproductivo de la sexualidad. La religión y la ciencia se han aliado durante décadas para prohibir o denigrar cualquier contacto sexual realizado fuera del matrimonio o con intención que no fuera la meramente reproductora.

Hoy en día la ciencia admite que el sexo, además del factor reproductivo y el comunicativo, incluye también el derecho al factor placentero. Esto no siempre fue así. Durante muchas décadas del siglo pasado ciencia y religión en connivencia espuria solo legitimaban el placer sexual asociado a la reproducción y dentro exclusivamente del matrimonio. Hoy la ciencia admite que la evolución ha dotado de placer al sexo para facilitar la reproducción y la continuación de la vida.

Si buscamos una definición clínica de DE, nos encontramos con que sería la «incapacidad persistente o recurrente para obtener o mantener una erección apropiada hasta el final de la actividad sexual, provocando malestar acusado o dificultades de relación interpersonal».

Entre todas las disfunciones sexuales, la DE es la que más preocupa a quien la padece, por encima de la eyaculación precoz y de la falta de deseo en la mujer (aunque estas se den con mayor frecuencia entre la población).

Se calcula que existen aproximadamente en el mundo 150 millones de hombres con DE y que en 2025 serán 320 millones los que la padezcan.

En España se ha calculado la existencia de entre 1.500.000 y 2.000.000 de varones con problemas de erección. Varían las cifras según los estudios, pero se habla de entre un 12 % y un 19 % de hombres con DE.

Hoy, en 2017, cada vez es más habitual consultar un problema sexual. Acudir a una consulta sexológica poco a poco se va normalizando y considerando un acto más de salud.

Si miramos al pasado, vemos que consultar un problema sexual siempre ha producido un cierto pudor, pero últimamente, y gracias a diversas campañas (promoción de la salud sexual, información sobre disfunción eréctil, programas de educación sexual para jóvenes, etc.), ha cambiado notablemente tal actitud y muchas personas deciden informarse o consultar por dificultades sexuales. También ha ayudado mucho en tal cambio la aparición revolucionaria del Viagra, el primero de los tres fármacos IPDE-5 que se descubrió, la pastilla que puso la sexualidad en boca de todos, revolucionó el mercado farmacológico y mejoró la calidad de la vida sexual de muchas personas al promover que se incrementasen notoriamente las consultas sexológicas.

Aunque un problema de erección pertenece al ámbito de la salud (salud sexual en este caso) y como tal debería asumirse, no deja de ser una vivencia que además de íntima y personal es frustrante e incluso puede convertirse en traumática. No es lo mismo obviamente consultar por un catarro que por un problema de erección. En este sentido, el «qué dirán», los prejuicios y la educación recibida pesan e influyen en los varones a la hora de decidirse a consultar con un experto, por lo que sigue existiendo un gran número de hombres que, pese a padecer problemas de erección, no se atreven a acudir a un especialista por pudor, inseguridad o desconocimiento de la realidad de la DE.

A ellos especialmente va dirigido el contenido de este libro. A tales chicos tímidos, inseguros y dubitativos este libro les ofrece la información y recursos suficientes para poder entender lo que les pasa y por qué y cómo abordar el problema. También puede ser interesante de paso para todas aquellas personas, hombres y mujeres, que, sin padecer de DE, desean ampliar sus conocimientos sobre tal disfunción.

Con este trabajo he pretendido aportar información y conocimientos sobre todo lo que rodea a la DE: origen, diagnóstico, pruebas existentes, causas inductoras, tipos y grados, recursos psicológicos, sexológicos y médicos, así como sus correspondientes tratamientos.

Uno de los capítulos del libro está enfocado exclusivamente con el objetivo e intención de que el varón con posible DE sepa autoorientarse lo más objetivamente posible en el diagnóstico preciso de su problema (causas, origen, tipo, gravedad…).

En cuanto a las causas, la lista es innumerable, extensa y variada: diabetes, cardiopatías, hipertensión, tabaco, alcohol, neuropatías, traumatismos, demencias, estrés, ansiedad, complejos, etc. Muchas veces, además, compartiendo causalidad conviven varios factores que se retroalimentan mutuamente.

Disponemos de muchos recursos, técnicas y estrategias para atajar la DE, tanto de tipo sexológico (técnica de ganar y perder erección, de focalización sensorial…) como médico (fármacos IPDE5, prostaglandina…) y psicológico (técnicas de relajación, desensibilización sistemática…).

Aunque, es justo decirlo, el mejor recurso para solucionar la DE es el apoyo que la pareja sexual del paciente le aporte a este. Así es y lo tenemos muy evidenciado los expertos: la chica es el mejor aliado en la solución de un problema de DE. Pero para ello es importante que esté motivada y dispuesta a colaborar. Y que el chico sea capaz de pedírselo previamente con humildad, sencillez y naturalidad.

También es fundamental la empatía emocional que ambos tengan, la complicidad sexual creada entre los dos miembros de la pareja, el hecho de que compartan un código sexual aceptado por ambos y la buena comunicación sexual que mantengan. Si a eso unimos variables predictoras positivas, como que al varón afectado su pareja le siga motivando sexualmente, que no haya resentimientos ni desavenencias entre ambos y que la pareja siga teniendo vínculos afectivos positivos, el porcentaje de posibilidades de solucionar el problema será muy alto.

Y en cuanto al tratamiento, tenemos varios enfoques en función del tipo de DE. Si la DE es de carácter y origen psicógeno, va muy bien la terapia sexual, un conjunto de técnicas, recursos y estrategias a través de los cuales el varón vuelve a manejar con solvencia su erección. Cuando la causalidad es orgánica, los fármacos IPDE5 (fundamentalmente) funcionan muy bien. Y cuando es una DE mixta, procede aplicar una terapia combinada (terapia sexual más fármacos).

He comentado la importancia vital que tiene la pareja sexual del paciente en la solución del problema. Pero ocurre que algunos varones tienen problemas de erección pero no tienen pareja sexual. Yo los llamo «chicos solitarios». También para ellos existe solución de su problema. Les he dedicado a ellos todo un capítulo sobre cómo enfocar y solucionar su problema. E incluso sobre cómo ser capaces de «salir al mercado» y atreverse a relacionarse a pesar de su dificultad eréctil.

En suma, he pretendido que este sea un libro didáctico y divulgativo, directo y práctico, exclusivamente enfocado en el propósito de ayudar a solucionar la disfunción eréctil, un monográfico que sitúe a cualquier varón con problemas de erección en el contexto real de su dificultad sexual, en la comprensión de que la vivencia erótica es una vivencia personal e intransferible que nace con nosotros, permanece y se mantiene a lo largo de todo el ciclo vital, pero requiere de una madurez necesaria, aquella que pasa por admitir que el sexo, igual que el amor, es una experiencia maravillosa pero debe gestionarse con inteligencia y siguiendo unos parámetros de salud sexual que permitan la vivencia de una sexualidad libre y saludable. Que no discrimine ni dañe, que no imponga ni exija poder, que no manipule, que sea sincera, tierna y compartida. En suma, justa e igualitaria.

Por ello tengo la esperanza de satisfacer con este trabajo la actual demanda existente de solución para los problemas de DE, orientar a las personas afectadas y darles la oportunidad de «enfrentarse» sin miedo a su problema, así como conseguir que sean capaces de resolverlo. También lo he concebido pensando en aquellos varones que están recibiendo tratamiento por una DE en una consulta profesional y que así pueden disponer de un libro de referencia que les sirva de complemento a su terapia. Y, cómo no, para los colegas profesionales de la sexología, que así podrán disponer de una guía útil de consulta. Finalmente, añadir que la esperanza de vida ha aumentado notoriamente en los países desarrollados, que la sexualidad de las personas va cambiando en función del ciclo vital y que prácticamente todas aquellos varones que tengan la suerte de completar un ciclo de vida largo van a ser susceptibles de padecer algún tipo de dificultad eréctil a lo largo de esta. Desde tal perspectiva, este monográfico sobre DE también puede serles útil como medio de información, prevención y ayuda para tales posibles futuros problemas de erección.

Bilbao, febrero de 2018.

KOLDO SECO VÉLEZ
Sexólogo y psicólogo

INSTRUCCIONES DE USO: CÓMO CONSEGUIR EL MÁXIMO PROVECHO DE ESTE LIBRO

Introducción

Antes de que os introduzcáis en la lectura de este libro con el objetivo o meta de resolver un problema de erección o únicamente con la motivación personal de obtener información y conocimiento de una de las mayores y más frecuentes disfunciones sexuales del hombre, la disfunción eréctil, quiero anticiparos en unas líneas básicas y resumidas el contenido, motivos y objetivos de cada uno de los capítulos de este libro para que así conozcáis su razón de ser y lo que os vais a encontrar cuando lo leáis. De esta forma, tú y tu chica (os aconsejo que compartáis su lectura) estaréis mejor orientados acerca de los contenidos que os esperan en cada capítulo para así conseguir un provecho más directo, preciso y práctico de los mismos.

Capítulo 1. Conceptos fundamentales para entender la DE

Este capítulo pretende que conozcas los presupuestos básicos que configuran la DE: su definición y concepto, el mecanismo de la erección, datos estadísticos, su relación con otras disfunciones sexuales, el papel de la mujer, tipos de tratamiento, fármacos, técnicas y recursos, etc. Es un capítulo que está diseñado (el único) en el formato pregunta-respuesta, permitiendo entender rápidamente los fundamentos básicos del problema y sus circunstancias.

Capítulo 2. Mitos y verdades sobre la DE

Este capítulo ofrece una visión de la relación que tiene la DE con una serie de factores clave, como son la vasectomía, la diabetes, la hipertensión, las cardiopatías, el envejecimiento, los preservativos, el tamaño del pene, las fantasías sexuales, la masturbación, el alcohol, el tabaco, las posiciones coitales, la actitud de la mujer, la ansiedad, la depresión o el apoyo de la mujer, y pretende aclarar lo que «de verdad y mentira» hay en la relación de la DE con tales conceptos. Está diseñado en el formato de consejo y asesoramiento sexual particularizado para cada apartado, lo que permite saber exactamente qué consejo y actuación seguir en cada tema tratado.

Capítulo 3. La DE a lo largo de la historia

En este capítulo hago un breve recorrido por lo que ha podido representar el pene a lo largo de la historia (poder, dominio, masculinidad…) y también un esbozo resumido de la historia de la disfunción eréctil (lo que durante años se llamó o definió como impotencia (un término hoy en desuso en detrimento del más preciso de «disfunción eréctil»). El pene y la vulva son elementos mágicos, misteriosos, seductores, que han fascinado al ser humano desde el principio de los tiempos. Que de la unión de ambos surgiera una nueva vida, un nuevo ser, debió de ser algo tan fascinante para la mente de los primeros aborígenes que no es extraño que todas las culturas tengan entre sus elementos domésticos y religiosos múltiples y variadas representaciones de ambos órganos sexuales.

Capítulo 4. La DE en las distintas etapas de la vida

La DE tiene incidencia prácticamente en todas las etapas de la vida: adolescencia, juventud, madurez y vejez. Este capítulo ofrece distintas peculiaridades clínicas en base a la edad y las repercusiones físicas, psicológicas, sociales y relacionales que cada etapa conlleva. Por ello se analizan las consecuencias problemáticas que en la erección pueden tener factores como el ansia y la curiosidad del adolescente por «debutar», el miedo del joven enamoradizo a no «satisfacer a su enamorada», las dudas del hombre maduro que se sorprende cuando la monotonía sexual acecha a su relación de pareja o la quiebra y la desazón que se genera en la autoestima sexual del hombre metido en la tercera edad cuando ve que su pene ya no responde con la misma firmeza que tuvo en su juventud. Todos estas consideraciones y sus circunstancias quedan reflejadas para que el lector pueda ubicarse correctamente en su tiempo sexual, aquel que le corresponde por edad y consecuencias, así como permitirle obtener una visión integral de los posibles problemas de erección que pueden afectar a su sexualidad a lo largo de su ciclo vital.

Capítulo 5. El hombre y la mujer ante la DE

En este capítulo se ofrece una visión de las repercusiones que la DE genera en el hombre y en la mujer. Varones y mujeres suelen reaccionar de manera diferente ante un problema de DE. El chico suele asustarse y esconder su problema mientras que la chica busca solución. Los hombres se suelen aislar, quebrándose su autoestima. Las mujeres no en pocas ocasiones se sienten culpables o responsables del problema al considerar que ya no son atractivas o no han sido suficientemente activas sexualmente para ellos. La depresión y la ansiedad suelen aparecer en el chico, mientras que muchas chicas que son pareja sexual de hombres con DE acaban padeciendo de anorgasmia coital o de falta de deseo sexual como consecuencia de la disfunción eréctil de su pareja. Muchos hombres con problemas de DE acaban rehuyendo el sexo cuando su pareja sexual lo demanda como consecuencia de su incremento de ansiedad coital. Tal proceso queda explicado técnicamente también es este capítulo, así como los posibles tipos de respuesta sexual de la mujer ante el miedo o «huida sexual» del varón, que suelen variar en función de que la chica haya sido o sea en la actualidad más o menos activa sexualmente y también de que haya tenido o tenga alguna disfunción sexual propia (anorgasmia coital, falta de deseo). Asimismo, queda reflejada la importancia notoria que el apoyo de la mujer representa para la solución del problema. En este capítulo encontrará la pareja lectora los consejos y argumentos necesarios para hilvanar su complicidad en la solución del problema.

Capítulo 6. Causas de la DE

Como su título explica, en este capítulo quedan reflejadas todas las causas posibles que pueden inducir una DE, las físicas, las psicológicas y las mixtas. Así se recogen y explican las consecuencia que sobre la erección pueden tener la diabetes, la hipertensión, el tabaquismo, el alcohol, las cardiopatías o la cirugía de próstata. También los factores psicológicos que inciden en la problemática de la erección, tanto predisponiendo el problema como precipitándolo o manteniéndolo. La lista de los factores posibles es extensa y variada. Aquí encontrarás muchos motivos para entender que la DE es un problema complejo que puede estar provocado por múltiples y diferentes factores y que necesita una visión multidisciplinar en no pocos casos.

Capítulo 7. Cómo orientarse en el diagnóstico y evaluación de tu problema de erección. Tipos, grados y pruebas existentes

A través de este capítulo podrás comprobar si tu problema de DE es de causalidad orgánica, psicológica o mixta. También te permitirá conocer si es causa o consecuencia de otra disfunción sexual propia o de la compañera sexual. Es importante conocer el nivel de comunicación existente con tu pareja sexual, cómo afecta el problema a tu relación, así como precisar el nivel del problema de erección, ya que no tienen el mismo diagnóstico un fallo eréctil puntual (DE leve) que la repetición continua de episodios eréctiles fallidos, ni tampoco si ocurren en todas las situaciones (DE generalizada) o solo en algunas circunstancias (DE situacional). Es clave, digamos que fundamental, conocer y confirmar si tienes erecciones mediante la masturbación, porque ayudaría notoriamente a descartar causalidad orgánica. Estas variables y otras muchas nos permiten a los expertos precisar el tipo y grado de problema, su origen y el distinto enfoque clínico que hay que aplicar. Todo ello te quedará claro con la lectura de este capítulo, así como la información pertinente sobre los tipos de pruebas existentes en la actualidad, el objeto, la razón y el sentido de estas, que permiten la posibilidad de esclarecer casos de DE que son complejos o dudosos y que pudieran tener un diagnóstico y evaluación más difíciles de precisar. En suma, cuando finalices la lectura de este capítulo tendrás una idea precisa de las características de cada tipo de disfunción eréctil con sus peculiaridades diferenciadoras, así como una idea bastante concreta del tipo de problema de erección que puede estar afligiéndote.

Capítulo 8. Recursos, técnicas y estrategias (sexológicas, psicológicas y médicas) para el tratamiento de la DE

En los últimos años, y gracias a los notorios avances que en el campo de la sexología se han producido, nos encontramos con una gran disponibilidad de recursos terapéuticos para el tratamiento de la DE en sus diversas variables de causalidad, tanto cuando se trata de causas orgánicas como cuando son psicológicas o mixtas. En este capítulo se describen los principales recursos, técnicas y estrategias que se utilizan para solucionar los problemas de erección. Así, para poder entenderlas y aplicarlas, desfilarán explicadas detalladamente técnicas tales como la focalización sensorial, la técnica de ganar y perder erección, la desensibilización sistemática, la relajación de Jacobson, la técnica del cartero, la de contención vaginal y un largo etcétera que te ayudarán a entender la base de la solución de un problema de erección. Sin olvidar tampoco la explicación detallada de los tipos de fármacos actualmente utilizados en el tratamiento médico de la DE, su eficacia, características, contraindicaciones y efectos secundarios.

Capítulo 9. Tratamiento de la DE para hombres con pareja sexual

En este capítulo quedan expuestos y desarrollados exhaustivamente los pasos que debe seguir la pareja para solucionar el problema de erección. Como refiero repetidas veces a lo largo de este libro, la DE puede tener una base causal de tres tipos: orgánica, psicológica o mixta, y dependiendo de ello condicionar un diferente abordaje en su tratamiento, sea con terapia sexual exclusivamente (en el caso de la DE de origen psicológico), con terapia farmacológica solo (en el caso de una DE de carácter meramente orgánico) o con un tratamiento mixto de terapia sexual más fármacos en el caso de aquellas disfunciones eréctiles de causa y caracterología mixta. Es este un capítulo un tanto largo e intenso, pero necesario y fundamental también para una correcta solución de un problema de erección, que la pareja sexual no debe perderse. Más aún, volveréis sobre él en múltiples ocasiones, y no solo por necesidad, sino también por convicción.

Capítulo 10. Tratamiento de la DE para hombres sin pareja sexual

Este capítulo está enfocado básicamente para aquellos varones con problemas de erección que no tienen pareja. Por ello en él se desarrolla el programa de tratamiento de la DE para hombres sin pareja sexual. Si en este momento de tu vida no tienes pareja y sufres problemas de erección, en este capítulo verás desarrollados los pasos para enfrentarte a ellos, lo que debes hacer, lo que te conviene evitar, cómo ser capaz de encontrar pareja, qué ejercicios o prescripciones clínicas realizar con ella, cómo contarle «tu problema». En suma, qué dinámica sexual seguir para superar un problema de erección cuando no se tiene pareja.

PARTE PRIMERA

Conocer la disfunción eréctil (DE) y sus circunstancias

1. CONCEPTOS FUNDAMENTALES PARA ENTENDER LA DE

INTRODUCCIÓN

Este capítulo pretende que conozcas los conceptos básicos que configuran la DE: definición, el mecanismo de la erección, datos estadísticos, su relación con otras disfunciones sexuales, cómo funciona el círculo ansiógeno de rendimiento sexual, culpable del mantenimiento de muchos problemas de erección, la importancia del papel de la mujer pareja sexual del hombre con DE, los tipos de tratamiento existentes, los recursos y técnicas actualizados de los que se sirven tales tratamientos y un largo etcétera para acercar al lector los pilares básicos del conocimiento de la DE. Es un capítulo que está diseñado (el único) en el formato pregunta-respuesta, permitiendo entender rápidamente los fundamentos básicos del problema y sus circunstancias.

1. PREGUNTAS Y RESPUESTAS

¿Cómo se define la disfunción eréctil?

R. Tenemos dos definiciones diferentes que aclaran el concepto:

(National Institute of Health Consensus Development Panel on Impotence, 2003.)

> «Es la incapacidad persistente para lograr o/y mantener una erección con la suficiente rigidez como para permitir practicar relaciones sexuales satisfactorias».

Esta definición presenta una cierta subjetividad, ya que hay varones que sin tener una erección completa son capaces de realizar el acto sexual y quedarse satisfechos, mientras que otros, pese a tener una erección adecuada, reconocen que sus relaciones sexuales no son agradables. En una cuestión tan subjetiva de precisar como es la valoración personal del nivel de satisfacción erótica, es difícil saber con exactitud cuál es el nivel de rigidez que puede otorgar dicha felicidad. Por ello, es una definición un tanto inconclusa.

DSM-IV-TR
La disfunción eréctil sería la «incapacidad persistente o recurrente para obtener o mantener una erección apropiada hasta el final de la actividad sexual, provocando malestar acusado o dificultades de relación interpersonal». Esta definición es más precisa.

P. ¿Qué prevalencia tiene en la población?
R. El primer estudio comunitario a gran escala de la DE fue el realizado por el MMAS (Massachusetts Male Aging Study, a cargo de Felman, Hatzichristou, Krane y McKinlay, 1994), según el cual el 52 % de los varones entre 40 y 70 años tenían algún grado de DE. Su incidencia aumenta con la edad. Podemos, pues, establecer los siguientes porcentajes:

Un 39 % a los 40 años de edad.
Un 48 % a los 50 años de edad.
Un 57 % a los 60 años de edad.
Un 67 % a los 70 años de edad.
Un 75 % a los 80 años de edad.

Estos datos permiten pensar que existen aproximadamente en el mundo 150 millones de hombres con DE, y que en 2025 habrá 320 millones que la padezcan (Aytac, McKinlay y Krane, 1999).
También hay que señalar que, por lo general, solo un 10 % de las personas afectadas por DE acuden a consulta.
Siguiendo con los datos aportados por el MMAS, los porcentajes que encontraron respecto a los diversos tipos de DE fueron:

DE ligera o leve: 17,2 %
DE moderada: 25,2 %
DE severa o grave: 9,6 %

En cuanto a los datos por países, en Reino Unido, un 19 % (Goldmeier, Judd y Schroeder, 2000). En Países Bajos, un 11 % (Blanquer, Thomas y Bosch, 2001). En Australia, un 33 % (Chew, Earle, Stuckey, Jamrozik y Keogh, 2000). En Estados Unidos afecta de 10 a 20 millones de hombres (Padma-Nathan, Payton y Goldstein, 1987). En Brasil la prevalencia de casos nuevos de DE según un estudio fue de 65,6 (seguimiento medio de 2 años).

Las grandes variabilidades existentes entre estos estudios pueden explicarse por las diferencias en la metodología y en las edades, así como por la distinta situación socioeconómica de las poblaciones estudiadas.

P. ¿Qué incidencia poblacional tiene la DE en España?

R. En España varían las cifras de prevalencia de la DE según los estudios. Se ha calculado la existencia de entre 1.500.000 y 2.000.000 de personas con DE (EDEM; Martín Morales, Sánchez Cruz, Sáez de Tejada, Rodríguez Vela et al., 2001). Hay otro trabajo que considera que existen entre un 12 y un 19 % de varones con DE.

P. ¿Qué prevalencia tiene la DE por tipos?

R.

Orgánica: 25 %.

Psicológica: 25 %.

Mixta: 45 %.

Desconocida: 5 %.

P. ¿Hay casos de DE de causa desconocida?

R. Sí, siempre existe un número reducido de casos de disfunción eréctil de origen desconocido, que técnicamente se denominan de origen «idiopático».

P. ¿Qué prevalencia tienen los tipos de DE de origen orgánico?

R.

40 % de origen vascular.

30 % por causa de la diabetes.

10 % por causa neurológica (esclerosis múltiple, alzhéimer, cirugías de pelvis…).

6 % por radiación o cirugía del recto, próstata y vejiga.

1 % por otras causas.

P. ¿Es la DE la disfunción sexual que más preocupa?

R. Entre todas las disfunciones sexuales, la DE es la que más preocupa a quien la padece (Cabello, 2010), por encima de la eyaculación precoz y de la falta de deseo en la mujer (aunque estas se den con mayor frecuencia entre la población).

P. ¿Cómo es la estructura del pene?

R. El pene está compuesto de tres estructuras tubulares, los dos cuerpos cavernosos y un cuerpo esponjoso. Por el interior del cuerpo esponjoso discurre la uretra. La uretra es un conducto que comunica la vejiga con el exterior permitiendo el paso de la orina y el semen. Los cuerpos cavernosos son dos estructuras que aumentan de rigidez con la erección debido al atrapamiento de sangre a presión en su interior. La sangre afluye a los cuerpos cavernosos a través de las arterias cavernosas. Hay alrededor de siete a ocho veces más sangre en el pene cuando está en erección que cuando está en flacidez.

P. ¿Cómo se produce la erección?

R. La erección es un fenómeno fisiológico sumamente complejo en el que intervienen factores hormonales, neurológicos, vasculares y psicológicos. El proceso que permite el atrapamiento de sangre en el pene se desencadena habitualmente en el cerebro tras un estímulo sexual (táctil, visual, olfatorio, auditivo o psicológico). Dicho impulso nervioso viaja desde el cerebro por los nervios que configuran la columna vertebral hasta el pene, liberando unos neurotransmisores o mensajeros químicos (especialmente óxido nítrico) en las terminales de los nervios del pene que inducen a las arterias a dilatarse y permitir la entrada de sangre a presión dentro de los cuerpos cavernosos. Una vez que sobreviene la eyaculación y termina el estímulo erótico, las arterias se contraen y la erección desaparece paulatinamente.

P. ¿Qué condiciones deben cumplirse para que se produzca la erección?

R. Tiene que darse una actitud positiva ante la sexualidad, una relación interpersonal adecuada, una estimulación psicógena y reflexógena correcta y debe funcionar la vascularización e inervación del pene. Finalmente, los valores hormonales han de ser suficientes.

«BUENOS Y MALOS» EN EL REINO DE LA ERECCIÓN

El guanosín monofosfato cíclico (GMPc) incrementa el óxido nítrico (ON) que, transportado por la sangre, es clave y necesario para que los cuerpos cavernosos del pene se relajen, entre la sangre en ellos y se produzca la erección.
La enzima fosfodiesterasa 5 degrada al guanosín. Pero para ello están los fármacos iPDE5, que inhiben y contrarrestan a la fosfodiesterasa 5 permitiendo el incremento del citado óxido nítrico.

P. ¿Qué importancia tiene la implicación y producción del óxido nítrico en el mecanismo de la erección?

R. El óxido nítrico es clave. Pero existen otros muchos y complejos factores que intervienen en el proceso de la erección: hormonales, neurológicos, psicológicos y relacionales. De hecho, la respuesta sexual humana obedece a estímulos a veces imperceptibles: la relajación mental y física, la tranquilidad o carencia de estrés, el uso que se hace de las fantasías, la autoestima, percibir la acción inconsciente de las feromonas sexuales, la reacción del cerebro a los estímulos sexuales, la dopamina y, cómo no, el deseo, es decir, ese sentimiento de atracción acompañado de pasión que sentimos cuando estamos junto a una persona que, sin saber por qué, nos hace sentirnos atraídos a ella. Sin olvidarnos del apego y la necesidad de cariño y afecto que define al ser humano.

P. ¿Qué papel desempeña la pareja sexual en el funcionamiento de la erección?

R. Muy importante. La motivación sexual que la mujer suponga para el varón es fundamental. También lo es la empatía emocional que ambos tengan, la complicidad sexual creada entre los dos miembros de la pareja, compartir un código sexual aceptado por ambos y la buena comunicación sexual. Todo ello partiendo de la base, obviamente, de que sea una pareja que se gusta y atrae.

P. ¿Es normal que existan erecciones durante el sueño?

R. Es normal que existan erecciones mientras dormimos. Existen de tres a cinco episodios durante una noche normal que duran, aproximadamente, entre 30 y 60 minutos cada uno. Por esta razón, los hombres se despiertan en muchas ocasiones con el pene en erección.

P. ¿Qué factores pueden producir DE?

R. Cualquier alteración de los mecanismos que intervienen en su funcionamiento, por mínima que sea, puede ocasionar que la erección no se produzca, siendo muchos y variados los factores, tanto orgánicos como psíquicos, que pueden afectar al normal funcionamiento del pene. La lista es extensa: diabetes, hipertensión, problemas de pareja, fármacos, alcohol, tabaquismo, arterioesclerosis, obesidad, hipercolesterolemia, intervenciones quirúrgicas, déficit de testosterona, daño en médula espinal, prostatectomía, tumores, cáncer, problemas de pareja como consecuencia de otras disfunciones sexuales (del varón o de la pareja sexual), etc. De todas formas, la ansiedad es un elemento clave en el desencadenamiento o mantenimiento de un problema de erección, sobre todo en el caso de la DE de carácter psicológico.

P. ¿Cómo actúa la ansiedad en la DE de origen psicológico?

R. La ansiedad impide que el varón responda ante un estímulo sexual (auditivo, táctil, imaginativo…) con naturalidad. Digamos que la ansiedad o angustia es lo que le sobra a la excitación sexual durante el proceso normal de respuesta eréctil del varón, produciendo que el hombre entre y quede atrapado en el círculo ansiógeno de rendimiento coital.

P. ¿En qué consiste el círculo ansiógeno de rendimiento coital?

R. Es un proceso de retroalimentación de ansiedad que afecta al varón con problemas de erección y que ha sido descrito entre otros autores por Abraham y Porto (1979). Se inicia a partir del deseo que todo varón tiene por satisfacer sexualmente a la mujer, lo que lo convierte después en espectador de su propio encuentro coital, le lleva posteriormente a anticipar su propio fracaso sexual (al ver que no mejora) y a terminar finalmente renunciando al sexo. Todos estos roles o pasos van acompañados de ansiedad, la que se deriva y acumula de la obsesión permanente de todo varón por satisfacer a su pareja sexual.

P. La DE puede ser de origen orgánico o psicológico. ¿Cuál se da con más frecuencia?

R. Es difícil precisarlo, pero se podría hablar de un 50 % en cada caso. Durante las décadas de 1950 a 1970 se creyó que las causas psicológicas eran las predominantes. En las últimas décadas se han producido avances notorios en el diagnóstico de la DE gracias al descubrimiento de nuevas pruebas médicas que permiten perfilar con mayor precisión el origen orgánico de la DE. Ello ha posibilitado que tenga mayor auge la creencia de que abundan más las causas orgánicas en el origen de la DE.

P. ¿Se puede decir que la DE de causa psicológica es más propia de gente joven y la DE de causa orgánica de personas en edades medias o avanzadas?

R. No es una norma fija ni menos un axioma, pero debemos admitir que si el 85 % de los casos de DE se dan a partir de los 50 en adelante, es lógico pensar que la mayoría de los casos existentes por debajo de esa edad se deben a factores psicológicos.

P. ¿El ritmo estresante de vida que se lleva en la actualidad puede afectar a la erección?

R. El estrés puede afectar a la erección como factor causante en sí de DE, pero también como elemento acompañante de otros factores a los que el estrés «añade la guinda» decisiva para precipitar el problema.

P. ¿Podemos pensar que el avance en las pruebas diagnósticas condiciona las estadísticas de causalidad?

R. En cierta manera así ocurre, porque como consecuencia de la aparición de pruebas diagnósticas, como el test de estimulación visual, el test de inyección intracavernosa o la prueba eco Doppler-Dúplex dinámico, se han descubierto más disfunciones eréctiles de origen orgánico, incrementado las estadísticas del segmento de causalidad orgánica y, al mismo tiempo, la creencia de que existen muchos factores orgánicos que inducen problemas de erección peneana y que antes no se conocían. Digamos que en los años cincuenta, sesenta y setenta no se disponía de este tipo de pruebas médicas, de modo que había más tendencia a prestar atención a los factores personales, psicológicos y relacionales del paciente.

P. ¿El hecho de que la DE sea de origen psicológico es el que determina que corresponda a un psicólogo-sexólogo abordarla y de que si es de origen orgánico sea el médico-andrólogo quien la trate?

R. Así es en general. El psicólogo con formación especializada en sexología aborda la DE de causalidad psicológica y el médico especializado en andrología aborda la DE de causalidad orgánica.

P. ¿El enfoque o tratamiento terapéutico a aplicar varía por tanto también en función de que la causalidad del problema sea orgánica o psicológica?

R. Efectivamente. El enfoque del tratamiento variará en función de la posible causa que haya producido el problema de DE. Aun así, muchas veces ocurre que el origen no está tan claro, y puede tener una causalidad mixta: hay casos de DE en los que concurren factores orgánicos (diabetes o problemas prostáticos, por ejemplo) con ansiedad de ejecución (producida por querer cumplir sexualmente.

P. Y cuando la causalidad es mixta, ¿cómo se actúa?

R. Cuando parece que existe una causa orgánica inicial o primaria, aunque también vaya acompañada de otra psicológica, se suele empezar primero por el abordaje de la causa orgánica al considerarse genéricamente que suele ser la desencadenante original del problema. Digamos que cuando hay una causa probada hay que empezar por ella.

P. ¿Es la DE de componente mixto la de mayor incidencia?

R. En general suele ser la DE de origen psicológico la que más se da. De todas formas, las DE de componente mixto también tienen una alta frecuencia. Ello se debe a que las DE de origen orgánico, cuando se prorrogan en el tiempo sin solucionarse, acaban convirtiéndose en mixtas al concurrir también el componente ansiógeno dado que el paciente termina obsesionándose psicológicamente con su rendimiento sexual.

P. ¿Qué quiere decir que una DE es predominantemente psicológica o predominantemente orgánica?

R. El término «predominantemente» hace referencia a aquellos casos mixtos en cuyo origen predomina un componente más que otro. Si decimos por ejemplo que «es una DE predominantemente psicológica», nos referimos a que los expertos consideramos que, aunque exista algún componente orgánico como causa, lo que domina en su origen y caracterología son las causas psicológicas.

P. ¿A qué especialista le corresponde el abordaje de la DE cuando la causalidad es compleja?

R. Cuando un caso es complejo conviene que exista una buena coordinación y colaboración entre sexólogos y andrólogos para poder afinar el diagnóstico y obrar en consecuencia. En esta línea de actuación lo correcto es derivar al paciente a otro colega cuando los síntomas y las características del problema que se presentan evidencian que la DE es más propia de uno u otro campo. En este sentido sería conveniente la existencia de equipos multiprofesionales en el mismo centro.

P. ¿Es lo mismo decir disfunción eréctil que impotencia?

R. Los dos términos definen lo mismo, problemas de erección. Pero el término «impotencia» está en desuso. Tiene connotaciones peyorativas y ha adquirido un significado excesivamente negativo para definir los problemas de erección. Además, es un término que también se puede aplicar, según la Real Academia de la Lengua Española, a las personas que son incapaces de engendrar un hijo. De hecho, en sus orígenes el término «impotencia» se asociaba a cualquier problema que impidiera el funcionamiento sexual y la reproducción en el varón. Muchas personas con problemas de erección sí pueden concebir hijos. Por tanto, es impreciso en lo que define y un tanto malsonante. Actualmente se considera que el término «disfunción eréctil» (DE) describe mejor la naturaleza del problema (exclusivamente problemas de erección del varón) y elimina los matices peyorativos. Finalmente, conviene añadir que muchos hombres con problemas de erección sí son capaces de realizar el acto sexual de vez en cuando y otros muchos pueden satisfacer a su pareja de otras formas diferentes a la penetración. Razón de más, pues, para descartar cualquier referencia al término «impotencia» por su asociación con el concepto de no poder.

P. ¿Cuál es el modelo de aparición más frecuente, la DE de origen primario o la secundaria?

R. La DE de origen primario (varones que nunca han tenido erección) suele ser excepcional; se ven muy pocos casos. La más frecuente es la de origen secundario, es decir, cuando se produce como consecuencia o secundariamente a múltiples factores orgánicos o psicológicos (depresión, diabetes, prostatectomía, fármacos, crisis de pareja…).

P. ¿Qué relación tiene la DE con la EP (eyaculación precoz)?

R. Fisiológicamente hablando, son dos procesos distintos. Algunos pacientes afectados por eyaculación precoz acaban con problemas de erección como consecuencia de no tratar adecuadamente aquella. La inseguridad sexual que manifiestan en sus reiterados intentos por conseguir un control eyaculatorio aceptable termina por pasarles factura provocando problemas de erección. También se da al revés el proceso: casos de varones (aunque en menor medida) con problemas de erección que acaban teniendo también dificultades para controlar su respuesta eyaculatoria coital (eyaculación precoz).

P. ¿Sigue existiendo pudor en consultar un problema de erección?

R. Consultar un problema sexual siempre ha producido un cierto pudor, pero últimamente, y gracias a diversas campañas (promoción de la salud sexual, información sobre disfunción eréctil, programas de educación sexual para jóvenes…), ha cambiado notablemente tal actitud y muchas personas deciden informarse o consultar por problemas sexuales. También ha ayudado mucho en tal cambio la aparición del Viagra, fármaco que ha puesto la sexualidad en boca de todos. Aun así, y aunque un problema de erección pertenece al ámbito de la salud (salud sexual en este caso) y como tal debería asumirse, no deja de ser una vivencia íntima y personal. No es lo mismo obviamente consultar por un catarro que por un problema de erección. En este sentido, el «qué dirán» y la educación recibida pueden pesar e influir a la hora de decidirse. Es importante normalizar el sexo y la consulta sexológica para que las disfunciones sexuales sean vistas como un problema más de salud.

Una pareja comparte de manera cómplice la lectura de un manual de autoayuda para solucionar la disfunción eréctil. Aquellas personas que por pudor o desconocimiento no se atreven a consultar un problema sexual siempre tienen la posibilidad de recurrir a libros de autoayuda escritos por profesionales de la sexología.

P. Cuando un varón piensa o considera que tiene un problema de erección, ¿qué camino consultivo tiene que seguir para su tratamiento?

R. Existen dos vías fundamentales. La vía de salud pública y la privada. Dentro del Sistema Nacional de Salud español se puede empezar recurriendo al médico de Atención Primaria, quien puede realizar el primer cribado y en función de lo que vea derivar al urólogo/andrólogo o al psicólogo especialista en sexología. En cuanto a la vía privada, en muchas ciudades españolas han aparecido consultas de sexología y centros de andrología. Un buen camino antes de buscar la vía privada es llamar al Colegio de Psicólogos o al Colegio de Médicos de la ciudad donde se viva y preguntar por especialistas en sexualidad.

Es importante no equivocarte en la elección del experto que necesitas para solucionar tu problema de DE. No te dejes engañar por todo lo que se ofrece en Internet. Una buena manera de informarte es llamando al Colegio de Psicólogos o al Colegio de Médicos de tu ciudad y preguntar por especialistas en sexualidad.

P. ¿Qué relación tiene la DE con la falta de deseo sexual en el varón?

R. Es una relación que se puede dar en doble sentido y estar retroalimentada. Cuando un hombre tiene problemas de erección, se produce una primera fase en la que se pone a prueba para «ver si funciona». Pero si el problema se hace crónico, con el paso del tiempo puede aparecer una falta de deseo sexual, ya que el hombre ve que no es capaz de funcionar adecuadamente y pierde el interés por el sexo o lo deja «aparcado». En este caso, la falta de deseo sexual es secundaria o consecuente al problema de erección. Se debe empezar tratando primero el problema de erección. Y también puede ocurrir en sentido inverso. Primero aparece una falta de deseo sexual en el hombre (por depresión, estrés, enfermedad…) y, como consecuencia de tal desmotivación erótica, no consigue la erección en alguno de los pocos encuentros eróticos que realiza. En este caso se trataría de un problema de DE consecuente a una falta de deseo sexual y su abordaje clínico requiere que se empiece tratando en primer lugar la falta de deseo sexual.

P. ¿Qué relación tiene la DE con la falta de deseo sexual en la mujer?

R. La interrelación erótica de la pareja se retroalimenta mutuamente. Si el varón tiene problemas de erección que se hacen crónicos, su pareja sexual puede acabar perdiendo interés por el sexo. Y puede ocurrir al revés, que el papel de la compañera sexual sea un factor predisponente, precipitante o de mantenimiento del problema de DE.

P. ¿Se han incrementado los problemas de DE en varones jóvenes?

R. En los últimos años, y como consecuencia de la igualdad de roles sexuales y el cambio de la mujer en su actitud hacia el sexo, se están viendo más casos de hombres jóvenes con problemas de erección. Hay un perfil de chico joven que se preocupa cada vez más por satisfacer a su pareja sexual.

P. ¿Qué influencia tiene en el varón con DE la demanda de relaciones sexuales por parte de su pareja sexual?

R. Ante tal demanda, el hombre con DE (Barlow, 1986) reacciona muy negativamente, puesto que le genera unas actitudes recelosas hacia el encuentro coital; va a estar pensando en cómo realizar la penetración y en que no va a disponer del control de su erección, lo que va a generar una ansiedad añadida al intento de ejecución y finalmente desembocará en un rechazo del coito.

P. ¿Qué planteamiento conceptual debe tener inicialmente un varón con DE?

R. Debe entender que su problema es de salud sexual y que actualmente tiene solución dados los numerosos recursos clínicos de los que se dispone. También es conveniente que encuentre un buen experto. Posteriormente deberá informarse sobre el origen del problema, los factores que han influido en él, el papel de su pareja sexual (si la tiene, obviamente), los recursos disponibles que mejor pueden ayudar en su problema (médicos, psicológicos y sexológicos) y las opciones más factibles de tratamientos existentes.

P. ¿Tener un problema de DE implica estar enfermo?

R. La DE es un síntoma, pero también se la considera una enfermedad de grado 3 (Organización Mundial de la Salud). La realidad refleja que es un problema consecuente a múltiples factores (enfermedades físicas, psicológicas, fármacos, ansiedad, relación de pareja...). La Organización Mundial de la Salud (OMS) define el concepto de salud sexual de esta manera: «La salud sexual es un estado de bienestar físico, mental y social en relación con la sexualidad. Requiere un enfoque positivo y respetuoso de la sexualidad y de las relaciones sexuales, así como la posibilidad de tener experiencias sexuales placenteras y seguras, libres de toda coacción, discriminación y violencia». Es obvio reconocer que la DE puede afectar al bienestar físico, psicológico y relacional de una persona. Durante años, y en épocas lejanas, a la DE no se le prestó la atención necesaria. El derecho al placer sexual de las personas no siempre ha estado reconocido. Solo se daba importancia al factor reproductivo de la sexualidad. Hoy en día sabemos que el sexo, además del factor reproducción, incluye también el placer y la comunicación.

P. ¿Qué es el síntoma centinela?

R. Algunos problemas de erección tienen un origen orgánico vascular, son consecuencia de un déficit circulatorio. Desde esta perspectiva, la DE puede ser un síntoma avisador o centinela (de ahí su nombre) de que detrás de ella puede existir un problema vascular subyacente y, por tanto, un motivo de estudio vascular más amplio del paciente. Digamos que pone sobre aviso al médico sobre la posible existencia de algún tipo de problema vascular y la conveniencia de estudiarlo. De hecho, existen estudios que refieren que los varones con problemas de erección de origen orgánico tienen un mayor riesgo de sufrir un infarto o padecer una angina de pecho, especialmente en los dos o tres años siguientes a la aparición del problema de erección.

Otras patologías que pueden estar también «escondidas» detrás de un problema de erección de carácter orgánico son la hipertensión arterial, la diabetes o el síndrome metabólico.

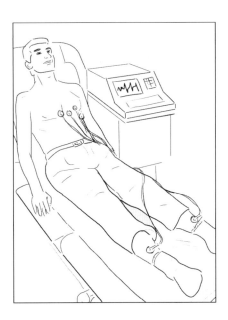

Igual que un centinela debe avisar de un posible peligro acechante, la DE de origen orgánico puede estar «avisando» de la posibilidad de que existan otras patologías no diagnosticadas, fundamentalmente de origen cardiovascular. En este sentido puede ser conveniente realizar un estudio de la función cardiovascular.

P. ¿Qué influencia tiene la edad en la DE?
R. La edad como tal no se considera en sí misma causa de un problema sexual, sino el envejecimiento asociado a ella. De hecho, la DE aumenta hasta 10 veces su frecuencia por encima de los 40 años (39 %) y se eleva hasta un 67 % a partir de los 70 años.

P. ¿Qué cambios sexuales son los propios del envejecimiento?
R. Pérdida de sensibilidad en el pene, de la rigidez y frecuencia de las erecciones (nocturnas sobre todo), de la frecuencia sexual. Muchos varones tienen períodos prolongados de abstinencia sexual y cuando van a intentarlo algunos no pueden porque se ha producido fibrosis del tejido cavernoso del pene. Además, hay que añadir cambios sociales, relacionales, psicológicos y de pareja consecuentes al avance de la edad y que también contribuyen a una visión y vivencia diferentes de la sexualidad.

P. ¿Qué influencia puede tener la andropausia en los problemas de erección?
R. Digamos que la andropausia es un proceso global de disminución de las capacidades físicas del varón como consecuencia entre otros factores del descenso de la testosterona en el hombre que provoca que vaya disminuyendo su vigor físico y su actividad sexual. Es un proceso que se desarrolla de forma más lenta y progresiva que el correspondiente de la mujer y que incluye varios factores, aunque el sexual es el que más llama la atención y repercute socialmente. La pérdida de testosterona supone una disminución evidente del deseo sexual y erecciones menos firmes y mantenidas. Aun así, varía mucho en cada hombre, ya que algunos con 50 años ya manifiestan síntomas propios de la andropausia mientras que otros con 70 apenas acusan los síntomas. De la menopausia de la mujer se habla más porque supone la pérdida de su capacidad reproductora y socialmente tiene más impacto, mientras que el varón tarda más tiempo en perder dicha capacidad.

P. ¿Qué relación tienen el pene y el clítoris?
R. El pene y el clítoris tienen una estructura muy parecida. Ambos poseen una raíz, un tallo, un glande, unos bulbos cavernosos que les rodean y grandes terminaciones nerviosas sumamente receptivas al placer. Pero existen varias diferencias notorias entre ellos. El pene posee unas 4.000 terminaciones nerviosas, mientras que el clítoris dispone del doble, unas 8.000. Aparte de esto, el pene sirve también para orinar y

la reproducción, ya que permite el paso de los espermatozoides a través de la uretra que discurre por su interior. El clítoris, por su parte, solo sirve para el placer.

P. ¿La evolución ha puesto el clítoris al servicio del placer?

R. Es el único órgano del cuerpo que la naturaleza y la evolución han creado para el placer. Cuando Masters y Johnson demostraron en los años sesenta la existencia científica del clítoris y su único sentido placentero, se acabaron algunos de los intensos debates morales que zarandearon el siglo XX sobre la existencia o no del derecho al placer de la mujer. Si la evolución ha permitido el desarrollo del clítoris, está claro que el derecho al placer de la mujer es incuestionable. Plantearse tal debate hoy en día parece inaudito, pero en su época, como he referido, supuso enconados enfrentamientos morales y socioculturales. Este aspecto, la existencia del placer como acompañante del sexo, no es nada baladí: permite deducir que el placer da sentido al sexo, es la motivación que la naturaleza ha depositado en la evolución para permitir la reproducción y el desarrollo de las especies. De hecho, no hace falta reflexionar profundamente para darse cuenta de que si el placer no acompañase al sexo, muchos hombres y mujeres prescindirían de él, y este sería una simple experiencia gimnástica no más motivante que cualquier ejercitación atlética.

P. ¿Qué relación tienen la DE y el clítoris?

R. Muchos hombres con problemas de erección tienen en mente satisfacer sexualmente a su pareja sexual. Con tal planteamiento, y sabiendo la eficacia erótica del clítoris, es entendible que los expertos propongamos a los varones recurrir al clítoris como método sustitutivo o/y complementario en la búsqueda y obtención del logro orgásmico femenino, potenciando formas de estimularlo sin recurrir exclusivamente a los movimientos intravaginales propios del coito.

P. ¿En qué consiste la técnica de la maniobra-puente?

R. Se puede realizar en varias posiciones coitales, pero en todas ellas se trataría de, teniendo el pene dentro de la vagina y sin moverlo, combinarlo con la estimulación manual del clítoris. Es una forma de descargar de «responsabilidad orgásmica» a los movimientos intravaginales del pene para que el hombre no asocie exclusivamente el placer de la chica con su pene.

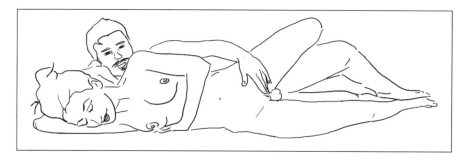

Maniobra-puente. Permite al varón estimular el clítoris de la chica, al mismo tiempo que el pene permanece dentro de la vagina.

P. ¿Existe relación entre el tamaño del pene y la DE?

R. Hay algunos hombres que consideran que el rendimiento sexual del varón está asociado al tamaño del pene. También se dan casos en la consulta sexológica de hombres con problemas de erección por tener complejo de pene pequeño. Son chicos que van a la relación coital con miedo, temerosos de «ser descubiertos» o «no dar la talla».

P. ¿Los complejos de pene pequeño suelen darse con más intensidad en la adolescencia y edad juvenil?

R. Suelen ser más propios de edades jóvenes. Pero con el transcurso del tiempo la mayoría de los hombres con complejo de pene pequeño lo superan, quedando en un mal recuerdo propio de los primeros encuentros coitales. Hay un estudio que demuestra que los hombres con penes pequeños suelen preocuparse más de buscar otras formas de satisfacer a la mujer que no sea sólo la penetración que aquellos que tienen un pene más grande, que suelen centrarse exclusivamente en ella. La fuente principal del placer en la mujer está en el clítoris, el cual se encuentra fuera del conducto vaginal, por lo que con los dedos es suficiente para poder estimularlo adecuada y eficazmente. Además, la zona más erógena de la vagina, la más inervada, es la que corresponde al tercio más exterior, por lo que tampoco se necesita un pene grande para estimularla.

P. Entonces, un chico que tenga el pene pequeño, complejo por ello y miedo a no satisfacer a las chicas, ¿no debería preocuparse por su erección?

R. Son tres cosas diferentes: el tamaño, el complejo y la satisfacción sexual de la pareja. Se puede tener pene pequeño y no tener complejo o haberlo asumido. Para satisfacer eróticamente a una chica existen recursos importantes ajenos al tamaño del pene como son: saber acariciar, conocer el manejo del clítoris, el punto G, controlar la respuesta eyaculatoria, tener sensualidad en los movimientos coitales, ser pasional, etc.

Es importante señalar que la DE no depende del tamaño del pene. Asimismo, la erección del pene no siempre es proporcional al tamaño de este. Puede variar mucho. Así tenemos que hay penes pequeños que crecen el doble en proporción al tamaño que presentan en estado flácido. Y al revés, penes grandes que no crecen apenas en proporción a su tamaño.

P. ¿Cuál es el orden en cuanto a elección de tratamiento en un caso de DE de causa orgánica?

R. Si la causa es orgánica, la primera opción son los fármacos inhibidores de la 5 fosfodiesterasa (IPDE5), que por orden de aparición en el mercado son Viagra (Sildenafilo, 1998), Cialis (Tadalafilo, 2003) y Levitra (Vardenafilo, 2003). El segundo nivel es la utilización de fármacos intracavernosos, especialmente la prostaglandina (PGE1). Y el tercer nivel u opción sería la cirugía, fundamentalmente la implantación de prótesis peneana, situación de elección cuando el paciente está dispuesto y han fracasado todas las opciones anteriores. Pero esta última opción requiere ya una reflexión profunda por parte del paciente antes de dar el paso porque es una solución definitiva e irreversible en cierto modo.

P. ¿Y cuál es el orden en cuanto a elección de tratamiento en un caso de causa psicológica?

R. Si la causa es psicológica el tratamiento de primera opción siempre es la terapia sexual, que además suele ser suficiente para resolver el problema. Pero existen determinados casos en los que es conveniente el tratamiento combinado de terapia sexual con fármacos IMPDE-5, que da buenos resultados.

P. ¿En qué consiste el mecanismo de acción de los iPDE5?

R. De forma resumida, se puede decir que el mecanismo de acción de los iPDE5 consiste en inhibir de forma potente y selectiva la enzima llamada fosfodiesterasa-5, impidiendo que esta destruya o degrade el óxido nítrico (GMPc) necesario para facilitar la relajación de la fibra muscular lisa de los citados cuerpos y así permitir que estos se inunden de sangre y formen la erección.

P. ¿Qué diferencia existe entre el Viagra, Cialis y Levitra?

R. Los tres son fármacos del mismo grupo, inhibidores de la fosfodiesterasa 5 (iPDE5), pero varían en las afinidades específicas para cada uno de los subtipos de fosfodiesterasa y su distinta farmacocinética. El componente del Viagra es el sildenafilo; el del Cialis, el tadalafilo, y el de Levitra, el vardenafilo. La diferencia clínica más notable es que el tadalafilo tiene una vida media (el tiempo que permanece en sangre el fármaco) más larga que los otros dos y eso permite que se administre de varias formas. De hecho, sus efectos en la sangre pueden durar hasta 36 horas, permitiendo un mayor aprovechamiento temporal de su beneficio.

P. ¿Qué son los fármacos intracavernosos?

R. Son fármacos que pertenecen al segundo nivel de tratamiento farmacológico de la DE (el primer nivel son los iPDE5). Son fármacos vasoactivos que propician la relajación del músculo liso cavernoso y de los vasos arteriales, permitiendo un mayor flujo sanguíneo al interior del cuerpo cavernoso del pene y, por ello, provocando la erección. En la actualidad se usa fundamentalmente la PGE1 o prostaglandina, sola o asociada a la fentolamina y la papaverina.

P. ¿Qué resultado ofrecen?

R. En principio los resultados son beneficiosos (60 al 70 % de éxito), pero el nivel de abandonos es muy alto, en torno al 40 % después de tres meses de tratamiento y de 70 a un 80 % a los tres años. La principal causa de su abandono es el hecho de que es el propio paciente quien se los tiene que pinchar en el pene y esto hace desistir a un buen número de ellos. Existe en el mercado un formato de prostaglandina uretral (se introduce por la entrada uretral del pene) que evita la autoinyección.

P. ¿Un fallo puntual en la erección o varios esporádicos es motivo de consulta por DE?

R. Un fallo puntual no tiene relevancia ni debería tenerla. De hecho, pueden darse algunos episodios fallidos aislados de erección y no tener por qué consultarlo. Algunos hombres, tras tener algún fallo puntual en la erección, empiezan a preocuparse en exceso por su funcionamiento sexual y comienzan a autoexaminarse en los encuentros coitales posteriores al episodio fallido. Esto es un error porque es la puerta para obsesionarse y caer en el círculo ansiógeno de rendimiento coital. De todas formas, se suele considerar que si el problema de erección sigue transcurridos seis meses, conviene consultarlo.

P. ¿Es conveniente que la pareja sexual acompañe al varón a la consulta sexológica?

R. Sí, es muy conveniente. Un problema sexual es un problema de pareja, nace y se soluciona dentro del marco de la pareja. Desde tal perspectiva, que la chica acuda a la consulta supone un apoyo para el varón y puede aportar datos valiosos al experto, otra mirada distinta a la del propio hombre y un gran apoyo emocional para el varón afectado por DE. De todas formas, no suele ser necesario que la mujer acuda posteriormente a todas y cada una de las citas.

P. ¿En qué consiste la terapia sexual?

R. La terapia sexual o sexológica es una terapia de las llamadas breves, ya que dura varias semanas o un número puntual de sesiones, a diferencia de terapias largas como el psicoanálisis, que se prolonga durante años e innumerables sesiones. Digamos que es un conjunto de técnicas y estrategias que permiten tratar con eficacia los problemas sexuales de origen psicológico, en este caso la DE, y que utiliza recursos aportados fundamentalmente por la psicología y la sexología. De hecho, utiliza recursos de diversas especialidades de la psicología, como la terapia Gestalt y el humanismo, basadas en las emociones, de la terapia familiar o sistémica, que contempla una visión amplia del entorno influyente en la biografía del paciente, y, por supuesto y sobre todo, de la terapia cognitivo-conductual, es decir, de una serie de técnicas que parten de la idea de que el ser humano es un ser viviente en constante aprendizaje, que construye su realidad en función de su adaptación al medio, en este caso a las experiencias cotidianas, todas ellas susceptibles de mejora, y que puede cambiar y mejorar su comportamiento y sus actitudes sexuales si se lo propone y alguien le da pautas técnicas adecuadas para hacerlo. Tales pautas son las que ofrecemos los expertos.

P. ¿Cuál es la estrategia de tratamiento de la terapia sexual?

Cada paciente presenta o tiene una base de factores potenciadores e inhibidores del deseo y, por tanto, favorecedores o impedidores de la erección. La base teórica inicial es potenciar aquellos factores eróticos de la pareja que están inhibidos por la ansiedad, contrarrestando las dinámicas inadecuadas que suelen estar presentes en las parejas con problemas sexuales de carácter psicológico. Desde tal perspectiva, eliminar la ansiedad de rendimiento del varón con problemas de erección es el objetivo primordial. Las técnicas, recursos y estrategias que suministra la terapia sexual permiten a la pareja descubrir sus conductas eróticas inadecuadas y encontrar las claves para poder funcionar de acuerdo con sus verdaderos deseos sexuales.

P. ¿Se puede utilizar la terapia sexual cuando la causa o causas de la DE son de origen orgánico?

R. No solamente se puede utilizar sino que en muchas ocasiones es aconsejable, como ocurre en los casos de causalidad orgánica en que los fármacos no han dado la respuesta esperada. También viene bien la terapia sexual para adaptar y mejorar la respuesta sexual en enfermedades crónicas orgánicas que dificultan o imposibilitan la erección, ofreciendo recursos sexológicos que potencian otras fuentes del placer erótico. Además, la mayoría de casos de DE, aunque sean de origen orgánico en su inicio, cuando se cronifican terminan por hacerse mixtos, ya que al varón afectado le supera la ansiedad psicológica por querer funcionar y ello afecta a la relación de pareja. La aparición de tal ansiedad de rendimiento y su efecto pernicioso en la pareja hacen conveniente en tales casos recurrir a la terapia sexual como complemento.

P. ¿Qué eficacia tiene la terapia sexual?

R. Una alta eficacia, en torno al 90 %, sobre todo en los casos psicológicos y de causa secundaria; los pocos fracasos terapéuticos se deben a la falta de motivación o/y abandono del tratamiento por parte del paciente.

P. ¿Qué se considera un abandono desde el punto de vista terapéutico?

R. El concepto de abandono clínico hace referencia a los casos en que los pacientes por decisión propia deciden abandonar el tratamiento sin que el experto considere que este se ha completado.

P. ¿Por qué abandonan los pacientes el tratamiento de DE?

R. En terapia sexual se suele abandonar porque los pacientes no observan una mejoría en sus erecciones al comienzo de las sesiones terapéuticas. Acuden esperando que la terapia funcione de forma rápida e inminente. Y la terapia sexual funciona muy bien pero no es como un fármaco que actúa al momento. Además, en la DE influyen muchos factores que tienen que ver con la interrelación erótica de la pareja y que requieren cambios de actitud que no siempre son aceptados por los miembros de la pareja. Además, conseguir cambiar comportamientos y disposiciones erróneas que llevan realizándose de forma reiterada durante años no es posible en una sola sesión.

P. ¿Cómo es la técnica de ganar y perder erección?

R. Es sencilla de aplicar. Consiste en que el paciente autoestimule su pene hasta conseguir erección y la mantenga durante cuatro o cinco minutos para seguidamente dejarla perder. Al cabo de otros cuatro o cinco minutos vuelve a conseguirla de nuevo y la vuelve a dejar perder. El objetivo de la técnica es sencillo pero eficaz: que el paciente vea y reafirme ante sí mismo que la erección depende de sí mismo más de lo que él mismo cree.

P. ¿Cómo es la técnica de desensibilización sistemática?

R. Hay una serie de estímulos que en un momento dado pueden producir ansiedad en las personas. En el caso del funcionamiento sexual, pueden dificultar la erección. Cuando esos estímulos van acompañados de una relajación, pierden su ansiedad. La desensibilización sistemática lo que propone es hacer imaginar al paciente tales estímulos en orden de menor a mayor ansiedad tras haberle relajado previamente para conseguir de esa manera que los estímulos pierdan su fuerza ansiógena.

P. ¿En qué consiste la técnica de focalización sensorial o placereado?

R. La focalización sensorial es un juego de concentración sensorial basado en un intercambio de caricias que el experto prescribe a la pareja para que las realice en su hogar sin un objetivo sexual previo. Consiste en acariciar y ser acariciado sin la pretensión de terminar la experiencia con una penetración intravaginal. Propone una forma de estar en intimidad corporal sin buscar la excitación sexual previamente ni pretender que sea un preámbulo coital (de hecho, el juego va acompañado de la prohibición coital). Se trata de una forma de sensualidad sin metas de rendimiento sexual ni exigencia erótica alguna. La técnica tiene fundamentalmente dos partes o fases (focalización sensorial I y focalización sensorial II). En las dos está prohibida la penetración. La única diferencia entre ellas estriba en que en la primera está prohibido también acariciar genitales y pechos, mientras que en la II sí se pueden acariciar genitales y pechos. Digamos que la técnica es la antítesis de la búsqueda obsesiva, rápida y ansiosa de la penetración vaginal.

P. ¿Expresan el mismo concepto los términos «masturbación» y «autoestimulación»?

R. Masturbación y autoestimulación reflejan el mismo concepto, pero el primero tiene connotaciones propiamente placenteras, mientras que el segundo es un término clínico o terapéutico. De hecho, se le explica al paciente que la autoestimulación se utiliza como rehabilitación del pene, ya que favorece la vascularización y tonificación de la musculatura genital. Por ello, prescribir a los pacientes afectados por DE (sobre todo en los casos de causa psicológica) la autoestimulación es algo muy recurrente en los protocolos de terapia sexual, al ser un recurso que funciona muy bien. Además, la primera referencia positiva de buen funcionamiento del pene se la tiene que dar el hombre a sí mismo. Es decir, el varón con problemas de erección lo primero que tiene que conseguir es volver a creer en sí mismo, en sus posibilidades, y los ejercicios de autoestimulación le ayudan a conseguir tal objetivo, el de la propia autoconfianza en su funcionamiento.

P. ¿La mejora en la comunicación en la pareja sexual es clave para la resolución de un problema de DE?

R. A través de la propia experiencia clínica en consulta y de múltiples estudios sabemos que una buena comunicación entre los miembros de la pareja es una garantía de mejora en la prevención y tratamiento de la DE.

P. ¿En qué consiste la estrategia del cartero?

R. Lleva tal nombre en referencia a la famosa escena erótica de la película *El cartero siempre llama dos veces* (1981) en la que el personaje encarnado por el actor estadounidense Jack Nicholson y su amante, interpretada por la actriz también americana Jessica Lange, realizaban el acto sexual sobre una mesa de cocina. La escena es mítica entre los amantes del cine por el erotismo explosivo que desprende. La posición física de la técnica recuerda a la posición de tales amantes sobre la mesa. En la aplicación clínica que la pareja tiene que realizar en su hogar, se trata de que el paciente, apoyado con las rodillas en el suelo, se autoestimule hasta alcanzar la erección mientras ella se encuentra en decúbito supino al borde de una superficie alta, como una mesa, o bien al borde de la cama.

P. Para el tratamiento de la DE, ¿cuál es más eficaz, la terapia sexual o la terapia con fármacos?

R. Depende. Porque en muchas ocasiones no hace falta utilizar fármacos, ya que es suficiente con la terapia sexual solo. De todas formas, últimamente han aparecido algunos estudios que refieren que la mayor eficacia en el tratamiento de la DE la consigue la terapia mixta (terapia sexual + fármacos).

P. ¿Qué papel desempeña la mujer en la DE?

R. Muy importante. La chica que apoya al varón supone un gran respaldo para la autoestima del hombre con DE. Además, si le acompaña durante el tratamiento, tanto en la fase de colaboración para realizar los diversos ejercicios juntos como dándole su ayuda emocional y afectiva durante todo el proceso terapéutico, va a suponer un gran revulsivo para la resolución del problema. La pareja es clave en la solución de cualquier problema sexual. Y la DE no es ajena a tal consideración.

P. ¿Una ruptura de pareja puede provocar un problema de DE?

R. Sí, puede producirlo. De hecho, se ven en consulta hombres que como consecuencia de una ruptura de pareja tienen problemas de DE.

P. ¿Y un problema de DE puede suponer una ruptura de pareja?

R. Sí, puede llegar a producir una separación. Aunque en muchas de tales ocasiones la pareja estaba ya en crisis previamente a la aparición del problema y la irrupción de la DE lo que hace es precipitar la ruptura de la relación. Pero en muchos casos, la mayoría de ellos, la DE no va a suponer la ruptura de la pareja.

P. ¿Ante un problema de DE reaccionan igual el hombre y la mujer?

R. Hombres y mujeres suelen reaccionar de manera diferente ante un problema sexual. Para la mayoría de los varones, la pérdida de la erección supone un gran quebranto de su autoestima sexual, por lo que queda totalmente desprotegido ante sí mismo. Ello hace que cuando se presenta un problema de DE el hombre suela «asustarse», lo que le crea una crisis interior que puede cursar con depresión.

P. ¿El aislamiento del varón ante su DE puede provocar que la mujer se sienta responsable del problema?

R. Efectivamente. Ante la soledad y aislamiento del varón, su pareja sexual puede malinterpretar la situación pensando que la culpa es suya, que ya no le resulta atractiva o que quizá exista otra mujer.

P. ¿Se precipitan egoístamente algunos varones con DE por demostrarse que funcionan?

Así les perciben sus parejas. De hecho, cuando el varón suele entrar en la fase de «ponerse a prueba» intentando repetir coito, la mujer suele considerar que el hombre es egoísta y solo piensa en sí mismo. En tal actitud, algunos varones, cuando ven que tienen una erección espontánea aunque sea a horas intempestivas, requieren a la mujer para intentar realizar el coito sin reparar en el deseo sexual de ella o si a ella le apetece en ese momento.

P. ¿Tal actitud egoísta del hombre puede incrementar el distanciamiento emocional entre ambos miembros de la pareja?

R. Esta vivencia es experimentada por la mujer pareja sexual como un mero objeto de uso por parte del hombre que quiere probarse a sí mismo. Esta serie de conductas pueden incrementar el distanciamiento afectivo entre ambos miembros y dilatar la consulta profesional y la solución del problema. En esta línea de comportamiento del varón no es raro que la mujer acabe pasando del sexo, y el hombre, renunciando a solucionar el problema de DE.

P. ¿Todas las parejas afectadas por un problema de DE reaccionan conflictivamente?

R. Obviamente no. Hay que decir que no todas las parejas afectadas por un problema de DE reaccionan de tal forma. Se da también el caso de parejas que saben enfrentarse al tema, tienen una buena complicidad sexual, disfrutan de una buena comunicación y llegado el caso recurren a un profesional experto en sexualidad.

P. Ante un caso de DE, ¿cómo influye en su solución el nivel de calidad relacional previo al problema que tenga la pareja?

R. Una pareja que se lleva bien, mantiene un buen nivel de comunicación y comparte una vida sexual saludable es candidata a encontrar una buena solución a su problema. Su óptima complicidad y el deseo compartido de mantener su estatus de felicidad les procura una especial motivación para resolver su situación. En cambio, a una pareja que lleva años en estado de crisis, que no comparte una sexualidad cómplice y cuya comunicación es inexistente o deficitaria es difícil motivarla para que en caso de que surja un problema de DE busque soluciones.

P. ¿Qué consecuencia puede tener en la pareja un problema de DE no tratado a tiempo?

R. Aunque la valoración de la importancia de la sexualidad es personal y subjetiva, el sexo en la pareja cubre unas necesidades eróticas y de comunicación íntima y afectiva importantes. En este sentido, si la pareja tienen un nivel de vivencia de la sexualidad saludable, un problema de erección es un motivo para buscar soluciones.

P. ¿Cómo afecta un problema de DE a una pareja que no da relevancia al sexo?

Si el sexo para la pareja no tiene relevancia, la DE puede no ser ni suponer un problema grave. De todas formas, si aparece un problema de erección en una pareja, lo lógico es que ambos se esfuercen por solucionarlo. Si se espera mucho tiempo antes de consultarlo, la DE se puede hacer crónica y la mujer puede pensar que quizá sea culpa suya al creer que ya no es atractiva para él, lo que puede crear un distanciamiento entre ambos.

P. ¿Qué es un priapismo?

R. Priapismo es un concepto clínico que define una erección continua, involuntaria y a veces dolorosa del pene, sin que vaya acompañada de deseo sexual, y que no revierte pasadas cuatro horas. Es una erección que el paciente no deseaba tener, sino que le ha sobrevenido. Si la erección no desaparece, puede producirse necropsia de los tejidos del pene y traer como consecuencia problemas de DE posteriores, que pueden ser puntuales o crónicos y parciales o totales. Hay que aclarar que el cuerpo del pene está duro, pero no así el glande. Es decir, solo hay erección de los cuerpos cavernosos del pene, pero no del cuerpo esponjoso, que es donde se localizan la uretra y el glande.

P. ¿Existen varios tipos de priapismo?

R. Existen dos tipos: el arterial (debido a un exceso de aporte de sangre arterial a los cuerpos cavernosos) y el venoso (por un defecto en el drenaje de los cuerpos cavernosos). El priapismo se produce de forma espontánea (traumatismos o procesos quirúrgicos) o por enfermedades, especialmente hematológicas, como el mieloma o la leucemia; también por tumores o por dosis excesivas en el tratamiento con fármacos vasoactivos (la prostaglandina, por ejemplo). Pero también los hay producidos por el alcohol y algunos (estadísticamente escasos) por causas psicológicas.

P. ¿Cómo se trata el priapismo?

R. Su importancia y abordaje dependen de que sea arterial o venoso. Si es arterial, no existe peligro de que se lesione el tejido eréctil. Si es venoso, sí puede dar problemas futuros de erección si no se resuelve.

A veces el priapismo remite el espontáneamente haciendo una actividad física moderada (andar a paso rápido, por ejemplo). Pero en otras ocasiones hay que recurrir a la extracción de sangre del pene, a fármacos anticoagulantes o a fármacos como la etilefrina, un estimulante cardíaco que eleva la presión arterial y disminuye el calibre de los vasos (facilitaría la descongestión arterial del pene). Finalmente, si no funcionasen tales medidas, habría que recurrir a la cirugía. Pero ello ocurre solamente en casos muy contados.

2. MITOS Y VERDADES SOBRE LA DE

INTRODUCCIÓN

Este capítulo ofrece una visión de la relación que tiene la DE con una serie de factores que pueden inducirla, favorecerla, precipitarla o mantenerla. Estoy refiriéndome a factores como la enfermedad, la relación de pareja, la enfermedad, los fármacos para el tratamiento de dichas enfermedades, los hábitos pocos saludables, el desempeño sexual (la realización del coito), la educación sexual, los cambios culturales y sociales (nuevos roles sexuales) o el papel de la mujer. Por ello explico la influencia y relación que tienen con la DE la vasectomía, la diabetes, la hipertensión, las cardiopatías, el envejecimiento, los fármacos para su tratamiento, los preservativos, el tamaño del pene, las fantasías sexuales, la masturbación, el alcohol, el tabaco, las posiciones coitales, la nueva actitud de la mujer ante el sexo, la ansiedad, la depresión o la importancia del apoyo de la pareja sexual durante el tratamiento del problema, entre otros factores, y pretendo aclarar lo que «de verdad y mentira» hay en la relación de la DE con tales conceptos. Está diseñado en el formato de consejo y asesoramiento sexual particularizado para cada apartado, lo que posibilita una búsqueda más accesible y concreta.

1. DE Y ENFERMEDAD

La disfunción eréctil, como ya he comentado anteriormente, se considera una enfermedad en sí; en concreto la OMS (Organización Mundial de la Salud) la considera enfermedad en grado 3.

La erección es una respuesta fisiológica compleja en la que intervienen factores neurológicos, vasculares, hormonales y psicológicos. Cualquier problema de salud que afecte a estos sistemas puede tener repercusiones en la erección. Desde esta perspectiva existen un gran número de enfermedades que pueden tener consecuencias sobre la erección. Las de mayor repercusión son: hipertensión, hiperlipidemia, diabetes, arterioesclerosis, prostatectomía, insuficiencia renal, tabaquismo, alcohol y alteraciones hormonales.

El componente que impide la erección tiene que ver con la producción de óxido nítrico, un neurotransmisor o mensajero químico necesario para que los cuerpos cavernosos del pene se relajen y permitan la entrada de la sangre al pene. La alteración endotelial de los citados cuerpos cavernosos repercute en la liberación del óxido nítrico endotelial. También puede influir en el problema un déficit de óxido nítrico neuronal producido por motivos psicológicos o mecánicos (lesión medular) que induce una disminución del flujo vascular peneano. Finalmente, los factores hormonales y el tono alfaadrenérgico complementan la batería de elementos inductores de disfunción eréctil de carácter orgánico.

Consejo y asesoramiento sexual

Es importante la prevención sexual y aceptar que existen un gran número de enfermedades que pueden complicar el funcionamiento eréctil peneano. Por ello es aconsejable una buena prevención sexual que incluiría el desarrollo y mantenimiento de unos apropiados hábitos de salud por parte del varón, procurarse una adecuada información sexual y considerar que un problema de erección pertenece al campo de la salud sexual y es, por tanto, susceptible de ser abordado con naturalidad en el ámbito asistencial.

1. DE y depresión

La depresión es un factor que influye en la DE. De entrada, es lógico pensar que un estado de ánimo depresivo o negativo es incompatible con el deseo sexual. Los estados depresivos son comórbidos (concurren varios trastornos juntos en una misma persona en un momento dado) con la DE en un sentido bidireccional. Es decir, la depresión produce DE y la DE puede producir también depresión. La incidencia de la disfunción eréctil transitoria en la depresión es del 90 %. Se sabe que los varones con depresión presentan menos erecciones nocturnas que aquellos que no la padecen.

Consejo y asesoramiento sexual

El tratamiento de la DE en varones con depresión requiere un «doble» enfoque terapéutico dado que pueden existir causas orgánicas y psicológicas. La causa orgánica viene desencadenada por el efecto de los fármacos antidepresivos, que suelen provocar problemas de erección. Y la psicológica viene añadida porque el varón depresivo acaba obsesionado por su erección y vive la ansiedad anticipatoria psicológica durante el coito. Por tal hecho, un buen número de ellos, cuando se les retira el fármaco antidepresivo, siguen teniendo una inhibición funcional. El abordaje terapéutico suele requerir la retirada del fármaco y el tratamiento con fármacos IPDM-5 (inhibidores de la fosfodiesterasa tipo 5) como sildenafilo, tadalafilo o vardenafilo; e incluso terapia sexual para completar el abordaje de la ansiedad psicológica.

2. DE y diabetes

La diabetes es una de las enfermedades más relevantes en la causalidad orgánica de la DE. Según distintos estudios, la prevalencia de DE en la diabetes mellitus varía entre el 20 y el 50 %. Con el paso del tiempo y el incremento de la severidad de la diabetes, el porcentaje de DE llega a ser de un 95 % en varones diabéticos de 70 años. El estudio de la disfunción eréctil en pacientes diabéticos resulta complicado, pues existe multitud de variables que influyen en su etiología y desarrollo, como son los factores que componen el complejo mecanismo de la erección: vasculares, neurógenos, hormonales y psicológicos.

Consejo y asesoramiento sexual

En la diabetes, además de factores orgánicos, no es infrecuente que aparezca también un componente psicológico que mantenga el problema de erección. La relación entre diabetes y DE es emblemáticamente representativa del justo y acertado proceder que el experto debe encontrar entre la conveniencia de informar al paciente de la realidad que le puede esperar, la forma matizada de explicárselo y el momento concreto de la evolución de la enfermedad en que es inaplazable suministrarle tal información. Y es que el factor psicológico añadido que suele producirse tras una causalidad orgánica de DE suele encontrar en la diabetes un campo especialmente abonado a que el paciente, una vez informado, precipite aún más su problema de erección asustado por lo que interpreta que le espera en el futuro con el avance de su enfermedad. Es importante saber que el tratamiento con los fármacos pertenecientes al grupo de los inhibidores de la fosfodiesterasa tipo 5 (IPDM 5) suele tener buenos resultados en la DE secundaria a la diabetes, ya que favorecen la relajación del músculo liso aórtico, la vasodilatación y el aumento del flujo sanguíneo.

3. DE e hipertensión

La hipertensión influye directamente en la respuesta sexual. Se estima que en España entre el 8 y el 17 % de los hipertensos sin tratamiento padecen disfunción eréctil y que en varones hipertensos de más de

70 años la prevalencia es de un 26 % (Noguerol, Berrocal y De Alaiz, 1996). Para otros autores la hipertensión arterial causa un 12,2 % de DE, aunque la cifra dependerá del nivel de presión sistólica, la edad y el tratamiento que se esté dando a la hipertensión.

Consejo y asesoramiento sexual

La hipertensión arterial produce pérdida de elasticidad en las arterias, daña el endotelio y hace por ello disminuir el óxido nítrico necesario para la relajación de los cuerpos cavernosos del pene. Por todo ello, dificulta el abastecimiento de sangre al pene (recordemos que la erección es sangre que confluye en el pene a través de las arterias y vasos). Al mismo tiempo, se sabe que los fármacos utilizados en el tratamiento de la hipertensión arterial también producen DE, por lo cual tanto la hipertensión en sí como los fármacos para su tratamiento generan DE. De hecho, las cifras de los estudios refieren que hasta un 61 % de los pacientes tratados con fármacos contra la hipertensión (hipertensivos) padecen DE. Entre tales hipertensivos están a la cabeza los diuréticos, betabloqueantes y antiadrenérgicos (metildopa, clonidina, etc.). Los antihipertensivos que menos influyen en la erección (Cabello, 2010) son los inhibidores de la enzima convertidora de angiotensina, los antagonistas de los receptores de angiotensina II, los bloqueadores de los canales del calcio y los dihidropiridínicos. Por ello, los pacientes hipertensos que sientan que a raíz de tomar el fármaco ha aparecido o se ha incrementado su problema de erección pueden pedir a su médico de cabecera un cambio de fármaco siempre y cuando siga siendo eficaz para su problema de hipertensión. De todas formas, los pacientes hipertensos en general pueden tomar fármacos iPDE-5 (Viagra, Ciallis o genéricos de los mismos) para contrarrestar su pérdida de erección, salvo que tengan alguna cardiopatía severa o estén tomando también medicación para el corazón que lleven nitratos (o donadores de óxido nítrico), en cuyo caso existe contraindicación absoluta. Aun así, dado que la interacción entre los fármacos es compleja y puede variar en cada individuo, siempre es necesario y conveniente consultar con el médico cualquier cambio, variación o retirada de medicación. Además, la vida sexual de cada persona, su biografía erótica, su educación sexual, sus relaciones sexuales y la relación de pareja hacen que cada caso requiera un análisis personalizado de las circunstancias a la hora de combinar la terapia sexual con la toma de fármacos.

4. DE y enfermedad cardiovascular

La incidencia de la DE tras un infarto de miocardio se sitúa entre el 38 y el 78 % por causa de factores vasculares (arterioesclerosis), los consecuentes a la toma de fármacos postinfarto y los factores psicológicos (ansiedad de ejecución, fundamentalmente). De hecho, entre un 37 y un 58 % de los pacientes que han sufrido un infarto necesitan ayuda psicológica sexual, ya que el miedo (a veces, verdadero pánico) a la excitación sexual les paraliza e impide tener relaciones sexuales. Y cuando las tienen, el miedo constituye un factor determinante en la vida sexual de tales pacientes, ya que la ansiedad de anticipación o ejecución mencionada múltiples veces en este libro por su importancia se incrementa en el varón tras el infarto. Además, la autoobservación por parte del varón se extiende no solo al pene sino también al pecho (quiere ver si siente opresión), al corazón (para sentir el ritmo cardíaco) y a la respiración (está pendiente de si se produce disnea). A ello hay que añadir la actuación y actitud erótica de la pareja sexual del varón cardiópata, que suele renunciar al sexo por miedo a «que pueda pasarle algo a él» y sentirse luego culpable o responsable de posibles percances de salud que pudieran sobrevenirle a su «chico».

Consejo y asesoramiento sexual

En hombres que han tenido un infarto previo, el riesgo de volver a padecer el episodio como consecuencia de tener relaciones sexuales es muy bajo, en concreto de 20 personas entre un millón de hombres. Y si se refiere al riesgo de tener un infarto entre hombres sanos de 50 años, sin factores de riesgo y que no hayan tenido un infarto nunca, el porcentaje es de dos hombres entre un millón. En resumen, se puede decir que el peligro físico que pueda tener un varón por mantener relaciones sexuales después de haber padecido una enfermedad cardiovascular es muy escaso. Aun así, hay ocasiones en que la sexualidad debe ser restringida para impedir el aumento del gasto cardíaco. Existe un protocolo de actuación sexual llamado «consenso de Princeton» y elaborado en 2005 que plantea el nivel de riesgo cardíaco de los pacientes afectados por enfermedades cardiovasculares según el tipo y grado. En tal clasificación, el riesgo se divide en tres niveles: bajo, medio y alto, según el tipo de enfermedad cardíaca. En teoría, se puede decir que cualquier persona que pueda andar 1 km en 15 minutos o subir 20 escalones en 10 segundos (Siewcki y Mansfield, 1977) no tiene por qué tener problemas en las relaciones sexuales. De todas formas, al paciente que haya tenido algún problema cardiovascular le conviene consultar al cardiólogo para que le informe y concrete el nivel de riesgo según su enfermedad, edad y circunstancias.

Una vez informado pertinentemente, y si el paciente cumple los criterios necesarios para poder tener relaciones sexuales, deben seguirse una serie de pasos sucesivos para volver a tener relaciones sexuales.

Estos son los pasos progresivos (Cabello, 2010) que se deben seguir para poder volver a disfrutar del sexo sin contratiempos:

1.º Perder el miedo a volver a tener sexo

El paciente debe volver a imbuirse de erotismo, exponiéndose a estímulos sexuales (películas, lecturas, fantasías sexuales…) para ir adaptándose a la excitabilidad sexual y perder el miedo a que la excitación sexual le genere descompensación. Este reinicio sexual no debe ir acompañado de ingesta de alcohol. También conviene que espere un tiempo razonable desde la última comida (mínimo una hora aconseja el médico y sexólogo Francisco Cabello) antes de este «regreso sexual».

2.º Recurrir a la automasturbación

El paciente debe comenzar con autoestimulación para ir familiarizándose de nuevo con la erección y el deseo sexual. La ventaja de la masturbación es que tiene el mismo gasto cardíaco que el coito pero no genera en el paciente la ansiedad anticipatoria de rendimiento sexual que conlleva la penetración vaginal. Esta fase debe durar dos semanas más o menos.

3.º Realizar juegos de placereado o focalización sensorial (sin penetración vaginal todavía)

Durante dos semanas el paciente realizará varias sesiones de caricias no coitales con su pareja sexual para ir familiarizándose con la sensualidad en pareja.

4.º Se puede realizar la penetración vaginal

Al cabo de un mes aproximadamente ya se puede realizar la penetración. Pero conviene que vaya precedida de juegos de placereado, sin centrarse directamente en la penetración.

5.º Conviene mantener una frecuencia sexual regular

Igual que después de una cardiopatía se aconseja al paciente que haga de manera regular un ejercido físico moderado acorde con sus posibilidades, también se prescribe una vuelta a la actividad sexual pero que sea de forma regular, mantenida, sin sobresaltos ni imprevistos. Tener una sexualidad reglada va a posibilitar un doble beneficio: continuidad en el esfuerzo físico y en la satisfacción sexual.

Evitar digoxina y diuréticos tiacídicos

A medida que mejore la función cardíaca, irá mejorando paralelamente la función eréctil. Por ello se debe evitar en lo posible la administración de digoxina y de diuréticos tiacídicos y reemplazar el pro-panolol por betabloqueantes cardioselectivos y la espironolactona por esplerenona (Cabello, 2010).

Inhibidores de la 5 fosfodiesterasa (IPDE-5) como tratamiento

El mito de que los fármacos para recuperar la erección hacen daño al corazón es eso, un mito o mentira. De hecho, siempre y cuando el paciente esté estable y pueda (como hemos referido anteriormente) su-bir dos tramos de escaleras y andar 1 km en 15 minutos, puede tomar sildenafilo (Viagra), tadalafilo (Cialis) o vardenafilo (Levitra). Estos fár-macos solo estarán absolutamente contraindicados desde el punto de vista cardiológico cuando el paciente esté tomando nitritos o derivados, cuya asociación (la de inhibidores de la 5-alfadiesterasa con nitritos) puede ser peligrosa, ya que puede bajar de forma considerable la ten-sión arterial.

Antes de administrar los IPDE-5, el cardiólogo realiza una valoración individualizada en los siguientes casos:

⇨ Pacientes con isquemia coronaria activa sin nitratos.
⇨ Insuficiencia cardíaca acompañada de tensión arterial baja.
⇨ Uso concomitante de alfabloqueantes.

Conclusiones:

Abordaje sexológico multidisciplinar del paciente cardiópata

Como se ha visto anteriormente, el paciente afectado por una enfer-medad cardiovascular es probable que sufra, como consecuencia de ello, una DE. Por ello el abordaje sexual del paciente cardiópata debe ser compartido por el sexólogo, el cardiólogo y el médico de Atención Primaria.

Una vez que el paciente sea visto por el cardiólogo y asignado al grupo correspondiente de riesgo (bajo, medio o alto) en función del protocolo de Princeton, el cardiólogo puede prescribir, si así lo consi-dera y procede, fármacos inhibidores de la 5-fosfodiesterasa (Cialis, Viagra, Levitra). Posteriormente, el sexólogo complementará el trata-miento explicando al paciente las pautas sexuales que debe a seguir (las avanzadas en el párrafo anterior).

Finalmente, añadir que las relaciones sexuales mejoran la calidad de vida y disminuyen la mortalidad, como ha quedado reflejado en un es-tudio realizado por Caerphilly (Smith, Frankel y Yarnell, 1997) que de-mostró que en las personas con enfermedad coronaria y una alta fre-cuencia orgásmica el riesgo de mortalidad era un 50 % menor.

⇨ En general, tras un infarto, entre un 38 y un 78 % de personas padecerán de DE.

⇨ Cuatro años después de haber tenido un infarto:
- Un 1/3 de los pacientes tenía DE.
- Un 59,3 % presentaba disminución del deseo.
- Un 24 % se abstenía de mantener relaciones.
- Solo un 25 % había recuperado totalmente la sexualidad.

CATEGORIZACIÓN DE RIESGO DE RELACIONES SEXUALES EN CARDIOPATÍAS

Riesgo bajo:

Hipertensión controlada.
Angina leve y estable.
Eficaz revascularización coronaria.
Ausencia de complicaciones.
Lesión valvular leve.
Ausencia de síntomas y presencia de menos de tres factores de riesgo cardiovascular.

Riesgo medio:

Angina moderada.
Infarto de miocardio de menos de seis semanas.
Insuficiencia ventricular izquierda.
Cardiopatía congénita tipo II.
Riesgo medio de arritmias.

Tres o más factores de enfermedad coronaria

Riesgo alto:
Angina inestable o refractaria.
Hipertensión incontrolada.
Cardiopatía congénita tipo III o IV.
Infarto de miocardio de dos semanas o menos.
Riesgo alto de arritmias.
Miocardiopatía obstructiva.
Lesión valvular moderada o severa.

Siguiendo esta clasificación:

Las personas de bajo riesgo pueden tener relaciones sexuales y someterse a tratamiento si aparece alguna disfunción.

Los pacientes de riesgo moderado medio deberán ser reevaluados de nuevo antes de ser clasificados como de bajo o de alto riesgo.

Los pacientes de alto riesgo deberán ser estabilizados por el cardiólogo antes de emprender algún tipo de consulta sexual, pues el incremento de la frecuencia y tensión arteriales propio de la respuesta sexual podría acarrear consecuencias nocivas (Cabello, 2010).

FUENTE: Consenso de Princeton. Revisado en 2005 (Cabello, 2010).

RIESGO POR EL DESGASTE FÍSICO AL REALIZAR EL ACTO SEXUAL
«En principio, cualquier persona que pueda andar 1 kilómetro en 15 minutos o subir 20 escalones en 10 segundos (Siewcki y Mansfield, 1977) no debería tener problemas por mantener relaciones sexuales.»

Fármacos vasodilatadores utilizados en enfermedades cardíacas (nitratos orgánicos)

NITROGLICERINA	MONONITRATO DE ISOSORBIDA	DINITRATO DE ISOSORBIDA	OTROS VASODILATA-DORES
Cafinitrina	Cardionil Retard	Iso Lacer	Corpea
Cordiplast	Cardiovas Retard	Iso Lacer Retard	Molsidain
Dermatrans	Coronur		
Diafusor	Coronur Retard		
Epinitril	Dolak Retard		
Minitran	Mononitr Isosorb		
Nitradisc	Pertil Retard		
Nitrodur	Uniket		
Nitroderm matriz	Uniket Retard		
Nitroderm TTS			
Solinitrina			
Triniplatch			
Vernies			

Fuente: BOT (Base de datos del medicamento. Consejo General de Colegios Oficiales de Farmacéuticos, 2007).

5. DE y envejecimiento

El envejecimiento no es una enfermedad en sí, pero al llevar asociadas una serie de enfermedades propias de la edad, se incluye en este apartado. Según Masters y Johnson (1966), los hombres al final de los cincuenta años y principios de los sesenta pueden llegar a tardar de 12 a 24 horas en superar la fase refractaria y recuperar la erección después de haber eyaculado. Recordemos que la fase refractaria de la respuesta sexual del hombre es aquella que se produce tras eyacular, durante la cual no responde a los estímulos sexuales y necesita un tiempo para poder volver a tener erección y eyaculación de nuevo.

La sexualidad de la persona mayor experimenta cambios, siendo tres en particular los niveles que más afectan a la DE: vascular, hormonal y psicológico. En lo que se refiere al primero, la pérdida de la vascularización genital (deterioro progresivo de los endotelios) conlleva un déficit circulatorio en dicha zona y una disminución del óxido nítrico (fundamental en la erección). En lo referente al campo hormonal, los niveles androgénicos disminuyen a partir de los 30 a 40 años, particularmente los niveles de testosterona biodisponible. Y en cuanto al nivel psicológico, aparecen cambios progresivos en la vida de la persona con el paso del tiempo que pueden influir negativamente en su autoestima: disminución de la capacidad física, aumento de la tristeza, depresión, desencanto con la vida, soledad, creer que se ha perdido la virilidad…

Asimismo, se sabe que la prevalencia de disfunciones sexuales entre hombres de 40 a 70 años se triplica (Feldman, Goldstein y Hatzichristou, 1994).

Consejo y asesoramiento sexual

La vida sexual en la edad madura depende entre otros muchos factores de la biografía sexual de cada uno. Se sabe que si se ha cultivado con naturalidad el sexo y disfrutado de él a lo largo de la juventud y madurez, más posibilidad se tiene de alargarlo durante la vejez. Es evidente que la vejez es una etapa difícil con grandes cambios, entre ellos la función sexual. Pero también sabemos que la sexualidad puede mantenerse viva siempre, pero adaptada obviamente a tales cambios. No se puede pretender tener erecciones frecuentes e intensas con una edad avanzada, ni funcionar como un chaval de 25 cuando se tiene 70 años. Se debe ser realistas pero no renunciar al sexo. Es obvio que pueden aparecer problemas de erección, pero no tienen por qué ser disfuncionales, sino propios de la edad. Ser mayor no tiene por qué significar renunciar al sexo. Es conveniente seguir cultivando la vivencia sexual porque la ciencia sexológica ha demostrado que quienes mantienen una actividad sexual saludable en la tercera edad manifiestan mayores índices de satisfacción general con la vida, mejores marcadores de salud y una mejor socialización (Cabello, 2010). Otros estudios demuestran que la actividad sexual puede ser una medida preventiva contra las dos principales causas de muerte en el mundo occidental: el cáncer y el infarto.

2. DE Y TÉCNICAS QUIRÚRGICAS

1. DE y vasectomía

La vasectomía, como se sabe, es un método anticonceptivo consistente en seccionar (cortar) y ligar (cerrar) los conductos deferentes o seminales (por donde pasan los espermatozoides) para evitar que el semen expulsado por la uretra contenga espermatozoides.

La intervención quirúrgica es sencilla y de corta duración. Bajo anestesia local un urólogo hace una pequeña incisión en el escroto. Se sacan los conductos deferentes a través de la incisión, se cortan y se ligan, de forma que los dos extremos de cada conducto quedan anudados o separados entre sí. Una vez hecho esto, se vuelven a introducir de nuevo los conductos en el escroto. El sangrado es mínimo, aunque la herida suele necesitar algún punto reabsorbible. Como consecuencia, en poco tiempo el semen eyaculado no contiene espermatozoides.

Consejo y asesoramiento sexual

La vasectomía puede ocasionar pequeños efectos secundarios de corta evolución, como el citado sangrado o infecciones en grado menor. Pero no afecta a la erección. Lo que se anula es el acceso de los espermatozoides al semen expulsado por la uretra (el semen no solo lleva espermatozoides), pero no se corta ni interviene sobre ningún elemento que tenga relación con los mecanismos que determinan la erección (vasculares, neurológicos).

Sin embargo, he conocido a lo largo de mi experiencia profesional tres casos de pacientes con DE que referían que su problema de erección era consecuencia (así lo creían) de la vasectomía a la que se habían sometido. Consideraban que a raíz de la intervención había comenzado su problema de disfunción eréctil. En todos los casos se trató consultas puntuales (una sola cita en cada paciente), meramente informativas, y fueron el miedo a no funcionar durante el coito, el desconocimiento del paciente de la anatomía y fisiología masculinas y la excesiva valoración que se tiene del pene lo que les hizo «comerse el coco» sobre su capacidad de funcionar tras haber sido operados. Desde el momento en que les confirmé la inexistente relación entre la DE de origen orgánico y la vasectomía, entendieron que su problema era «de cabeza», «autoinventado», por lo que al poco tiempo remitieron sus problemas de erección.

3. DE Y EDUCACIÓN SEXUAL

1. DE y masculinidad

Durante siglos, y a través de la transmisión cultural, el macho humano ha ido configurando su sexualidad sobre la base de una masculinidad apoyada fundamentalmente en el pene y su capacidad de erección. La autoestima sexual del varón ha estado y sigue estando asociada en el inconsciente de la mayoría de los hombres al manejo hábil, presto y resolutivo de su respuesta peneana. Ello ha ido en detrimento del desarrollo de otra serie de habilidades amatorias alejadas de la potencia del llamado «miembro viril».

Consejo y asesoramiento sexual

La erección es un mecanismo mágico, increíble, una consecuencia maravillosa de la evolución. Pero su funcionamiento es más frágil de lo que pudiera parecer a muchos hombres que han hecho de ella el símbolo de la masculinidad, la potencia sexual o el poder y que, cuando sufren un percance o fallo en la erección, quedan expuestos ante sí mismos como débiles, incompetentes e incapaces de satisfacer a su pareja y su propio narcisismo. Es importante que el hombre no apuntale su hombría sobre la base de la erección y su funcionamiento. Existen otras formas y alternativas variadas de poder satisfacer a la pareja sexual que no exijan la exclusiva erótica de la erección, como son el manejo del clítoris mediante otras vías no peneanas o el punto G. Conviene no hacer de la capacidad de erección el centro de la vida sexual productiva del varón. Sensualidad y erotismo son dos conceptos amplios que ofrecen un montón de posibilidades creativas no apoyadas en el exclusivo funcionamiento de la erección.

2. DE y pornografía

El problema de la pornografía y su relación con la sexualidad estriba fundamentalmente en que la pornografía está concebida (aparte de como negocio, razón primera y obvia) para entretener, disfrutar y generar placer, pero está siendo utilizada por muchos jóvenes como fuente de información sexual y, lo que es peor, en muchas ocasiones como fuente única de educación sexual. Esto lleva un peligro añadido: muchos chicos creen que el sexo real es como el que ven y se ve en las escenas pornográficas, cuando la realidad cotidiana del sexo real dista mucho de las imágenes, actitudes y capacidades sexuales contempladas en este tipo de cine. Así, tenemos que muchos jóvenes creen que el tamaño del pene debe ser tan grande y potente como el que se ve en las películas porno; el orgasmo, igual de espectacular, y la actitud sumisa de las mujeres, idéntica a la que perciben en las imágenes porno. Y la erección de los varones, igual que la que aparece en tales escenas pornográficas. En consecuencia, algunos hombres son víctimas de la captación de tales ideas y se autojuzgan con demasiada severidad. Ello hace que interioricen que su erección debe estar siempre «disponible», que el hombre nunca falla y que las mujeres se pirran por penes enormes de tamaño y grosor. Como consecuencia de ello, se dan casos de chicos que, teniendo una baja autoestima y escasa o nula educación sexual, presentan problemas de erección por pretender imitar eróticamente a los actores que ven en las citadas películas pornográficas.

> La pornografía genera problemas a muchos chicos, sobre todo jóvenes, porque recurren a ella como referencia educativa sexual y no entienden luego lo que les pasa en la realidad de su vida sexual normal, alejada de la «ficción» pornográfica.

Consejo y asesoramiento sexual

Una cosa es el sexo que se transmite en la pornografía y otra es la realidad de la experiencia sexual corriente de la vida normal y generalizada. No conviene dejarse llevar e influir educativamente por las películas pornográficas ya que, además de obedecer a intereses comerciales, están concebidas para el varón exclusivamente, ofrecen una imagen peyorativa de la mujer y transmiten una idea no real del sexo común y cotidiano. Una cosa es que las películas porno puedan tener una utilidad placentera y otra que sustituyan a la educación sexual como elemento informativo y formador de una sexualidad sana y saludable. No conviene dejarse engañar ni confundir: el sexo real no es como el que aparece en las películas pornográficas y el mecanismo de la erección natural y cotidiana tampoco guarda relación con el que estas reflejan.

Y si quieres tener una educación sexual que potencie tu vivencia, te quite complejos y te ayude a ser tú mismo, busca información y formación en buenos libros de sexología y no olvides, claro, que la vida sexual es una página que tenemos que escribir todos, cada uno a nuestra manera y forma, con errores y aciertos, con frustraciones y fracasos, acorde con la educación recibida, las relaciones vividas, los amores habidos y la forma en que tales elementos van influyendo en cada uno de nosotros (los mismos hechos no nos afectan a todos por igual). Prevención e información, lectura y sensatez son los mejores recursos para intentar llevar una vida sexual plena y satisfactoria.

3. DE y tamaño del pene

La DE en general no tiene relación con el tamaño del pene. Pero algunos varones acomplejados por el tamaño de su pene sí presentan casos de DE. Se sienten inferiores, su autoestima sexual es baja y lo pasan mal cuando tienen encuentros coitales. Sobre todo, cuando tales encuentros sexuales no ocurren dentro de un marco de pareja estable, donde la mujer aporta confianza y afectividad a «su chico» y suele aceptar el tamaño de su pene. La mayoría de los casos de hombres con complejo de pene su pequeño suelen darse en la adolescencia, cuando tienen que enfrentarse a sus primeros coitos, o en la primera juventud, cuando se incrementa la búsqueda de escarceos eróticos, bien sea por encontrar pareja o novia o por descubrir y disfrutar del sexo.

Consejo y asesoramiento sexual

Si el tamaño del pene es o no importante es una cuestión recurrente, un clásico de los debates sexuales. Se puede decir desde el punto de vista sexológico que el tamaño del pene no es fundamental ni decisivo para la obtención del placer femenino. También se puede decir que la mujer en general, sobre todo la mujer madura, no da al tamaño del pene la relevancia o importancia que el propio hombre le suele otorgar. En el listado de elementos relevantes que la mujer valora o a los que da importancia a la hora de sentirse atraída por un hombre, el tamaño del pene no ocupa un lugar preponderante. En todas las encuestas internacionales los primeros puestos en cuanto a preferencias de las mujeres son ocupados por la mirada, la sonrisa, los ojos, el tórax, la altura, la voz, las manos e incluso el culo. No suelen mencionar el pene, y si lo hacen ocupa un lugar menor. Pero también hay que decir que actualmente, y acorde con la ola de hedonismo y liberalización sexual que se vive, algunas mujeres sí otorgan valor al tamaño del pene, sobre todo cuando se buscan encuentros sexuales puntuales, de una noche, o establecer relaciones breves. En tal contexto y perspectiva, algunas féminas sí otorgan relevancia al tamaño, a veces más al grosor que a la longitud por aquello de sentir más fuerza y presión en la vagina que induzcan sensaciones placenteras propias de la penetración intravaginal. Lo que sí está evidenciado es que si a una mujer le gusta un hombre como proyecto de pareja, el tamaño del pene no va a ser un elemento relevante que le influya en su vinculación emocional, ni tampoco decisiva en su elección de pareja.

Es importante que el varón no otorgue al tamaño del pene una importancia que la propia mujer no le da. También, que se acepte a sí mismo, que potencie el erotismo global, la pasión, la ternura y el desarrollo de una sexualidad alejada de modelos falocráticos asociados al dominio, el poder o una masculinidad mal entendida. Y, por supuesto, saber que no se necesita un pene grande para satisfacer a una chica.

La fuente principal del placer en la mujer está en el cerebro, y el órgano clave en su activación es el clítoris, el cual se encuentra fuera del conducto de la vagina y puede ser estimulado por la boca o los dedos del amante, sin necesidad específica del pene.

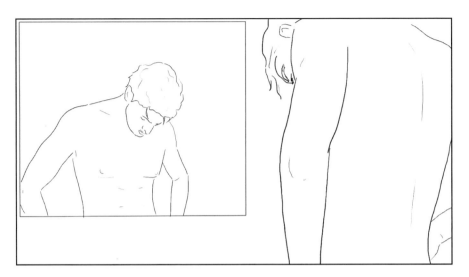

Figura 2.1. *Un chico joven mira su pene con un espejo.*

Los adolescentes sobre todo y los chicos muy jóvenes son los varones que más se preocupan y sufren por el tamaño de su pene. Sin embargo, se puede decir que desde el punto de vista sexológico el tamaño del pene no necesariamente tiene que ser fundamental ni decisivo para la obtención del placer femenino.

¿QUÉ ES UN MICROPENE?
Es un término médico que define el tamaño mínimo que tiene que tener un pene para ser funcional, es decir, para poder realizar una penetración. Las personas que lo tienen suelen padecerlo desde el nacimiento y su causa u origen se debe a un bajo nivel de testosterona en el desarrollo del feto. Suele recurrirse en estos casos a la cirugía, pero realizada con fines reconstructivos, no de cirugía plástica.

4. DE y fantasías sexuales

La fantasía sexual forma parte del placer sexual. En el campo de la vivencia erótica las fantasías sexuales constituyen un cosmos propio, personal e íntimo. En la adolescencia se utilizan como ensayo preparatorio de futuras acciones eróticas. En la edad adulta se pueden utilizar para incrementar o inducir la excitación sexual. El hecho de ser privadas y libres posibilita una gran libertad interior, donde el único límite es nuestra propia imaginación, la educación recibida y la valoración moral que cada persona tenga, quiera o pueda imponer. Tradicionalmente se suele considerar que hombres y mujeres suelen tener fantasías sexuales diferentes. El chico suele ser más directo, y prefiere buscar e imaginar aspectos eróticos claramente visuales (vulva, pechos, culos...) y vivenciados de una manera activa (ser seducidos o seducir, hacer o dejarse hacer) pero con poco argumento. Las chicas (en general), por su parte, imaginan fantasías eróticas en las que su papel es menos visual, más emotivo, más romántico, más pasivo y, por supuesto, con más envoltorio argumental.

Fantasías sexuales siempre las ha habido y tenido tanto el hombre como la mujer. Pero en las últimas décadas, con los cambios sociológicos experimentados, y que han posibilitado una mayor libertad sexual y la incorporación de nuevas generaciones, se ha incrementado el recurso a ellas, sobre todo en la mujer.

Fantasías sexuales de ellos: ser sometidos, practicar el sexo oral (tanto dar como recibir), sexo lésbico entre dos mujeres, tríos, revivir experiencias sexuales anteriores que les hayan gustado mucho, imaginar coitos con conocidas, con amigas, con compañeras de trabajo, etc.

Fantasías sexuales de ellas: sexo con otros hombres, probar algo que se considera sucio (ser atada o atar a alguien, oír palabras malsonantes o decirlas), sexo en lugares públicos, practicar sexo oral, ser forzada a tener relaciones sexuales, ser prostitutas, etc.

En el campo de la sexología la fantasía sexual es un gran recurso clínico que los expertos solemos aconsejar y prescribir a los pacientes, dadas su potencialidad erótica y la capacidad que pueden generar para ayudar en bloqueos o déficits de la erección. Tiene un doble uso terapéutico: potenciar el deseo sexual y anular pensamientos negativos que suelen obstruir el normal funcionamiento sexual.

Consejo y asesoramiento sexual

Las fantasías sexuales son buenas, ayudan a potenciar la libido o deseo sexual. Es importante no sentirse culpable por tenerlas. Y son positivas tanto para hombres como para mujeres. El cerebro es nuestro mayor órgano sexual, y a través de él tenemos la maravillosa posibilidad de disfrutar de las fantasías sexuales, una gran arma erótica que no se debe desaprovechar. De hecho, la fantasía sexual es uno de los mejores afrodisíacos. En cuanto al hecho de compartirlas o no con la pareja, es una cuestión personal de cada uno y cada una. Puede ser altamente estimulante compartirlas con la pareja sexual, siempre y cuando sea motivante. Pero puede tener también un riesgo hacerlo, ya que tal hecho y el contenido de las fantasías pueden crear o inducir recelo o frustración en el otro miembro de la pareja. Otra alternativa es la posibilidad de hacerlas realidad en pareja pero con precaución, empezando por aquellas que consideramos que no pueden despertar la susceptibilidad de nuestra compañera o compañero sexual.

> Como he mencionado anteriormente, las fantasías sexuales son un gran recurso clínico en el tratamiento de la DE puesto que pueden favorecer la erección, aumentando con ello la autoestima sexual.

Figura 2.2. *La penúltima revolución sexual pendiente: la de la propia pareja.*

Las mujeres continúan con su revolución sexual: sesiones de tápersex, libros eróticos, fiestas desinhibidas, etc. Aun así, los terapeutas sexuales seguimos tratando en consulta a mujeres a las que a pesar de vivir en pareja les sigue costando todavía realizar cambios sexuales con su «chico» por miedo a que a este no le gusten, los rechace o se disguste. Ello es consecuencia de años de influencia en la mujer del modelo cultural romántico que se les ha transmitido, proclive a que la mujer sexualmente solo haga lo que al hombre le gusta o satisfaga. Ello impide que muchas mujeres sean libres sexualmente dentro de su propia relación de pareja y puedan desarrollar plenamente su erotismo. Por ello es muy importante que el varón no se cierre a los posibles cambios aperturistas que su pareja le proponga y, sobre todo, no desprecie ni rechace la actitud de ella.

5. DE y masturbación

La masturbación existe desde la noche de los tiempos. Tradicionalmente es el hombre quien más se masturba en comparación con la mujer. Aunque los tiempos están cambiando, sigue existiendo grandes tabúes en la mujer a la hora de asumir la realidad de la masturbación. De hecho, en España, se calcula que a los 17 años de edad el 90 % de los hombres se masturba, mientras que el porcentaje de la mujer no llega al 50 %.

La masturbación no produce problemas de erección obviamente, ni tiene por qué producirlos. Pero sí se da el caso de algunos hombres, chicos jóvenes fundamentalmente, que, obsesionados con la masturbación, hacen un uso excesivo de ella provocándoles, al forzar la máquina sexual, algún problema de erección. Son casos que he tratado en la consulta, chicos que se refugiaban en la masturbación y eran incapaces de intentar relacionarse con chicas por miedo a fracasar sexualmente o ser rechazados. Engullidos en la soledad de su miedo, incrementan el ritmo o frecuencia de masturbaciones forzando su organismo y provocando que en alguna ocasión no consigan la erección suficiente como consecuencia de intentar acortar de manera antinatural la fase refractaria o período de resolución de la respuesta sexual que todo hombre tiene, en pos de incrementar su frecuencia sexual y pretender demostrarse a sí mismos su valía sexual.

Consejo y asesoramiento sexual

El autoerotismo, o masturbación, es divertido, liberalizador, sano. Hasta la Organización Mundial de la Salud ha reconocido el papel positivo de la masturbación. La masturbación no produce DE, pero es conveniente no obsesionarse con ella ni contemplarla como una prueba de la masculinidad o potencia sexual. Desde el punto de vista clínico, además de servirnos como pauta diferenciadora en el diagnóstico de los pacientes con DE para saber si la causa es física o psicológica, es un recurso terapéutico muy prescrito y aconsejado por nosotros los expertos en los diversos tratamientos de las disfunciones sexuales, especialmente en la DE.

4. DE Y HÁBITOS NO SALUDABLES

1. DE y alcohol

El alcohol (Cabello, 2010) actúa básicamente en dos niveles: por un lado produce neuropatía y alteraciones de la neurotransmisión cerebral y, por otro, desequilibrios hormonales. El etanol y el acetaldehído, que son los componentes básicos de todas las bebidas alcohólicas, producen un efecto tóxico sobre las células de Leyding inhibiendo las enzimas responsables de la elaboración de hormonas. El eje hipotalámico-hipofisario también se bloquea por el efecto directo del etanol y el aumento de la concentración de estrógenos en sangre. A consecuencia de ello aparecerán atrofia testicular, bajos niveles de testosterona y disminución de la espermatogénesis (Steenbergen, 1993).

Consejo y asesoramiento sexual

Sabemos que el alcohol es un depresor del sistema nervioso, que desinhibe y potencia las conductas, los pensamientos y el deseo sexual. También se puede decir que en un momento dado, al estar el varón motivado por la capacidad estimulante del alcohol, se siente más atrevido y valiente en la realización de sus deseos sexuales. El hombre puede percibir que se olvida de su responsabilidad de tener que satisfacer sexualmente a su pareja (todo hombre, consciente o inconscientemente, tiene en su cabeza un deseo innato por procurar el logro orgásmico a su chica). El alcohol, inicialmente, puede favorecer el alivio de tal presión. Este hecho es aprovechado en la cultura actual en la que vivimos por algunos sectores sociales que asocian alcohol con sexo y contemplan la seducción unida al alcohol como elemento desinhibidor o «quitavergüenzas». Este recurso generalizado en diversos segmentos de población se incrementa aún más en algunos varones con problemas de erección que recurren al alcohol para atreverse a seducir a una chica o proponerle relaciones sexuales, considerando que cuando llegue la penetración van a estar más excitados y tener mayor erección, o, cuando menos, el valor para enfrentarse al coito (eliminar la presión del rendimiento sexual). Se sabe que la ingesta de alcohol en pequeñas cantidades (concentraciones de alcohol muy bajas en sangre) puede inducir un incremento del deseo sexual y de la erección. Pero la realidad dice que, llegado el momento, no hay garantía de obtener el funcionamiento deseado. Además, con el paso del tiempo la ingesta de alcohol propicia una disminución de las neuronas hipotalámicas responsables de la producción de oxitocina, lo que tiene mucho que ver con la respuesta orgásmica masculina; de ahí la alta frecuencia de falta de orgasmo entre los bebedores crónicos. Finalmente, añadir que se sabe y conoce que a la larga el alcohol es un elemento dañino para las arterias, lo que dificulta o impide la necesaria vascularización o irrigación sanguínea que el pene necesita para su erección.

2. DE y tabaco

Cada cigarrillo produce (Cabello, 2010), por el efecto de la nicotina, una media hora de vasoespasmo arterial, por lo cual, si alguien está despierto unas 16 horas al día y fuma 30 cigarrillos diarios, no permitirá descansar a sus arterias, que se mantendrán en contracción casi todo el día, lo que perjudica a los vasos del pene (los más pequeños del organismo), que necesitan dilatarse para lograr la erección. Además, para el mantenimiento del endotelio peneano son fundamentales las erecciones nocturnas (producidas involuntaria e inconscientemente por los sueños eróticos en la fase REM del sueño), y se ha demostrado (Hirshkowitz, Karacan, Howell, Arcasoy y Williams, 1992) que la rigidez de la erección durante el sueño correlaciona inversamente con el número de cigarrillos fumados por día.

Consejo y asesoramiento sexual

Son de sobra conocidas las campañas institucionales que desaconsejan el consumo de tabaco, ya que no caben dudas del gran daño que genera al organismo humano en general. Daño al que no es ajena la erección, ya que se sabe que a medio plazo el tabaco obstruye las arterias e impide la normal irrigación del pene. Si al tabaco se le unen el alcohol, la hipertensión y el colesterol, se cierra un círculo con muchísimas posibilidades de producir DE.

5. DE Y DESEMPEÑO SEXUAL

1. DE y el uso del preservativo

El preservativo, y más aún hoy en día, en que ha mejorado su calidad, está constituido por un material que deja pasar todo tipo de percepciones (temperatura, presión, rugosidades…), posibilitando al mismo tiempo las prestaciones de sensibilidad, evitación de embarazos y enfermedades venéreas. En los últimos años hemos sido testigos del gran cambio y mejora experimentada en la fabricación de preservativos, tanto en su diseño como en la textura.

El condón no produce disfunción eréctil, pero sí debo decir que no es infrecuente que en la consulta sexológica muchos pacientes me cuenten que pierden la erección al colocarse el preservativo. Les ocurre porque se ponen nerviosos pensando en la penetración, se bloquean, sienten miedo de no «poder cumplir» con la chica y al final tienen que desistir de intentar la penetración. En realidad, el condón no tiene la culpa de la inseguridad sexual de estos chicos, sino sus complejos, su baja autoestima o una autoexigencia excesiva sobre su rendimiento sexual.

Consejo y asesoramiento sexual

Cuando el varón se coloca el preservativo es importante que mantenga viva en su cerebro la estimulación erótica necesaria para no perder la erección. Por ello el hombre debe mantenerse concentrado en aquellos estímulos eróticos que más le exciten, sean reales o imaginarios. Al mismo tiempo, no debe permitir que le vengan a su cerebro pensamientos negativos tipo: «voy a perder la erección», «no voy a ser capaz de penetrar», que deberá sustituir por otros más positivos, como: «sé que puedo hacerlo», «no voy a perder la erección». Asimismo, y en caso de pérdida momentánea de la erección antes de la colocación del preservativo, el paciente debe autoestimularse de nuevo antes de ponérselo, fantaseando con los estímulos sexuales que más le exciten. Para ello puede pedir o sugerir a su chica o pareja sexual que se coloque delante de él en posiciones eróticas provocativas, aquellas que más le «pongan a él», para permitirle recuperar su erección.

Una de las que más funcionan es la chica enseñando sus genitales en posición de espaldas, inclinada hacia delante y con las manos sobre las rodillas, lo que permite que el hombre vea la vulva femenina sin ser visto por la mujer (así evita la mirada de la chica, que puede inhibir

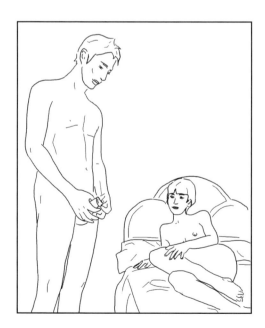

Figura 2.3. *Algunos varones con baja autoestima sexual e inseguridad en su desempeño sexual suelen bloquearse y perder la erección en el momento de colocarse el preservativo.*

al varón en su erección). Otro recurso que ha demostrado eficacia en conseguir que el chico recupere la erección necesaria para colocarse el preservativo es que la chica, su pareja sexual, le muestra su vulva en posición frontal, pero siendo ella en este caso quien lleve la venda o pañuelo en los ojos. Y es que un varón inseguro suele ver incrementada su ansiedad cuando siente que es observado por la chica, incrementándose en su cabeza la sensación de sentirse examinado sexualmente.

2. DE y falta de juego erótico previo al coito

Existe un porcentaje alto de varones que apenas dedican tiempo al juego sexual previo. Ello suele generar un déficit afectivo en la mujer, que siente que su pareja va directa a la penetración. Durante un tiempo, y coincidiendo con los años de juventud, muchos varones no presentan dificultad en su erección coital. Pero con el paso de los años puede llegar un momento en que deje de funcionar la fórmula «del aquí te pillo, aquí te mato», y para entonces algunos hombres ya no se sientan capaces de cambiar el chip y empezar a realizar preámbulos sexuales que durante años nunca entraron en su cabeza.

Figura 2.4. *Para muchas mujeres los preámbulos eróticos previos al coito comienzan con la colaboración doméstica del varón, su complicidad emocional y una buena convivencia a lo largo del día. Cuando se dan tales condiciones, suelen tener una mejor predisposición al encuentro sexual.*

Consejo y asesoramiento sexual

Conviene incluir en todo encuentro coital unos juegos previos, un preámbulo sexual que favorezca el juego erótico, la excitación sexual previa que posibilite que la mujer se sienta querida y no un mero objeto sexual. Al mismo tiempo, va a servir para que el varón sea más receptivo a estímulos sensuales que incrementen su deseo sexual. No hay motivo para renunciar totalmente a ciertos encuentros sexuales pasionales, tempestuosos o rápidos en su ejecución. De hecho, de vez en cuando pueden ser muy gratificantes para ambos miembros de la pareja. Pero, por lo general, a la mayoría de las mujeres les encantan unos preámbulos eróticos de juego previo a la penetración.

3. DE y posiciones coitales

En teoría, las posiciones coitales no deberían tener relación con la DE. Sin embargo, se dan casos de hombres cuyo problema de erección ha tenido relación con alguna postura sexual o, mejor dicho, con lo que en su cabeza representa tal postura sexual. He tenido en consulta varios casos de varones cuyo problema de erección comenzó cuando hizo el acto sexual en alguna postura concreta. La posición del misionero (el nombre se debe, al parecer, a que era la postura sexual que los misioneros españoles a su llegada a América aconsejaron a los indígenas, pues la consideraron más «civilizada» que la postura «a lo perro», que parece que era la más utilizada por estos) es la más frecuente en el mundo occidental. Ya se sabe cómo es: el hombre tumbado encima de la mujer, ambos estirados en el suelo. Ella colocada tumbada boca arriba y el varón encima de ella. Pues bien, se dan casos de hombres que cuando realizan el acto sexual en esta postura, pero a la inversa, es decir, ellos debajo y la mujer encima, han tenido y tienen problemas de erección. Y la razón o causa es psicológica: se sienten menos hombres, se encuentran seducidos, «tomados», sienten que son más pasivos, que dejen de ser masculinos, «que no hacen el amor», que «el amor se lo hacen a ellos». En la vivencia sexual existen los roles o papeles sexuales, una mezcla de identidad sexual biológica y cultural. Para muchos hombres el rol sexual masculino está asociado a la fuerza, el poder, la masculinidad, la seducción y la seguridad. Y tal papel lo asocian con posicionarse ellos encima durante el coito. Les gusta llevar el peso de la seducción sexual y del juego erótico. Por ello, cuando en un encuentro sexual ocurre al contrario y el peso de la seducción lo lleva la chica, que, además, elige la postura sexual y decide que ella se coloca encima y él debajo durante el coito, se les rompen los esquemas y se les presentan problemas de erección al sentirse inseguros en su rol sexual.

Consejo y asesoramiento sexual

Los roles son culturales, y una buena pedagogía sexual aconseja que en el juego sexual (el sexo no deja de ser un juego erótico) conviene intercambiar los papeles o roles, de forma y manera que los dos miembros de la pareja puedan entender mejor el juego y la seducción, igualando roles y promoviendo la defensa de una actitud sana que prescinda de los prejuicios que nos atenazan en la actuación sexual.

4. DE y experiencia coital

El hecho de que un varón haya tenido experiencia sexual coital con un buen número de chicas hace suponer que ha adquirido un buen conocimiento sexual de sí mismo, de su control eyaculatorio, de su capacidad para manejar su excitación sexual, de su adaptación erótica al otro miembro, de su gusto o preferencia por ciertas posturas coitales, de su capacidad de seducción y de la mejor forma de promover la obtención del orgasmo coital de su compañera o compañeras sexuales. Tal experiencia puede serle positiva si ha tenido la humildad de pensar que nunca dejamos de aprender, pero no le inmuniza contra la aparición de un problema de erección. De hecho, un problema de DE puede ocurrirle a cualquier persona en cualquier momento de su vida sexual, sea por motivos orgánicos (diabetes, arterioesclerosis, hipertensión…) o psicológicos (crisis de pareja, estrés laboral, pérdida laboral…) y mixtos. Muchos de esos factores son evitables con una buena prevención y vida saludable. Pero otros muchos son tan imprevisibles como los avatares inesperados que el azar lleva a cada biografía humana.

Consejo y asesoramiento sexual

La experiencia es importante en cualquier actividad humana porque bebe del saber y el conocimiento. En la función sexual, un sexo sabio, maduro, que bebe del conocimiento pero también del respeto al otro, puede aportar la autoconfianza necesaria para prevenir, evitar o asumir, si se diera el caso, un problema de erección. Es importante saber aprender de la relación, de la negociación sexual, del juego, de la aceptación sexual del otro, de la igualdad. En el sexo no puedes imponer al otro miembro tus preferencias sexuales, ni obligarle a hacer aquello que no desea. El hombre debe asumir la realidad sexual acorde con su edad y sobre esa base y su conocimiento experiencial no renunciar a un sexo cabal no desprovisto de ilusión pero ajustado a la realidad de cada edad y biografía. Tal forma de entender la vivencia sexual, la del sentido común, es la forma más inteligente de aprovechar la madurez de la experiencia sexual porque se aceptan los límites de la realidad, que es la mejor forma de evitar problemas de erección cuando se pretende estar a una altura sexual que ya no corresponde.

5. DE y clítoris

La búsqueda y obtención del logro orgásmico coital de la mujer es una pretensión de todos los varones. Cuando existen problemas de erección, se dificulta o cierra la posibilidad de conseguir el orgasmo femenino en base a los movimientos intravaginales. Para muchos varones es un drama que su pareja sexual no alcance el placer y en consecuencia se sienten afligidos. Por eso es importante que el hombre sepa que con la pérdida de erección no se acaba todo. Existe un órgano mágico, increíble, poderoso, cuya existencia fisiológica solo tiene un único sentido: el placer. Tal órgano es el clítoris, elemento clave en la obtención del orgasmo femenino.

Consejo y asesoramiento sexual

Es importante que el hombre con problemas de erección sepa y no olvide que se puede y debe utilizar la estimulación (manual u oral) del clítoris como forma de que la pareja sexual alcance el orgasmo. Para ello es importante estar informado sobre la forma y manera de excitar tal órgano. También es clave tener confianza con la pareja sexual y una óptima comunicación erótica para introducir dentro del patrón sexual de comportamiento que toda pareja tiene el manejo del clítoris para la obtención del orgasmo femenino. Tener problemas de erección no debe ser un impedimento para alcanzar el placer, y el recurso a la excitación directa del clítoris es una alternativa muy conveniente que debe asumirse con naturalidad. Además, es necesaria para conseguir obtener el logro orgásmico en muchas ocasiones en que no es suficiente con los movimientos intravaginales.

6. DE y ansiedad de actuación

Cuando un varón tiene uno o varios episodios fallidos de erección, se le «disparan las alarmas» en su cabeza. Esto se concreta en ansiedad y miedo (miedo de fallar, de ser viejo, de no satisfacer a su pareja sexual, de no ser hombre, de perder a su pareja, de que se vaya con otro, etcétera). Tales pensamientos no hacen sino acelerar su miedo. Cada nuevo fallo de erección es un golpe más a su autoestima sexual, de tal manera que coge miedo al encuentro coital y la relación sexual pasa a ser algo temido, que se evita por «si se vuelve a fallar». Solo pensar en una posible relación sexual le pone ya nervioso y le hace tener en su cabeza todo tipo de pensamientos negativos que se convierten en profecías autocumplidoras del tipo «si tengo sexo, seguro que fallo», «para qué voy a intentarlo, si voy a hacer el ridículo», etc. Esto es lo que llamamos ansiedad anticipatoria (también rol de anticipación.) Cuando el paciente, a pesar de todo, lo intenta, lo hace lleno de miedo, autoobservándose (rol de autoobservación) y anticipando su fracaso (rol de anticipación del fracaso). Todo este proceso de roles y actuación es lo que he denominado círculo o circuito ansiógeno de rendimiento sexual, proceso capital en el mantenimiento de la DE y proceso muy referido por mí a lo largo de este libro dada su importancia sexual.

Consejo y asesoramiento sexual

La ansiedad de rendimiento es un factor clave en el desencadenamiento psicógeno de la DE y uno de los objetivos terapéuticos prioritarios en su tratamiento. El contenido de los recursos se centra en hacer consciente al paciente de la existencia de tal circuito, de los papeles que está viviendo y de los pensamientos negativos que le están perjudicando. Sustituir tales cogniciones que tiene en la cabeza por otras positivas, enseñarle a manejar la ansiedad con las técnicas de relajación y desensibilización sistemática, buscar el apoyo de su pareja sexual y recuperar su confianza son las metas del tratamiento. En este libro, en los capítulos referidos al tratamiento de la DE, se explican tales técnicas, cómo y cuándo aplicarlas.

6. DE Y RELACIÓN DE PAREJA

1. DE y buena comunicación en pareja

Uno de los factores que más influyen y definen la relación de pareja es la calidad de comunicación entre sus miembros. Cuando existe una buena comunicación de pareja, se facilita mejor la expresión de las demandas sexuales y afectivas. En el caso de la DE, posibilita que se comparta la preocupación erótica por el problema y haya un mejor entendimiento entre la pareja para realizar las prescripciones terapéuticas propias del tratamiento.

Consejo y asesoramiento sexual

Es evidente que cuanto mejor y más completa sea la comunicación sexual entre la pareja, más eficaz va a resultar el tratamiento de la DE.

Figura 2.5. *Las discusiones y los reproches nunca favorecen una buena comunicación sexual. Es importante que los dos miembros de la pareja se conozcan sexualmente, expresen lo que quieren y les gusta, pero también aquello que les moleste, rechacen o no les apetezca. Al final, conviene alcanzar un protocolo sexual mutuo y admitido por ambos.*

A lo largo de mi experiencia profesional he visto a docenas de mujeres apoyar a sus parejas sexuales durante el desarrollo del tratamiento. La implicación emocional de la mujer y la generosidad amatoria que tiene son una garantía de su apoyo a la pareja durante el tratamiento. El hombre con DE debe ser honesto, no huir del problema, confiar en su pareja sexual y buscar su apoyo. Para ello debe intentar mantener una línea constante de comunicación sincera con su chica. Ella no le va a defraudar.

2. DE y relaciones extramatrimoniales o fuera de la pareja

Cuando es el hombre quien tiene la relación extramatrimonial

Un hombre puede tener problemas de DE con su pareja y no tenerlos con su amante. Y al revés.

La emoción que conlleva un encuentro erótico fuera de la pareja puede incrementar la ansiedad de ejecución e inducir un funcionamiento eréctil fallido. Y al revés, a veces un hombre que se siente muy presionado por su pareja oficial, cuando tiene un encuentro aislado con otra mujer, actúa con menor ansiedad, controlando mejor su erección.

Pero tampoco es infrecuente que estas situaciones tengan continuidad en el tiempo y reviertan las consecuencias, de forma y manera que aquel hombre que en su primer encuentro extraconyugal estuvo nervioso y tuvo una respuesta eréctil fallida ahora mejore con la continuidad relacional. Y por otra parte, también puede pasar lo contrario, que el varón que inicialmente no se sentía presionado por su nueva pareja empiece a sentirse presionado cuando la relación se hace más duradera y vuelva a tener problemas de erección.

Cuando es la mujer quien tiene la relación extramatrimonial

Algunas mujeres, tras años de frustración sexual por la DE de su pareja sexual, buscan satisfacción erótica fuera de la pareja. Evidentemente esto repercute indirectamente en la sexualidad de su marido. En algunos casos el impacto recibido motiva a estos hombres afectados por episodios de infidelidad de su pareja a intentar mejorar en su DE y prometen a su mujer que van a empezar un tratamiento con tal o cual especialista. En otros casos, el impacto les deja desconcertados y se agrava su DE.

Consejo y asesoramiento sexual

Siempre que se da una relación de infidelidad tanto por parte del hombre como de la mujer, cabe la posibilidad de un impacto emocional que afecte a la relación de pareja. Como sabemos desde Masters y Johnson, el ámbito de seguridad afectiva que ampara a una relación de pareja bien avenida es fundamental para conseguir que el varón y la mujer se comuniquen mejor y satisfagan más positivamente sus verdaderos deseos eróticos. *A priori,* es evidente que el varón con DE y un probable quebranto de su autoestima va a encontrar mayor cobijo sentimental dentro de un encuadre afectivo estable y duradero.

7. DE Y EL PAPEL DE LA MUJER

1. DE y sentimiento de culpa de la mujer

No es infrecuente que algunas mujeres se sientan culpables cuando perciben que su pareja sexual tiene problemas de erección. Piensan que la culpa puede ser suya por diversos motivos: por haberle rechazado sexualmente o por no haber sido suficientemente solícita a nivel sexual con él, haber dejado de ser atractiva, no actuar con suficiente erotismo, haberse olvidado de las necesidades sexuales de su pareja, haber dedicado demasiado tiempo a los hijos o al trabajo y poco a él, etcétera.

Consejo y asesoramiento sexual

La educación recibida, la cultura del amor romántico o el ancestral sentido de la responsabilidad que las mujeres se adjudican por inercia cultural y educativa hacen que muchas de ellas se arroguen una parte de responsabilidad como causantes o inductoras de la DE de su pareja sexual. Por ello es conveniente que la mujer intente ser objetiva consigo misma y no se adjudique responsabilidades que no le pertenecen en el problema de DE de su pareja sexual. En este sentido, es muy conveniente e importante mejorar la comunicación sexual entre ambos miembros de la pareja. Y que (si ha aparecido un problema de erección) la chica apoye «a su chico» en la solución del problema. No hay que olvidar uno de los «mantras» o mensajes básicos de este libro: un problema sexual nace en pareja y se soluciona en pareja.

2. DE y falta de deseo sexual de la mujer

En la interrelación erótica de la pareja influyen muchos factores que pueden tener influencia en el desencadenamiento de una DE. La atracción sexual, la monotonía, el patrón de actuación sexual que tengan acordado (consciente o inconscientemente), la frecuencia sexual, el nivel de satisfacción orgásmica obtenido, la comunicación afectivo-sexual que posean, el resentimiento afectivo, la negociación de conflictos, etc. La falta de deseo sexual en la mujer puede favorecer el distanciamiento de la frecuencia sexual entre ambos, que a su vez puede desencadenar una desmotivación sexual en el varón e indirectamente inducir algún problema de erección. Pero también puede ocurrir al revés: que la DE del hombre provoque falta de deseo sexual en la mujer. Sobre todo, si ella lleva tiempo advirtiéndole de la conveniencia de consultar el problema, a lo que él ha venido haciendo caso omiso. Muchos varones suelen tener hábitos insanos (fumar, beber en exceso, comidas muy grasientas…) y además ser muy reticentes a consultar problemas íntimos. Ello dificulta la solución de los problemas sexuales.

Consejo y asesoramiento sexual

Es importante que la pareja mantenga un nivel óptimo de comunicación sexual entre ellos, que expresen sus sentimientos, que compartan complicidad erótica, que acuerden un patrón de protocolo sexual en el que ambos se identifiquen. Pero para ello es necesario que ambos hablen sin tapujos de lo que les gusta y no les gusta en el sexo. Aquello que se desea hacer, cómo y cuándo. No se debe hacer nada que uno no quiera, pero tampoco obligar al otro miembro a hacer nada que no desee. E intentar siempre satisfacer el verdadero deseo sexual que tengamos, es decir, llevar a cabo en el encuentro sexual aquello que realmente se desea y gusta. Pero siempre con respeto al deseo del otro u otra. Negociación y acuerdo. Refuerzo y recompensa. Y no pasar «receta» o chantaje en el sexo al otro miembro de la pareja por las ofensas emocionales o convivenciales que se hayan tenido.

Figrua 2.6. *El deseo sexual puede provocarse, inducirse o sugerirse, pero no conviene forzarlo ni menos aún imponerlo. Para muchas parejas una comida romántica es el mejor preámbulo para un encuentro sexual satisfactorio.*

3. DE y apoyo de la mujer durante el tratamiento

La DE es un problema que surge en pareja y se soluciona en pareja. Este es un principio terapéutico que viene de la época de Masters y Johnson, los padres de la sexología moderna. Ello, lógicamente, no quiere decir que un varón no pueda tener un problema de erección con alguien que no sea su pareja sexual. Pero tal principio programático hace hincapié en la importancia capital del papel de la mujer pareja sexual del hombre afectado de DE. Hay que decir que un varón con un problema de erección necesita volver a recuperar su confianza sexual, primero ante sí mismo y después con su pareja. Por tanto, a todo varón afectado por DE le conviene ser ayudado por su «chica» durante el tratamiento.

Consejo y asesoramiento sexual

Los ejercicios y técnicas psicológicas y sexológicas que utilizamos en la terapia sexual (están descritos en los capítulos pertinentes de este libro) deben ser apoyados por la participación de la mujer, cuyo papel es muy importante. Por ello es fundamental mejorar la comunicación entre la pareja, aclarar malentendidos, reconocer errores y ser lo suficientemente humildes para reconocer que todos nos necesitamos, y más aun a nuestra pareja.

8. DE Y ACTITUD DEL HOMBRE ANTE EL SEXO

1. DE y deseo sexual en el hombre

El deseo erótico es una parte fundamental de la respuesta sexual humana, a pesar de que Masters & Johnson en los años sesenta no lo incluyeran como fase sexual en su histórica y mítica clasificación, la famosa respuesta sexual humana con sus correspondientes fases (excitación, meseta, orgasmo, resolución y período refractario).

Muchos casos de varones con DE acaban teniendo un problema añadido de falta de deseo sexual, ya que, al no ser capaces de responder con su erección, van perdiendo apetencia sexual. Digamos que el propio miedo a fallar les induce el fallo y acaban renunciando al sexo por tal miedo. En este proceso de DSH (deseo sexual hipoactivo) van a influir la edad que tenga el varón, el tiempo que lleve con el problema y, por supuesto, su propia interrelación erótica de pareja.

Por ello no es extraño encontrarnos en consulta a pacientes que acuden por falta de deseo sexual. Cuando uno avanza en la historia clínica, percibe que el problema empezó con una DE que con el tiempo ha acabado provocando una falta de deseo sexual en el varón.

Consejo y asesoramiento sexual

Es importante saber que, si la DE no se soluciona y provoca insatisfacción erótica en la pareja, puede acabar produciendo que al varón no le apetezca tener relaciones sexuales. En realidad no es propiamente un problema de deseo sexual lo que el hombre va a experimentar, sino que el hecho de no poder disfrutar sexualmente le hace rehuir las relaciones sexuales. Conviene abordar el problema, pues, a mayor retraso en su abordaje clínico, más posibilidades existen de que la DE se cronifique.

2. DE y autoestima sexual del hombre

Debajo de todo hombre con DE se esconde un quebranto de su autoestima sexual. Tal hecho menoscaba la autovaloración personal del hombre en su relación de pareja. Asimismo, la DE y el complejo que crea pueden impedir que hombres que no tienen pareja sexual sean incapaces de conocer a nuevas chicas por miedo a tener que «enfrentarse» al acto sexual.

Consejo y asesoramiento sexual

Cuando un varón se siente incapaz de resolver su problema de erección, es aconsejable que recurra a un profesional de la sexología. La terapia sexual, los fármacos IPDE-5, las técnicas psicológicas, el trabajo con la autoestima y la asertividad, así como otros muchos recursos que existen hoy en día, posibilitan la solución de los problemas de DE. A partir de ahí, el varón va a ver incrementada su autoestima y su capacidad relacional.

9. DE Y FÁRMACOS

1. DE y aparición de la Viagra (sildenafilo)

La aprobación que de este medicamento hizo la Administración de Medicamentos y Alimentos (FDA) de Estados Unidos el 27 de febrero de 1998 transformó por completo el tratamiento de la disfunción eréctil en el planeta. Fue descubierto de forma casual, ya que el laboratorio buscaba un fármaco con un objetivo cardiológico. Circulan historias curiosas sobre aquel momento histórico, tales como que algunos de los varones que formaban parte del ensayo clínico no devolvían el citado fármaco a pesar de no tener el efecto cardiológico deseado, sonreían pícaramente durante la entrevista o simplemente reconocían al médico que tenían erecciones inesperadas como consecuencia de tomarlo. Son anécdotas simpáticas que ilustran el inicio de un gran descubrimiento desde el punto de vista farmacológico. Su aparición ha supuesto un éxito mundial de ventas para el laboratorio y ha conseguido sacar «a la luz» los problemas sexuales (en este caso del varón) promoviendo que se hable más de sexo en la calle y ayudando de paso a normalizar el hecho de consultar un problema sexual. Digamos que la Viagra ha contribuido a normalizar el sexo. En este sentido, ha sido o supuesto una verdadera revolución sexual, la segunda en importancia de un medicamento desde el punto de vista histórico, ya que la primera fue la aparición de la píldora, aunque la Viagra ataña más a la solución de los problemas sexuales que a la lucha por la igualdad sexual y el derecho al placer que supuso el descubrimiento de la píldora anticonceptiva, que permitió a la mujer por primera vez en su historia poder separar la reproducción del placer, es decir, poder disfrutar del coito sin miedo al embarazo.

Consejo y asesoramiento sexual

La Viagra es un fármaco eficaz, pero debe adquirirse por vía médica (receta). Algunos varones adquieren el fármaco por Internet sin saber si es auténtico o no. Es importante ser muy prudente para evitar, además del posible engaño económico, ingerir fármacos adulterados o desconocidos. El sildenafilo, conocido como Viagra, es una importante y segura herramienta terapéutica para el tratamiento de la DE, con independencia de la causa que la haya originado. El inicio de los efectos se produce entre los 25 y los 60 minutos tras la ingesta, favoreciendo la aparición de erecciones durante las cuatro o cinco horas siguientes, con una eficacia que puede ser mantenida hasta 12 horas después de su administración.

2. DE y los nuevos fármacos IPDE-5

La Viagra fue el primer fármaco oral contra la disfunción sexual, pero en años posteriores han aparecido varios más que pertenecen al mismo grupo que la Viagra. Son el grupo de los llamados inhibidores de la fosfodiesterasa 5 (IPDE-5).

Los otros dos son el tadalafilo (2003) (Cialis) y el vardenafilo (2003) (Levitra). Todos ellos han sido aprobados en su momento por la Agencia Europea del Medicamento (EMEA) y por su homóloga en Estados Unidos (la FDA), y su eficacia y seguridad en el tratamiento de la DE han quedado claramente probadas. De todas formas, no hay que olvidar que para que estos tres fármacos puedan producir erecciones es necesario que el paciente esté ante estímulos sexuales.

Consejo y asesoramiento sexual

El vardenafilo es efectivo a partir de 30 a 60 minutos y su vida media es de cuatro horas aproximadamente.

La ventaja del tadalafilo estriba en su duración, ya que su vida media es de 17,5 horas en individuos normales, aunque sus efectos pueden durar hasta 36 horas, lo que permite una mayor disponibilidad de tiempo para tener contactos sexuales. Otra ventaja del tadalafilo (Cialis) sobre la Viagra y el Levitra es que ofrece distintas formas de administración (por ejemplo: todos los días a la misma hora aunque en menor cantidad). Ello permite que el varón no asocie la toma del fármaco con el encuentro sexual y no esté pendiente (rol de autoobservación) de su funcionamiento sexual durante el coito.

10. DE Y LA PRESIÓN SEXUAL DE LA NUEVA MUJER

1. La confusión de roles sexuales

A rebufo de las grandes transformaciones sociales acontecidas en las últimas décadas, se ha producido una gran liberalización de las costumbres, una gran libertad en el comportamiento relacional de hombres y mujeres, siendo las chicas quienes más han cambiado. Aunque aparentemente le haga creer al hombre que él es quien seduce, en general y a lo largo de la historia casi siempre ha sido y es la mujer quien ha llevado y lleva el peso de la seducción. Ocurre que durante siglos tal seducción por parte de la mujer era hábil y encubierta. Pero los tiempos han cambiado y tal histórica sutileza se ha cambiado por una clara y manifiestamente abierta actitud de seducción que hace que muchos hombres retrocedan asustados. Ante esta beligerancia incisiva de las dotes seductoras femeninas, muchos varones están encantados, pero también existen chicos que, asustados, no gestionan bien el juego erótico que se les propone y retroceden. Algunos, en consecuencia, tienen problemas de erección y se sienten avasallados. Ellas desean hombres más sensibles y cercanos. No quieren machistas denostados ni actitudes arcaicas. Muchos varones han percibido el deseo de cambio que las mujeres esperan de ellos pero se sienten confundidos en su papel: ya no son machos alfa que transmiten seguridad y determinación seductora. Al hombre le han movido el trono y se siente inseguro en su desempeño sexual. Los expertos veteranos hemos sido y seguimos siendo testigos cronológicos y sociales de tales cambios a través de nuestras consultas profesionales. La mujer ha evolucionado, y no solo en la manifestación de su deseo sexual, sino en el tipo de hombre que busca y espera encontrar. No se puede generalizar, pero ahora se busca un varón más dulce, suave, educado, alejado de aquellos prototipos arcaicos de masculinidad rampante. Los hombres han percibido el cambio de demanda de perfil e intentan adaptarse. Las mujeres buscan igualdad sexual e intentan mostrar un rol sexual más atrevido, llevando la iniciativa durante el encuentro sexual. Ellos, ante el cambio, pretenden mostrar su aceptación de la igualdad sexual y su alejamiento del machito sexual de otaño, y ellas reclaman un rol más activo acorde con la nueva mujer reivindicadora de la igualdad y libertad sexuales. Desde un plano estrictamente reivindicativo, es una reclamación honesta y justa, pero tal evolución, la del cambio de roles en concreto, ha traído alguna complicación erótica: la confusión de papeles en la cama, donde hombres y mujeres intentan actuar en función de lo que suponen su nuevo rol sexual, pero de una manera un tanto engañosa, ya que a la hora de la verdad se sienten confusos; el hombre intenta actuar como una mujer y la mujer como un hombre (por lo que a roles sexuales se refiere). Se ha dado una especie de colonización sexual de los citados roles o papeles sexuales, como lo define el sexólogo Joserra Landarroitajauregui. El cambio de roles ha provocado que chicos y chicas estén desconcertados en su desempeño sexual a la hora de elegir qué tipo de papel les corresponde en el encuentro sexual.

Consejo y asesoramiento sexual

Es conveniente que hombres y mujeres compartan e intercambien roles, pero con naturalidad, sin excesivos prejuicios, intentando ser uno mismo. Que sean naturales, actuando como se sienten. La vivencia sexual nos muestra cómo somos a través del erotismo. Intentar aparentar lo que no se es o no se siente es un error. Para que la autoestima sexual se mantenga a flote y el varón actúe con naturalidad, es importante no intentar imitar actuaciones ajenas o papeles para los que no se sientan identificados o a gusto. Ser tiernos y cariñosos no es incompatible con masculinidad y seguridad. Es clave que chicos y chicas en el sexo sean ellos mismos, ajenos a los prejuicios y las modas.

Figura 2.7. *El varón actual está confundido como consecuencia del cambio experimentado por la mujer en las últimas décadas. La mujer se ha liberado sexualmente y reivindica una sexualidad más justa, negociada y alejada de antiguos estereotipos machistas y anticuados. Como consecuencia de ello, muchos hombres están desubicados sin saber qué rol sexual desempeñar en «la cama».*

3. LA DE A LO LARGO DE LA HISTORIA

INTRODUCCIÓN

El pene y la vulva son elementos mágicos y misteriosos que han fascinado al ser humano desde el principio de los tiempos. Que de la unión de ambos órganos en coito (mediado ello obviamente por el deseo sexual de un hombre y una mujer) surgiera una nueva vida, un nuevo ser tras nueve meses de embarazo, debió de ser algo tan fascinante para la mente de los primeros aborígenes que no es extraño que todas las culturas tengan entre sus elementos domésticos y religiosos múltiples y variadas representaciones de ambos órganos sexuales.

En este capítulo hago un breve recorrido por lo que ha podido representar el pene a lo largo de la historia (poder, dominio, masculinidad…) y también un esbozo resumido de la historia de la disfunción eréctil, la que durante años se llamó o definió como impotencia, hoy en desuso en detrimento del término más preciso (clínicamente hablando) de «disfunción eréctil».

1. LA ERECCIÓN A LO LARGO DE LA HISTORIA

El pene como símbolo de fecundidad

Parece ser que en el «origen de los tiempos» (concepto este referencial e histórico un tanto impreciso pero que nos hace situarnos en tiempos muy, muy lejanos) lo que fascinaba a los hombres y mujeres primitivos fue la concepción y el embarazo. La primera divinidad por tanto debió de ser la diosa-madre.

Es lógico, por tanto, admitir el impacto que debió de suponer en la mente primaria de nuestros ancestros asimilar y entender que tras la cópula venía un embarazo y, tras el, un ser humano nuevo donde antes no existía. Pero el pene tuvo que esperar mucho tiempo para ser reconocido como elemento importante en la procreación y ser interiorizado por aquellas mentes aborígenes como el elemento del que salía la simiente necesaria para que el cuerpo de las primates aumentase y concibiese en su interior una nueva vida.

Tal capacidad, la fecundadora, fue el primer paso de la valoración antropológica (biológica y social) del pene. Así empezó su carrera narcisista, pero todavía tuvo que esperar aún más tiempo para ocupar el pedestal que durante años ha ocupado y sigue ocupando como símbolo del poder y la masculinidad, cuestión esta que ha traído como consecuencia la excesiva importancia que todo varón otorga a su miembro viril y una de las claves que explica por qué la pérdida de erección supone tanto impacto en los varones modernos. Demasiado mito para no causar tan impactante aflicción en la mayoría de los hombres con problemas de erección.

A lo largo de la historia del ser humano es constante la aparición del pene en erección compitiendo con la vulva, ambos como símbolos de fecundidad. El culto a la fecundidad mediante representaciones de penes en erección se encuentra en todas las civilizaciones y en todas las épocas, desde las numerosas figuras de la época del imperio inca hasta los murales eróticos japoneses o las estatuas sensuales de los templos indios. Hoy en día todavía siguen existiendo algunas localidades donde se conserva la tradición (más por folclore y como festividad de verano que por convicción) de visitar y llevar objetos para incrementar la fertilidad (Noruega).

Los murales prehistóricos y los objetos esculpidos en torno a unos 30.000 años antes de Cristo son testimonio de tales representaciones fálicas. Los egipcios eligieron al dios Osiris, cuyo símbolo es un pene desproporcionado, como objeto de culto. Los antiguos hebreos tuvieron dificultades para abandonar los cultos fálicos que sus padres compartieron con las civilizaciones de Oriente Medio. Los griegos fueron uno de los pueblos que más preponderancia dieron al pene. De hecho, las representaciones del falo están presentes en muchos de sus objetos tanto de la vida doméstica como de la ceremonial. Los romanos siguieron manteniendo el culto al pene heredado de los griegos, encarnado por el dios Príapo, imagen de falo gigantesco en erección permanente casi convertida en icono moderno (hoy en día lo vemos hasta en llaveros) que adornaba casas, jardines y la vida cotidiana reflejada en cientos de imágenes y objetos (estatuas, joyas, collares, vasijas, amuletos, lámparas…).

Durante la Edad Media se mantiene intacta la simbología fálica. Los ropajes y vestimentas tapan y complementan el pudor sociosexual, ocultando el cuerpo, pero en Europa se inventa la braguet. Al principio era una tela de colores un tanto llamativos a la que le añadía un relleno para «proteger» los genitales, aunque indirectamente no dejaba de ser un reclamo erótico susceptible de ser abierto en pajares y alcobas.

2. EL PENE COMO SÍMBOLO DE PODER Y PATRIARCADO. TODO ARRANCÓ CON FREUD Y EL COMPLEJO DE EDIPO

Como estamos viendo, el pene seguía engrandeciéndose, pero es en el siglo XIX cuando Freud da la puntilla encumbradora al falo al situarlo en el foco del desarrollo del niño, marcando las fases evolutivas de su evolución sexual y general. Freud define el famoso complejo de Edipo, el cual viene a decir, como ya se conoce en el acervo popular, que el hijo, el niño, tiene deseos sexuales hacia la madre (deseos inconscientes, claro) y aspira a poseerla, pero obviamente tiene un rival evidente preclaro: el padre, su padre. Y renuncia a tal deseo (sexual) de posesión (propiedad) por miedo a la castración.

Tal miedo, según Freud, hace que el niño acepte la realidad de que la madre pertenece al padre y de que él (el niño) tendrá que esperar a otras mujeres el día de mañana. Renunciar a la madre supone empezar a alcanzar la madurez psicosexual, de tal manera que quien no acepte tal renuncia quedará frustrado y anclado sin superar el complejo de Edipo. La envidia del pene en el psicoanálisis freudiano se refiere a la teoría de la reacción de una niña durante su desarrollo psicosexual a la conciencia de que ella no tiene un pene. Freud lo consideraba un momento decisivo en el desarrollo del género y la identidad sexual de las mujeres. Según el padre del psicoanálisis, la reacción paralela en los niños a la comprensión de que las niñas no tienen un pene es la ansiedad de castración.

Posteriormente, otro psicoanalista ilustre, Jung (discípulo de Freud), se inventó otro mito compensatorio para equilibrar el machismo tácito de su maestro Freud, el complejo de Electra, según el cual es la hija quien compite con la madre con la esperanza albergada e irrefrenable de conquistar al sexo opuesto, en este caso al padre.

El psicoanálisis inaugurado por Freud descansaba sobre los deseos sexuales infantiles de carácter irracional, que eran reprimidos en distintas fases (boca, ano y genitales) antes de entrar en la edad adulta. El complejo de Edipo y la envidia del pene por parte de la niña se configuraron desde Freud y con el alimento enfático de sus muchos seguidores en los dos momentos complementarios y claves del desarrollo humano: el de la personalidad individual y el de las relaciones sociales.

De este conflicto sutil e inconsciente (el niño, como ya he referido antes, no es consciente de ello) se alimenta la ideología de las sociedades patriarcales, dominantes prácticamente en todas las culturas y civilizaciones hasta épocas recientes.

Esta teoría sigue pululando por el mundo psicoanalítico (siempre ha tenido detractores o matizadores), pero ha creado una cultura de ensalzamiento y valoración del pene que sigue hasta nuestros días. De hecho, el complejo de Edipo otorga legitimidad a la sociedad patriarcal de índole heterosexual, dando carta de naturaleza al mantenimiento de un modelo en el que el varón pretende seguir dominando.

El hijo quiere el poder a toda costa, sustituyendo al padre con todas sus consecuencias y perpetuando de tal forma la jerarquía del poder social dominante, el de la masculinidad rampante, con el pene como epicentro.

Todos estos hechos y acontecimientos han ido contribuyendo a la mitificación constante y progresiva del pene a lo largo de la historia, convirtiéndolo en un símbolo de poder y dominio absoluto por parte del hombre a lo largo de todas las civilizaciones.

3. LA CIENCIA APAGA LA SUPERSTICIÓN

El punto de inflexión que marca el descenso de tal entronización fálica viene marcado por los avances científicos y sociales que convulsionaron el siglo pasado. Es a partir del citado siglo, el xx, cuando, como consecuencia de dos hechos relevantes e irrefutables, la mejora de la salud con el desarrollo de las ciencias humanas y de la salud (especialmente de la medicina y la psicología) y la implosión de grandes cambios sociales y políticos, especialmente en el mundo occidental (las revoluciones sociales y políticas, la declaración de derechos humanos, la igualdad de género, la lucha de clases, la revolución sexual de los años sesenta, la aparición de la píldora anticonceptiva, el descubrimiento de la Viagra, la admisión y normalización del mundo homosexual), el valor intrínseco y social del pene, sin llegar a perder todavía todo su poder e influencia, empieza un descenso progresivo hasta nuestros días, en los que, aun siendo relevante socialmente, ha perdido inmensas cuotas de valoración respecto a lo que supuso a lo largo de la historia de las civilizaciones.

Aun así, todavía hay que decir que tal descenso de «poder simbólico del pene no ha impedido que los hombres en general sigan otorgando al miembro viril una notoria importancia en el desempeño sexual.

4. LA DISFUNCIÓN ERÉCTIL A LO LARGO DE LA HISTORIA

Es obvio considerar que la DE ha existido siempre y que en todas las épocas de la vida humana se han dado casos de lo que durante muchos años se denominó «impotencia» y que hoy se ha decidido sustituir por el término o concepto más preciso y menos dañino de «disfunción eréctil» (recuerde el lector que «impotencia» hace también referencia a los problemas de fertilidad, mientras que el término «disfunción eréctil» se circunscribe exclusivamente a los que afectan a la erección).

Lo que ocurre es que durante cientos de años no hubo medios médicos ni psicológicos que diagnosticasen y tratasen los problemas de erección y mucho menos, obviamente, registro estadístico de tal casuística. Por ello, cuando hablamos de la DE a lo largo de la historia, salvo en los siglos recientes, no existen datos bibliográficos ni registros estadísticos que nos den bases fiables de referencia de lo que hace siglos pudo pasar o suceder. Nos tenemos que conformar con escritos de historiadores, ensayistas, antropólogos e incluso fuentes orales exentas de rigor científico.

A pesar de tal vacío estadístico, sí podemos decir que han existido diversas y diferenciadas interpretaciones de la otrora denominada «impotencia» a lo largo de las diversas épocas y civilizaciones que en el planeta Tierra han existido. Vamos a analizar algunas de tales interpretaciones:

Impotentes silentes

Partiendo de tales premisas, es lógico suponer que los impotentes de todas las épocas debieron de callar y sufrir en silencio. Padecer un mal tan íntimo, personal y privado debió de suponer una gran frustración para muchos de ellos, sobre todo por la valoración excelsa que se daba en su entorno social. En un mundo clasista y con tan grandes diferencias sociales, debió de ser muy humillante para muchos varones sentirse incapaces y diferentes al no poder hacer lo que hacían los demás.

La impotencia era culpa de los dioses

Para los antiguos, aquella terrible y sorpresiva maldición solo podía venir de los dioses como consecuencia de algún castigo. Durante la época romana se dio mucha importancia al sexo. De hecho, para los romanos el impotente estaba envuelto en un aura pecaminosa que contaminaba a quienes convivían con él. Para ellos la impotencia era un castigo divino.

Impotencia por castración

Los monarcas y poderosos de algunos pueblos tenían la costumbre de castrar a los cuidadores de los harenes, los eunucos. Era una forma bruta de garantizar que no «se aprovecharían» de sus mujeres. Se dio en la antigua Babilonia, en Roma y en la antigua corte del imperio otomano, con sede en Constantinopla. El harén existente en el antiguo palacio de Topkapi guarda testimonios de tales hechos. Durante el Renacimiento también se hicieron famosos los *castrati,* niños castrados con la idea de que pudieran preservarse sus celestiales voces.

Utilizar la impotencia como argucia política o/y económica

Posteriormente, y a lo largo de la Edad Media, parece ser que la DE fue utilizada políticamente para satisfacer intereses espurios de determinadas personas o clases sociales ávidas de poder. La ausencia de erección se convirtió también en un arma económica. Se celebraba un matrimonio, y si posteriormente este no satisfacía las expectativas económicas o políticas, se anulaba y el argumento que se esgrimía ante la Iglesia era la no consumación del matrimonio o, lo que es lo mismo, que no había habido penetración. Fue la argucia utilizada por el papa Borgia para desembarazarse de su yerno, Giovanni Sforza, y poder volver a casar a la bella Lucrecia con Alfonso de Aragón.

Utilizar la impotencia como argumento (excusa) para anular un matrimonio

De hecho, para la Iglesia, la ausencia de capacidad sexual, vigor o potencia ha seguido siendo causa de disolución del matrimonio. Según el canon 1084, publicado en 1983 por el papa Juan Pablo II, «la impotencia para realizar el acto conyugal, tanto por parte del hombre como de la mujer, hace nulo el matrimonio por su misma naturaleza». Otra disfunción sexual, por cierto, que sigue amparando la figura legal del matrimonio no consumado como elemento para anular eclesiásticamente un matrimonio es el vaginismo de la mujer (una contracción espasmódica e involuntaria de los músculos de entrada a la vagina que impide la penetración y que suele ser una de las disfunciones sexuales más consultadas por parte de la mujer).

La impotencia era consecuencia del diablo

Si el acto sexual se hacía con fines que no fueran reproductivos, Lucifer el malévolo influía negativamente sobre la erección. Así lo hacían saber la Iglesia y sus representantes, cuyo consejo para la impotencia era «acostarse rezando y hacer el acto sexual solo para procrear». Era la única manera, según los poderes eclesiásticos, de evitar que el demonio provocase impotencia. El sexo debía ir acompañado de amor y, sobre todo, de deseo reproductivo. Si las parejas realizaban el acto sexual sin tener intención de traer a este mundo a un nuevo ser, podían sobrevenirle al hombre dificultades en la erección como consecuencia de la «vigilancia de Dios».

El oscurantismo de la Edad Media. La Inquisición

La persecución que supuso el tribunal de la Inquisición afectó a la sexualidad de muchos varones, que fueron acusados por sus mujeres de impotentes. La maquinaria inquisitorial se sirvió a placer de las clases populares, y se dio el caso de muchas mujeres que denunciaban a sus maridos por impotentes para vengarse de ellos, produciéndose la esperpéntica situación de juicios en los que el acusado debía estimularse el pene hasta conseguir una erección y eyacular, eso sí, delante de los jueces y soportando las chanzas de la muchedumbre que acudía al bochornoso espectáculo del juicio. Si no lo conseguía, se lo consideraba una víctima del demonio y se declaraba nulo su matrimonio o se dictaminaba que sus hijos eran de otro hombre al no poder demostrar su capacidad eréctil y eyaculatoria. Aquello fue todo un espectáculo surrealista, sobre todo si lo contemplamos desde nuestra perspectiva actual.

Estados Unidos y la anulación del matrimonio

En 1986 la corte suprema de Illinois requirió a un médico para que comprobara la impotencia de un acusado y, tras escuchar el correspondiente dictamen, anuló su matrimonio. Aquello sentó jurisprudencia en Estados Unidos y tuvo repercusión en Europa.

5. LA EDAD MODERNA Y EL CAMBIO SOCIAL DE LA MUJER

Como estamos viendo, problemas de erección ha habido siempre, pero asociados fundamentalmente a la capacidad reproductiva. En el antiguo código de clasificación de la impotencia se diferenciaba entre impotencia *generandi* (que hoy llamaríamos «infertilidad») e impotencia *coeundi* (que hoy llamaríamos propiamente «disfunción eréctil»). En aquel código o marco, lo que hoy llamamos «eyaculación precoz» sería una tercera forma de impotencia, la impotencia *orgasmandi* (que sería la incapacidad de tener un orgasmo satisfactorio propio).

De todas formas, hay que aclarar una cuestión muy importante: el concepto que de la impotencia tenían en aquella época no estaba asociado todavía a la satisfacción sexual de la mujer.

Este hecho, la necesidad que el varón tiene de satisfacer a su pareja sexual, es el tema que más enjundia presenta, el más importante para los varones actuales, el motor de su complicación: la necesidad que siente íntimamente todo chico de satisfacer a su chica y, de paso, quedarse a gusto en su narcisismo básico. Pero no pasemos por alto que es un concepto reciente (visto desde los miles de años de historia del hombre) y moderno (puesto que empieza a arrancar a mediados del siglo xx). Han tenido que ser unos cuantos factores relevantes los que han contribuido a ello, entre los cuales podemos considerar especialmente significativos y por orden cronológico de aparición (que no de influencia) los siguientes:

1. El trabajo del sexólogo Kinsey (1953), con su famoso Informe Kinsey, una inmensa recopilación estadística sobre las preferencias sexuales del estadounidense medio de las décadas de los años cuarenta y cincuenta, cuya publicación y divulgación supusieron un impacto revolucionario brutal en la mojigata sociedad americana de la época y que constituyeron el primer salto a la luz de las demandas de las mujeres en materia sexual.

2. El estudio y dedicación profesional y divulgativa de los sexólogos Masters y Johnson, que hicieron un trabajo revolucionario con parejas reales sobre la realidad del sexo al investigar experimentalmente más de diez mil orgasmos tanto masculinos (de 312 varones voluntarios) como femeninos (de 382 mujeres voluntarias) que resultaban de la realización de gestos eróticos genitales (fundamentalmente coitos y masturbaciones con y sin instrumentos estimuladores) monitorizados con tecnología desarrollada *ad hoc*. Con esta pareja de sexólogos fue con la que arrancó realmente la sexología como ciencia, apuntalando conceptos hoy admitidos como fundamentales, entre ellos el derecho de la mu-

Figura 3.1. *La aparición de la píldora anticonceptiva supuso una verdadera revolución sexual al permitir por primera vez en la historia que en la vivencia sexual de hombres y mujeres se pudiera separar el placer de la reproducción.*

jer al placer (demostraron que el clítoris es un órgano sexual que la naturaleza ha diseñado exclusivamente para el placer) y la existencia de la pareja como unidad de diagnóstico y tratamiento.

3. La aparición de la píldora anticonceptiva en los años cincuenta aportó el siguiente paso revolucionario, ya que permitió separar las dos vertientes fundamentales del sexo (placer y reproducción) y supuso un antes y un después en el disfrute de este. Hoy en día, con la normalización cotidiana y sistemática de los métodos contraceptivos a lo largo de las últimas décadas, no somos todavía plenamente conscientes del impacto social, relacional y psicológico que para el desarrollo diferencial del sexo como placer y como reproducción sigue representando tal descubrimiento.

4. Las revoluciones sociales y reivindicativas de los años sesenta y setenta, que trajeron grandes luchas por la igualdad de género, la libertad sexual y los derechos humanos.

5. El cambio social y de actitud de la mujer que se ha producido en las últimas décadas reivindicando una sexualidad más libre, justa e igualitaria.

6. La aparición rupturista de la Viagra, el primer fármaco IPDE-5 (luego vinieron otros) que ha terminado por completar el puzle de la interiorización por parte del varón de la necesidad de satisfacer a su pareja sexual y con ello cambiado definitivamente el concepto y visión que de la DE tenía la historia.

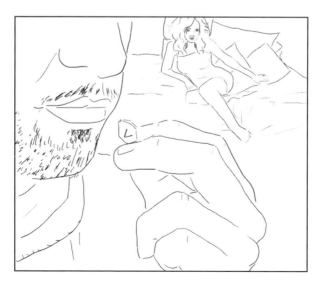

Figura 3.2. *La aparición del fármaco Viagra, además de contribuir a una notoria mejora en los problemas de erección del varón, ha supuesto un cambio importante en el campo de la sexualidad al sacar «a la calle» el tema de la sexualidad masculina.*

4. LA DE EN LAS DISTINTAS ETAPAS DE LA VIDA

INTRODUCCIÓN

Cualquier varón que tenga la suerte de poder vivir una vida longeva va a tener difícil no padecer algún problema de erección a lo largo de ella. El estrés, la depresión, las crisis de pareja, los complejos o las enfermedades asociadas al envejecimiento van a poner en entredicho su capacidad eréctil y su funcionamiento sexual.

Figura 4.1. *La disfunción eréctil es un problema sexual que puede afectar al varón en todas las etapas de su ciclo vital.*

La DE es un problema que afecta a todas las etapas del ciclo vital del hombre. Existen cuatro etapas o períodos diferenciados con sus características propias en la sexualidad de las personas a lo largo del citado ciclo en los que se pueden presentar problemas de erección. Las cuatro etapas son: adolescencia, juventud, madurez y la tercera edad. Voy a analizar todas y cada una.

1. DE Y ADOLESCENCIA. LOS PRIMEROS ENCUENTROS, PLACER Y MIEDO EN LA MISMA VIVENCIA

1. Introducción

La adolescencia es una etapa crucial en el desarrollo de la persona. Es sinónimo de cambios y, sobre todo, del paso de niño a hombre o de niña a mujer. Pero el camino no es fácil: el cuerpo del adolescente cambia de manera abrupta, pero también lo hace su mente. Y el desarrollo sexual trae la atracción por el otro o la otra. Y con ello sobreviene el debut sexual, asociado normalmente al coito o penetración vaginal. Como no es infrecuente que en esta etapa de la vida la inseguridad impregne el comportamiento, la iniciación sexual es una cuestión que puede resultarles traumática. El coito, asociado en la mente del adolescente al placer, también le supone emocionalmente la posible vivencia de miedo, dudas e inseguridad. Por ello, si bien no es frecuente, sí se dan casos de disfunción eréctil en chavales adolescentes que sienten la presión ansiógena del rendimiento sexual en su obsesión por «estar a la altura» ante las chicas.

2. Explosión hormonal

Si bien durante la infancia existe ya una vivencia de la sexualidad, es a partir de la pubertad (la fase previa a la adolescencia) cuando se dispara de forma notoria la erótica de los chavales y chavalas como consecuencia del gran cambio hormonal que se produce, impregnando hasta la última fibra de su desarrollo.

3. Época de grandes cambios personales a todos los niveles

La adolescencia es la etapa más crítica en cuanto a cambios de todo tipo: físicos, hormonales, sociales, psicológicos. A los adolescentes no solo les cambian los cuerpos, sino también las ideas, los vínculos afectivos y la relación con la familia, con el entorno y con el mundo en general. Los y las adolescentes piensan, actúan y juzgan desde otra perspectiva, propia y diferente, más compleja, más coral. En su comportamiento influyen muchos factores: hormonales, psicológicos, sociales, personales, físicos…

4. Etapa crítica

Es una etapa crítica en la formación de la persona en la que cualquier hecho puede alcanzar una dimensión especial debido a la sensibilidad del individuo y su personal afectación. Es una fase que no tiene un límite claro de finalización. La adolescencia tiene un componente psicosocial claro que hace que la sociedad considere que si un joven no tiene trabajo ni ha formado una familia no es todavía «un hombre». Y tal visión se da porque la adolescencia es una etapa también social, con notoria importancia de los elementos socializantes en la formación de la identidad del muchacho o muchacha.

5. DE e inseguridad sexual

Los problemas de erección del varón adolescente tienen que ver con la inseguridad propia de la etapa adolescente, cuando el joven está descubriendo el sexo pero también las inseguridades que genera el desempeño sexual.

El miedo, el desconocimiento o el rol sexual que le toca desempeñar al varón en una sociedad que etiqueta unos valores sexuales en función del rol asignado promueven que muchos chicos jóvenes vivan la sexualidad con miedo, incertidumbre, vergüenza o expectativas exageradas. Para muchos adolescentes gestionar el sexo es un problema.

Placer y miedo en el mismo paquete. Sensualidad e incertidumbre en el mismo vaivén. La duda del niño y la altanería del hombre, todo junto en un mismo cuerpo y una misma mente: la del adolecente.

6. Madurez sexual y autoestima sexual

La madurez o el tiempo que se tarde en ir desarrollando los caracteres sexuales tiene relación con la seguridad en sí mismo. Muchos chavales miran de reojo al pene de los demás y se comparan. El varón adolescente está preocupado por el tamaño del pene, la asimetría fisiológica de los testículos, la ausencia o presencia de vello corporal. Las chicas, por el tamaño de los pechos y su capacidad para atraer a los chicos.

7. El tamaño del pene y su importancia

La adolescencia y los primeros años de juventud son las etapas en que los varones están más susceptibles ante el tamaño de su pene. La inseguridad que sienten por ello, unida a la propia incertidumbre de la adolescencia, posibilita que algunos de ellos tengan problemas de erección.

8. La influencia de los estereotipos televisivos

El cine y la televisión, sobre todo, generan una gran influencia en el comportamiento sexual de muchos adolescentes, que intentan copiar el modelo de comportamiento sexual que observan en los famosos y famosas o, simplemente, se dejan influenciar por la forma en que dichos medios presentan el comportamiento sexual.

Unos buenos consejos de los padres y una educación sexual correcta van a favorecer que el adolescente no se deje influir negativamente por modelos de comportamientos sexuales alejados de la realidad.

9. Sentirse invulnerables (el atrevimiento inconsciente)

Aunque la inseguridad impregne muchos de los comportamientos adolescentes, paradójicamente uno de los sentimientos también genuinos de la adolescencia (y obviamente de la juventud) es la de vivirse invulnerable, capaz de todo, no tener miedo a nada, no ver el peligro que decían nuestras abuelas. Tal estado es más fruto del atrevimiento inconsciente que del convencimiento propio. Actúan más en base al impulso que a la reflexión. Y ello hace que arriesguen en las relaciones sexuales, que no utilicen preservativos, que tengan encuentros furtivos, precipitados y muchas veces con los efluvios del alcohol de por medio.

10. El grupo o cuadrilla como referencia

Aunque la familia siga siendo el referente de seguridad para el adolescente, es el grupo o cuadrilla el que se convierte en punto de apoyo para el chaval. Para el adolescente, el grupo es el apoyo que le permite salir del ámbito familiar e iniciar el proceso de socialización, el que le va a aportar el espacio donde ensayar conductas y cotejar ideas, el punto de partida para su posterior integración en la sociedad.

11. La necesidad del debut sexual: el coito como trofeo y el grupo como presión

La entrada en la adolescencia supone para la mayoría el arranque iniciático en el sexo, la búsqueda anhelante de relaciones sexuales que van a intentar culminar con la realización de la penetración vaginal. Los chicos intentan presumir ante los demás del grupo y las chicas buscan también el inicio coital pero en un encuadre más de enamoramiento, generalmente de alguien unos años mayor que ellas.

Para los chicos el coito, en general, es un preciado trofeo y no suele merecer la pena seleccionar mínimamente a las chicas es vivido como un examen de grado, que se ha de superar lo antes posible para alcanzar el estado de adulto. Tal debut coital va a ser para ellos una forma de presentarse «en sociedad» ante sus amigos o cuadrilla, de no ser menos que los demás.

Para algunas chicas el acceso a la sexualidad y al coito en particular es también una forma de inicio sexual, en este caso al mundo de «la mujer». También puede responder a una búsqueda de cariño, aceptación o prestigio social ante el grupo, como en el caso de los chicos.

Pero para la mayoría de las chicas la búsqueda del sexo pasa por entender la relación como algo natural, asociado a alguien por el que se sienten atraídas y con quien plantean una relación de continuidad. De hecho, un 96 % de las chicas piensa en casarse con quien tiene relaciones sexuales, frente a solo un 5,5 % de los chicos (Sáez y Guijarro, 2000).

12. El alcohol como apoyo

Son tales la responsabilidad y la presión que algunos chicos y chicas sienten en su iniciación sexual que recurren a la ingesta de alcohol para enfrentarse al sexo. El alcohol está en la mayoría de espacios de influencia (televisión, radio, anuncios, publicidad, calle…) y es difícil abstraerse de esta.

La sociedad hedonista en que vivimos, la facilidad para acceder al alcohol en jóvenes, la tolerancia de los mayores, la libertad sexual en la calle, los referentes televisivos, la caída de la presión social que el sida implicaba crean un cóctel proclive a que muchos chavales y chavalas accedan precipitadamente al sexo sin medios de protección. Y, además, sin la convicción en muchas ocasiones de que sea el momento oportuno, llevados más porque «toca» y no porque se sientan preparados o maduros. Ello hace que en ocasiones tengan problemas de erección.

13. El cambio en el papel sexual de las chicas

Las chicas han cambiado, ahora toman ellas la iniciativa sexual (bienvenida en este sentido la igualdad en la seducción) y no todos los chicos están preparados. Muchos de ellos son «llevados al huerto», dicho en sentido coloquial, e intentan estar a la altura «como sea». Aunque *a priori* es una situación soñada que todo adolescente aspira a realizar, cuando llega el momento podemos encontrarnos con que la inseguridad por la novedad, el miedo a no cumplir sexualmente, la influencia del alcohol y la falta de protección (no disponer de preservativo u otro medio anticonceptivo en ese momento) pueden contribuir a que el chico adolescente tenga problemas en conseguir o mantener la erección.

2. DE Y JUVENTUD. DE LOS 18 A LOS 32 AÑOS. EL ESPLENDOR SEXUAL

1. Introducción

La búsqueda precisa de un segmento de edad que defina el concepto de juventud es difícil por su subjetivad y los numerosos factores en ello implicados. El término «juventud» está sujeto a la arbitrariedad de múltiples aspectos como son la madurez física, la social y la psicológica de cada persona, así como su incorporación al trabajo o el hecho de que haya formado una familia.

Aun así, la OMS propuso en 2000 una clasificación o escala de edades para intentar estratificar la adolescencia y la juventud. Y contempla una consideración según la cual juventud y adolescencia son términos que resultan intercambiables entre los 15 y los 19 años.

Así, tendríamos:

Juventud de 12 a 32 años, que incluiría:

- ⇨ De 12 a 14 años: pubertad y adolescencia inicial (juventud inicial).
- ⇨ De 15 a 17 años: adolescencia media o tardía (juventud media).
- ⇨ 18 a 32 años: jóvenes adultos.

2. Prevalencia de causas psicológicas

Es un período de edad en el que escasean las causas orgánicas de DE.

- ⇨ En esta edad los factores psicológicos son claramente los predominantes dentro de las posibles causas de DE.
- ⇨ Se debe tener en cuenta que el 85 % de las disfunciones eréctiles se dan a partir de los 50 años en adelante. Ello nos hace pensar que la mayoría de los casos de problemas de erección por debajo de ese corte de edad son de causa psicológica.
- ⇨ Es la etapa en la que más evidenciada queda la obsesión por querer cumplir sexualmente.

Factores que pueden inducir ansiedad sexual y fallos consiguientes en la erección:

- ⇨ Cambios de roles sexuales mal asumidos.
- ⇨ La personalidad de cada uno (siempre ha habido y habrá tímidos e inseguros).
- ⇨ El miedo que se siente en edades jóvenes a ser abandonado por no funcionar sexualmente.

⇨ Tener una baja autoestima (quién no tiene o ha tenido complejos en ciertas edades).
⇨ Factores laborales (pérdida de un trabajo o inestabilidad laboral) pueden ocasionar problemas de erección.

3. DE Y MADUREZ. DE LOS 32 A LOS 65 AÑOS. LA PAREJA COMO ENCUADRE VITAL

En un sentido generalista se puede considerar como período de madurez sexual el que abarca desde los 35 hasta los 65 años. Es decir, el que abarca desde el final propiamente dicho de los años juveniles hasta la llegada de la jubilación laboral y entrada en la tercera edad. Es una etapa de consolidación de la pareja como unidad de convivencia y del desarrollo de un proyecto familiar. Es en esta etapa del ciclo vital cuando se puede alcanzar la plenitud sexual y de pareja, pero también pueden aparecer problemas sexuales dentro de la pareja relacionados con la pérdida o disminución del deseo sexual, la eyaculación precoz, la anorgasmia coital de la chica o los problemas de erección.

Los problemas de erección más frecuentes en este período llamado de madurez suelen ocurrir principalmente en dos niveles o etapas:

1. Al principio de la relación, cuando se está formando la posible pareja y ambos miembros de esta buscan su «encaje sexual». Suelen ser problemas que atañen al acoplamiento sexual, a la capacidad de la pareja de adaptarse al otro e intentar encontrar su patrón sexual común de comportamiento:

   ⇨ Fallos de erección en el inicio de la relación sexual.

2. Al cabo de unos años de convivencia, en que, tras la pérdida de la pasión sexual inicial y la aparición de una cierta «rutina sexual», puede darse una disminución de la frecuencia sexual y deseo, provocando que algunos varones sean víctimas de la ansiedad sexual en su intento por recuperar dinámicas eróticas anteriores más intensas.

   ⇨ Fallos de erección como consecuencia de la monotonía sexual y la disminución del deseo y la frecuencia sexuales.
   ⇨ Por cambios propios de la edad en el varón (andropausia).

Hay que tener en cuenta que, aunque la cifra varía según las diversas parejas e individuos, se considera que a los tres años de convivencia en pareja ya empieza a disminuir la pasión sexual, el deseo erótico. Pasamos del enamoramiento (el afrodisíaco más natural y eficaz que existe) a una convivencia compartida acechada por la complejidad de múltiples aspectos que presionan, influyen y condicionan la cotidianeidad de la vida de la pareja (hijos, economía, trabajo, ocio, amigos, familias de ambos, etc.) y que van mermando la frecuencia sexual y la búsqueda erótica del otro. La interpretación de la sexualidad adquiere una visión diferente para hombres y mujeres.

Los hombres buscan el sexo como desfogue cotidiano o como baremo indicador del nivel de calidad de su relación de pareja («nuestra relación va bien porque hacemos mucho el amor», suelen decir), mientras que la mujer lo ve diferente, pues para ella el sexo es un complemento a su relación emocional de pareja y da más importancia a los factores vinculados a ese aspecto (respeto, apoyo emocional, colaboración y reparto de las labores domésticas, trato cotidiano agradable, complicidad afectiva…).

Algunos varones, al disminuir su frecuencia sexual, intentan forzar la maquinaria y demandan más sexo que la mujer. Ello puede derivar en episodios puntuales de fallos de erección con la consiguiente preocupación obsesiva por «estar a la altura sexual» y conducir a una espiral de angustia por no satisfacer a su pareja sexual, lo que termina agravando aún más su problema sexual.

4. DE Y TERCERA EDAD. CÓMO ASUMIR LAS LIMITACIONES DEL ENVEJECIMIENTO SIN RENUNCIAR AL SEXO

1. Introducción

Somos personas sexuadas desde que nacemos hasta que morimos. Con el paso de los años y el envejecimiento, disminuyen nuestras capacidades sexuales. Como consecuencia de diversas enfermedades y de la toma de algunos fármacos, pueden aparecer problemas de erección en el varón. En este apartado se describen y analizan aspectos sexuales de las personas mayores, tanto psicológicos como sociales y relacionales, así como consejos para plantear una sexualidad realista y acorde con la edad, pero que no renuncie a la búsqueda de una vivencia sexual digna y satisfactoria.

2. Mentiras y verdades sobre la sexualidad de la 3.ª edad

A continuación expongo algunos mitos o mentiras que circulan sobre la sexualidad de las personas mayores.

VISIÓN NEGATIVA O POSITIVA DE LA VEJEZ

La visión de la edad es una cuestión cultural. Dos ejemplos distintos y extremos:

⇨ Los esquimales yakuts: eliminan a las personas mayores en cuanto ven que no pueden ser útiles a la sociedad.

⇨ Los navajos (en las reservas de Estados Unidos), por su parte, ofrecen cuidados excelentes, respeto y consideración a los mayores.

ACTIVAS SEXUALMENTE:

(Mayores de 70 años)

⇨ Tienen actividad sexual: 41 % de hombres/18 % de mujeres (según un estudio de Smith, Mulhall, Monaghan y Reid, 2007).

⇨ Más de un 50 % refieren tener deseo sexual y hacerlo cuatro veces/al mes.

(Mayores de 80 años)

⇨ Dicen masturbarse el 45,8 % de los hombres y el 34,5 % de las mujeres.

FUENTE: Papaharitou, Nakopoulou, Kirana, Giaglis, Moraitou et al., 2008.

Mentira 1.ª

⇨ La mentira: las personas mayores no atraen sexualmente.
⇨ La verdad: las personas consideras mayores siguen siendo valoradas como atractivas para muchas otras personas.

Y no solo podemos pensar en personas del mundo del espectáculo, el cine o la televisión. Mucha gente que vemos por la calle es atractiva. Es un prejuicio pensar que por ser mayor vas a dejar de atraer a otras personas.

Mentira 2.ª

⇨ La mentira: las personas de edad avanzada no tienen deseo sexual.
⇨ La verdad: el deseo sexual no se apaga nunca. O, mejor dicho, puede durar toda la vida.

Es obvio que se diluye con el tiempo y la monotonía, que disminuye, que le afectan la enfermedad y las circunstancias de la vida. Dependerá, pues, de la salud y de la forma de ver la vida de cada persona. Pero muchos hombres (también mujeres) considerados ancianos siguen teniendo un notorio deseo sexual. Y si no que se lo pregunten a Picasso o Charles Chaplin, famosos por su eterna capacidad y deseo sexuales, reflejados en las múltiples amantes que tuvieron hasta el final de su vida.

Mentira 3.ª

⇨ La mentira: con la menopausia se acaba el sexo.
⇨ La verdad: existe la creencia errónea de que con la llegada de la menopausia desaparece la vivencia sexual. Pero no es cierto.

Con la llegada de la menopausia se acaba la posibilidad de reproducción de la mujer y es cierto que disminuye el deseo sexual, pero eso no quiere decir que sea el final de la vivencia sexual. Es evidente y sabido que supone un cambio vital trascendente que en los países desarrollados, y dada la esperanza de vida de las mujeres, puede suponer más de la tercera parte de la vida de una mujer. También existe el prejuicio o creencia de considerar que la llegada de la menopausia va a implicar la llegada de múltiples enfermedades (osteoporosis, depresiones, canceres, obesidad, etc.).

Mentira 4.ª

⇨ La mentira: con la tercera edad el sexo desaparece.
⇨ La verdad: disminuye pero no desaparece.

Hay estudios que refieren que personas mayores de 70 años tienen actividad sexual, un 41 % de hombres y un 18 % de mujeres (Smith, Mulhall, Monaghan y Reid, 2007).

Un 15 % de los mayores manifiesta haber mejorado su satisfacción sexual (George y Weiler, 1981).

MENOPAUSIA

Viene del latín *mens paucis,* o cese de la menstruación.
Hay tres tipos de menopausia: natural, precoz y yatrogénica.

⇨ Natural: cuando han pasado 12 meses consecutivos de amenorrea (ausencia de regla) sin causa patológica, en mujeres entre 45 y 54 años y con unas cifras hormonales de estradiol inferiores a 30 pg/ml y de FSH superiores a 40 U/l.
⇨ Precoz: cuando existe ausencia de regla durante 12 meses consecutivos sin causa patológica en mujeres menores de 40 años.
⇨ Yatrogénica: cuando es producida por motivos médicos. Por ejemplo: como consecuencia de tratamientos oncológicos de quimioterapia o radioterapia. De todas formas, la causa de menopausia de origen yatrogénico es la extirpación de los dos ovarios (ooforectomía bilateral).

CLIMATERIO

⇨ Complejo sindrómico que precede, acompaña y sigue a la involución estrogénica. Puede variar mucho de una mujer a otra.

⇨ Es un período que precede y sucede a la menopausia. Puede abarcar de dos a ocho años antes de la menopausia y de dos a seis años después de la misma.

⇨ Es un conjunto de cambios fisiológicos y psíquicos que suponen en muchas ocasiones alteraciones de la sexualidad.

Mentira 5.ª

⇨ La mentira: el sexo no es importante en la edad avanzada.

⇨ La verdad: un trabajo reciente (Primo, Elorduy y Martínez de la Fuente, 2005) realizado con una muestra de la población española de personas mayores de 50 años, el 55 % de la cual estaba compuesta por mayores de 70 años, puso de manifiesto en los hombres que: «el sexo fue muy importante en mi vida» para el 91,7 % y «ahora es muy importante en mi vida» para un 79,2 %.

Mentira 6.ª

⇨ La mentira: los últimos años de vida son asexuales.

⇨ La verdad: no son asexuales. Disminuyen el deseo y la frecuencia sexuales, pero no desaparece la vivencia sexual. Simplemente se adapta a una nueva realidad.

Mentira 7.ª

⇨ La mentira: el interés por el sexo es un hecho anormal en la gente de edad.

⇨ La verdad: existe el prejuicio social de considerar que los mayores no tienen deseo sexual y que la actividad sexual en las personas mayores es inexistente o casi. Pero es un error. Nos sorprenderíamos si los dormitorios de los mayores hablaran. Sin negar la realidad de que el deseo sexual disminuye con la edad en general, siguen existiendo muchos hombres y mujeres a quienes les sigue apeteciendo tener encuentros sexuales. En el estudio mencionado anteriormente, dentro del grupo de mujeres, un 70 % refería que «la sexualidad es una necesidad a lo largo de toda la vida», y un 66,4 %, que «la sexualidad de los mayores es beneficiosa para la salud».

Mentira 8.ª

⇨ La mentira: los viejos carecen de capacidad fisiológica para mantener conductas sexuales.

⇨ La verdad: si bien es verdad que el envejecimiento y las enfermedades contribuyen a disminuir la fisiología de la respuesta sexual, ello no quiere decir que los mayores no tengan capacidad de respuesta sexual.

Después de los 70 años tienen actividad sexual el 18 % de las mujeres y el 41 % de los hombres (Smith, Mulhall, Monaghan y Reid, 2007).

Mentira 9.ª

⇨ La mentira: la sexualidad ha de ser reproductiva exclusivamente.

⇨ La verdad: es un viejo y grave error conceptual considerar que el sexo está concebido exclusivamente para la reproducción sexual. La vivencia sexual conlleva tres niveles básicos: reproducción, placer y comunicación.

Mentira 10.ª

⇨ La mentira: es aceptable la pareja de hombre mayor y mujer joven pero es ridícula la pareja de una mujer mayor y un hombre joven.

⇨ La verdad: en la pacata sociedad occidental, durante años, a pesar de que extrañase y diese morbo, se han «admitido» socialmente parejas en las que el hombre fuese mucho mayor que la mujer. Lo que sorprendía y era más criticado era el formato a la inversa: mujer mayor con hombre joven. Tal hecho quedaba reducido al mundo de las actrices y famosas. Es obvio que se ha discriminado históricamente a la mujer.

Mentira 11.ª

⇨ La mentira: practicar sexo en la tercera edad puede ser dañino.

⇨ La verdad: si el sexo en la vejez se practica con naturalidad, sin intentar «realizar hazañas sexuales» propias de los años jóvenes y sin que haya algún problema cardiovascular relevante, no tiene por qué producir problema alguno de salud.

Mentira 12.ª

⇨ La mentira: si te operan de próstata, olvídate del sexo.

⇨ La verdad: dependiendo del tipo de operación de próstata que sea, pueden o no pueden aparecer problemas de erección. Si se trata de adenoma de próstata, también llamada hiperplasia benigna de próstata (HBP), no suelen aparecer problemas de próstata en general. Si se trata de una adenomectomía de próstata, sí van a aparecer problemas de erección. Aunque actualmente, y gracias a los fármacos orales para el tratamiento de la DE (inhibidores de la 5 fosfdiesterasa) del tipo del Viagra o Cialis, existen posibilidades de mejorar tales problemas.

CAMBIOS BIOLÓGICOS EN LA MUJER MAYOR

⇨ Finaliza la capacidad reproductiva.
⇨ Disminuye la tasa de estrógenos y progesterona (menopausia).
⇨ Cambios en la figura corporal y en la distribución de la grasa.
⇨ Dificultades en la excitación y la lubricación.
⇨ Descenso de las contracciones durando el orgasmo.
⇨ Disminución del tamaño de útero y vagina.

CAMBIOS BIOLÓGICOS EN EL HOMBRE MAYOR

⇨ Se produce una disminución gradual del nivel de testosterona.
⇨ Los testículos se hacen más pequeños y fláccidos.
⇨ Hay una menor producción de espermatozoides.
⇨ Se reduce el volumen y viscosidad del líquido seminal.
⇨ Disminuye la fuerza eyaculatoria.
⇨ Aumenta el tamaño de la glándula prostática.
⇨ El orgasmo pierde calidad fisiológica aunque gana satisfacción emocional y psicológica.

CAMBIOS FISIOLÓGICOS EN LA RESPUESTA SEXUAL DE LA MUJER

⇨ FASE EXCITACIÓN: la lubricación vaginal puede tardar entre 5-15 minutos más. Disminuye la vasocongestión de los tejidos genitales.
⇨ FASE MESETA: la respuesta del clítoris no se modifica, los labios mayores no se elevan y disminuyen las contracciones uterinas.
⇨ FASE ORGASMO: las contracciones uterinas duran menos.
⇨ FASE RESOLUCIÓN: más rápida, los labios menores palidecen antes.

CAMBIOS FISIOLÓGICOS EN LA RESPUESTA SEXUAL DEL HOMBRE

⇨ FASE EXCITACIÓN: se necesita más tiempo para conseguir la erección, y no siempre es completa.
⇨ FASE MESETA: es más larga, disminuyendo la erección de los pezones, la elevación de los testículos y del líquido preeyaculatorio.
⇨ FASE ORGASMO: las contracciones pierden fuerza y son más lentas. Paradójicamente se mejora el control eyaculatorio.
⇨ FASE RESOLUCIÓN: después de eyacular se pierde más rápidamente la erección y aumenta el tiempo que se necesita para volver a tener otra (incremento período refractario).

3. Andropausia

La andropausia se define como un síndrome clínico y bioquímico frecuentemente asociado al envejecimiento y caracterizado por una deficiencia en los niveles de andrógenos. Puede afectar no solo a la sexualidad sino a múltiples sistemas corporales y contribuir a deteriorar seriamente la calidad de vida. Es un proceso más lento y progresivo que en la mujer, y llama menos la atención porque la menopausia está asociada fundamentalmente a la pérdida de la capacidad reproductora de la mujer, mientras que la andropausia en el campo sexual supone una disminución del deseo sexual, de la erección y del eyaculado, pero el varón puede no perder la capacidad de reproducción.

Este síndrome incluye seis manifestaciones clínicas (Morales y Lunenfeld, 2001; Pérez, Ureta y De León, 2002; Pérez Martínez et al., 2005):

a) Disminución de la libido y alteraciones de la erección, especialmente las nocturnas.
b) Cambios de humor (irritación) con posibilidad de que aparezcan depresión y ansiedad.
c) Disminución de la masa corporal y de la fuerza.
d) Disminución del vello corporal.
e) Disminución de la densidad ósea (aparición de osteoporosis).
f) Aumento de la grasa visceral.

ANDROPAUSIA

Es un síndrome por deficiencia en los niveles de andrógenos, cuya mayor característica es un descenso de la testosterona en el hombre que provoca que vaya disminuyendo su vigor físico, su fuerza, su masa muscular y su densidad ósea, pudiendo alterar su carácter (mal humor), su estado de ánimo (depresión, ansiedad) y su actividad sexual (disminución progresiva del deseo sexual, erecciones menos fuertes y mantenidas, descenso del eyaculado...).

---

4. Hombres y mujeres en la 3.ª edad entienden el sexo de manera diferente

Los hombres y las mujeres de la tercera edad viven la sexualidad de manera diferente. Los varones se preocupan más por la penetración que la mujer, vivencian el sexo como un reto, una muestra de su virilidad o una prolongación de su masculinidad. Sin embargo, la mujer necesita más preámbulos sexuales, tiene menor deseo sexual y en muchas ocasiones lo realiza por obligación (o «por satisfacerle a él») y con ansiedad. La sexualidad en las personas mayores es reflejo y consecuencia de la sexualidad que han tenido cuando eran jóvenes. Es una prolongación de las actitudes sexuales que tuvieron en «sus años mozos». Y no hay que olvidar que en «aquella época» no había igualdad sexual, de modo que los hombres marcaban la línea sexual a seguir y la mujer obedecía y no se atrevía a mostrar con libertad su deseo y aspiraciones sexuales.

HOMBRE:

⇨ Sexo igual a penetración vaginal.
⇨ Mayor deseo sexual.
⇨ Sexualidad fálico-coital (asociada a erección y coito).
⇨ Sexualidad enfocada a rendir («si fallo, no soy hombre»).
⇨ Viven el fracaso sexual como una pérdida de su hombría o masculinidad, sienten que se quiebra su autoestima sexual y personal.
⇨ Cuando enviudan, no es infrecuente que rehagan su vida sexual con una nueva pareja.
⇨ No suelen tender a cultivar los preámbulos sexuales.
⇨ Siguen recurriendo a la automasturbación en su vida cotidiana.

MUJER:

⇨ No necesitan tanto la penetración durante el sexo.
⇨ Sexualidad más emocional.
⇨ Menor deseo sexual en general.
⇨ Sexo (muchas veces) por obligación.
⇨ En muchas ocasiones viven la sexualidad con ansiedad por sentirse obligadas a tener que hacerlo.
⇨ Necesitan una sexualidad con más preámbulos y asociada a otros factores no sexuales (ayuda doméstica, atención, detalles para con ella…).
⇨ Les cuesta rehacer su vida sexual con una nueva pareja.
⇨ En estado de viudez se suelen sentir liberadas del sexo y no suelen tender a buscar una nueva pareja.
⇨ Viven la sexualidad de manera silenciosa, conformándose con «lo que les ha tocado», sin cuestionársela ni intentar mejorarla.
⇨ Es probable que en la generación actual de mujeres mayores haya un alto nivel de anorgasmia coital.

---

5. Factores que dificultan una sexualidad saludable en la 3.ª edad

(La realidad del envejecimiento y sus consecuencias sexuales).

Introducción

A la edad no se le considera un motivo de DE, pero sí al envejecimiento. Hay que admitir que el proceso de envejecer supone una pérdida de las potencialidades que se han tenido y que ahora empiezan a «descatalogarse». También hay que decir que tal proceso se da en todos los individuos pero no sigue la misma evolución en grado e intensidad en todos por igual.

Los factores que predisponen, precipitan o pueden mantener un problema de erección pueden ser múltiples: fisiológicos, psicológicos, propios de la relación de pareja, socioeconómicos, biográficos y también educativos:

a) Psicológicos:

⇨ Ansiedad de ejecución (miedo a no cumplir).
⇨ Patologías mentales:

- Depresión.
- Estrés.
- Baja autoestima.
- Exigirse sexualmente más de lo que se puede dar.
- Actitudes y prejuicios personales erróneos sobre la sexualidad en la 3.ª edad.

b) Económico-sociales:

⇨ Vivir con los hijos (no disponibilidad de libertad e intimidad sexual).
⇨ Vivir en una residencia para la 3.ª edad.

c) Relacionales:

⇨ Soledad.
⇨ Falta de rodaje sexual cuando se empieza una nueva relación (tras viudedad, separaciones…).

d) Médicos:

⇨ Enfermedades.
⇨ Fármacos.

e) Fisiológicos:

⇨ Pérdida de vascularización genital.
⇨ Cambios hormonales (especialmente la testosterona biodisponible, produciendo que el varón pierda deseo sexual y erección).

ENFERMEDADES NO SEXOLÓGICAS QUE MÁS FRECUENTEMENTE AFECTAN A LA SEXUALIDAD DE LAS PERSONAS MAYORES DE 60 AÑOS

⇨ Cardiovasculares: hipertensión arterial, infarto agudo de miocardio, angina, arterioesclerosis.

⇨ Gastrointestinales: cirrosis, colon irritable, enfermedad de Crohn, úlcera gástrica.

⇨ Autoinmunes: fibromialgia, artritis, lupus.

⇨ Infecciones: infecciones de transmisión sexual, infecciones sistémicas.

⇨ Psiquiátricas: depresión, trastornos de ansiedad.

⇨ Aparato locomotor: fracturas y deformaciones traumáticas, osteoporosis.

⇨ Endocrinológicas: diabetes tipo II, híper e hipotiroidismo, hipogonadismo de origen tardío, hiperprolactinemia.

⇨ Oncológicas: colon, pulmón, mama, etc.

⇨ Neurológicas: párkinson, demencia, ictus, enfermedades degenerativas, esclerosis múltiple, dolor crónico.

⇨ Edad (si bien la edad en sí no se considera un factor inductor de DE, sí lo es el envejecimiento asociado a ella).

⇨ Cansancio.

⇨ Variación en la respuesta sexual (uno de los cambios más notorios y reveladores es la pérdida de erección propia de la fase refractaria del varón, ya que cuando eyacula necesita un tiempo para volver a ser capaz de tener de nuevo erección y, sobre todo, eyaculación, que en edades avanzadas puede suponer días o semanas).

f) Educativos:

⇨ Desinformación sexual.

⇨ Prejuicios educativos.

⇨ Dificultad para cambiar hábitos sexuales muy instalados.

⇨ Educación sexual inadecuada o inexistente.

⇨ Falta de recursos institucionales (escasez de profesionales de la sexología en centros de salud, ambulatorios, hospitales…).

g) Biográficos:

⇨ Experiencia sexual a lo largo de la vida.

⇨ Otras relaciones de pareja.

⇨ Forma de entender la sexualidad.

⇨ Personalidad.

DISFUNCIONES SEXUALES EN LA TERCERA EDAD

HOMBRE:

⇨ Disfunción eréctil.
⇨ Ausencia o retardo de la eyaculación.
⇨ Orgasmo seco.
⇨ Eyaculación precoz.
⇨ Falta de deseo sexual (DSH).

MUJER:

⇨ Falta de deseo sexual (DSH).
⇨ Trastorno de la excitación sexual.
⇨ Trastorno de aversión al sexo.
⇨ Vaginismo.
⇨ Dispareunia.
⇨ Anorgasmia coital.

DIEZ CLAVES PARA UNA SEXUALIDAD SALUDABLE EN LA EDAD MADURA

1. Que la edad no sea un impedimento para disfrutar del sexo. Aceptar los límites del envejecimiento pero dejar siempre un «espacio» para la sexualidad.
2. Llevar una vida sana y equilibrada (alimentación, ejercicio, pareja, vida social, actitud ante la vida…).
3. Ser respetuoso y comprensivo a nivel sexual con el otro miembro de la pareja (no obligar, no presionar).
4. Mantener un buen nivel de comunicación sexual en la pareja.
5. Tener una buena relación de pareja que favorezca una sexualidad satisfactoria.
6. Entender que la sexualidad no solo es el coito.
7. Dejar a un lado los prejuicios educativos sobre el sexo.
8. Perder el miedo a consultar un problema sexual con el médico, especialista o expertos correspondientes.
9. Promover una mejor calidad de vida (viajes, ocio, amigos, bailes…).
10. Buscar espacio, tiempo y momentos para hablar de sexualidad.

Gracias al descubrimiento de la píldora y del dispositivo intrauterino (diu), muchas mujeres abrieron camino para poder disfrutar libremente del sexo en los años setenta y ochenta. Gracias a ellas y los cambios sociales posteriores existe actualmente una mayor complicidad sexual intergeneracional.

Figura 4.2. *Una mujer y su hija acuden juntas a unas consultas de carácter íntimo.*

CAMBIO GENERACIONAL IMPORTANTE
En los próximos años va a cambiar la visión negativa del sexo asociado a la vejez, porque la actual generación que tiene ahora entre cincuenta y sesenta y tantos años no va a renunciar al sexo, ni tiene además por qué hacerlo.

6. Sexualidad en la tercera edad. A modo de conclusión

El envejecimiento trae consigo una disminución de la función sexual, pero no el final de la vivencia sexual. Por ello no se debe dejar de intentar disfrutar del sexo.

No debe olvidarse la sexualidad de las personas pertenecientes a la tercera edad, tanto por parte de los profesionales de la salud como de los propios mayores.

Las diversas investigaciones referentes a la sexualidad de las personas de la tercera edad han demostrado que el interés y la actividad sexuales, si bien van disminuyendo con el paso de los años, persisten en una alta proporción de personas con edades avanzadas. El ser humano nace sexuado y muere sexuado. La sexualidad puede seguir desempeñando un papel relevante en la vida de las personas mayores.

5. EL HOMBRE Y LA MUJER ANTE LA DE

INTRODUCCIÓN

La educación sexual y los modelos observados desde niños por hombres y mujeres condicionan su biografía sexual. La mujer ha sido enseñada a ser sumisa y complaciente con el varón, a estar siempre disponible sexualmente. A los varones se les exige ser fuertes, viriles, seguros y determinantes. Deben actuar como el macho alfa de la manada que «se supone» esperan las chicas, aquel que explota su sexualidad a tope y aspira con su gran pene y potente erección a cubrir a cuantas hembras se crucen en su camino. Estos modelos erróneos de asignación sociosexual a los roles masculino y femenino han creado y siguen produciendo problemas sexuales a muchos hombres y mujeres que no siempre están de acuerdo con tales papeles pero que se han visto abocados a responder a ellos por la interiorización social que de tales modelos han hecho.

1. VISIÓN Y ACTUACIONES DIFERENTES DEL HOMBRE Y DE LA MUJER ANTE LA DE

Varones y mujeres suelen reaccionar de manera diferente ante un problema de DE. El chico suele asustarse y esconder su problema; la chica busca solución. El hombre siente que se le rompe la autoestima, y que queda a merced de la intemperie erótica que le pueda sobrevenir. Ello hace que se angustie o bloquee, y adopte un comportamiento de aislamiento que va a repercutir en la relación con su pareja. La mujer, acostumbrada a que el varón se muestre valiente o asertivo en otras esferas de la vida, inicialmente no va a entender la soledad buscada de su pareja sexual como consecuencia del problema de erección; posteriormente, no obstante, empezará a inquietarse por su papel en el problema, se cuestionará la influencia de su actuación sexual en la problemática de su pareja e incluso considerará la posibilidad de no haber actuado con suficiente solvencia erótica.

Figura 5.1. *Cuando en una pareja aparece un problema de disfunción eréctil, el hombre se suele acomplejar y aislar, mientras que la mujer puede llegar a creer que la culpa es suya por no ser suficientemente atractiva para él o no haberle dado el sexo que buscaba.*

2. ACTUACIÓN GENÉRICA DEL VARÓN ANTE UN PROBLEMA DE DE

a) Mala comunicación con su pareja ante el problema

El varón humano no es un buen comunicador de emociones. El rol asignado tradicionalmente a su género, como ya he referido anteriormente, se basa en transmitir seguridad, fuerza y determinación, cuestiones alejadas de la necesidad de expresar emociones y sentimientos, y menos aún de mostrar debilidades. Acostumbrado a mostrarse duro, acorde con el género social asignado, no encuentra camino para expresar lo mal que se encuentra al observar sus fallos de erección.

b) Autoestima sexual quebrada

Para muchos varones la sexualidad entronca con su virilidad, la forma de mostrar su valía a una mujer. La autoestima general de muchos hombres se nutre en un porcentaje notorio de la vivencia sexual, de su funcionamiento erótico. Por eso, cuando el varón siente que no ha actuado «a la altura» de lo esperado, su hombría se desploma como un castillo de naipes.

c) Pérdida de la identidad sexual

Para muchos hombres, aunque no lo reconozcan, un hombre sin erección «no es un hombre, le falta algo». Este concepto dañino está incrustado en el cerebro de muchos de ellos, haciéndoles víctimas de su propio papel antropológico y sociohistórico, no acorde con la nueva realidad sexual.

d) Miedo al abandono

Tampoco es un tema que el varón exprese con facilidad, pero en su inconsciente muchos varones contemplan con cierta verosimilitud la posibilidad de ser abandonados por su problema de erección. Ello les genera aún mayor angustia, incrementando su ansiedad de rendimiento coital.

e) Refugiarse en la soledad de la «caverna»

Y entra en una crisis de introversión. Se encierra en sí mismo del mismo modo que lo hacían sus antepasados hace miles de años ante algún episodio fallido de caza. Solo que en este caso cambia la caverna por la soledad de la habitación o por su inmersión en alguna actividad deportiva o social que le ayude a paliar u olvidar el golpe. Aunque desahogue su ansiedad compartiendo actividades de ocio con sus amigos, es muy difícil que llegue a contar su problema a alguno de ellos, ya que es «un secreto demasiado íntimo» y supondría un fuerte golpe a su autoestima sexual. Ante estos hechos, la mujer balbucea: «Algo le pasa porque se ha vuelto raro». Él habla menos, la rehúye o se hace el ofendido como disculpa para evitarla. Ella se empieza a sentir culpable o responsable en cierta medida del problema.

f) Intentar superarlo sin avisarla

Otro error que suelen cometer los hombres con problemas de erección es intentar demostrarse a sí mismos que todavía funcionan intentando la penetración coital al menor atisbo de erección sin esperar a estimular a la mujer, sin buscar la complicidad del encuentro sexual. Es el «aquí te pillo, aquí te mato» de nuestros abuelos, todavía vigente en un notorio número de hombres y que adquiere especial protagonismo en estos casos, cuando la desesperación sexual anida tras varios episodios repetidos de fallo eréctil.

Como consecuencia de tal actitud, la mujer se siente objeto sexual y nada partícipe del problema, pues interpreta los intentos coitales de él como puro egoísmo sin la menor intención de buscar la satisfacción sexual de ella, incrementándose así la incomunicación entre ambos y alejando, por tanto, la posible búsqueda de solución compartida.

3. CONSECUENCIAS GENERALES DE LA DE EN EL VARÓN

a) Depresión

Los estados depresivos son comórbidos con la DE en una relación bidireccional: la depresión induce o favorece la DE y, al revés, un problema de erección puede también ocasionar una depresión. Y es que para muchos hombres la pérdida de erección supone un gran daño en su autoestima sexual y les provoca un estado de ánimo depresivo, «se les cae el mundo encima».

b) Ansiedad

Cuando el varón siente que el problema se va acentuando y no hay manera de recuperar su normal erección («como era antes», suele decir), puede caer en estados de ansiedad y mostrarse angustiado ante el solo hecho de tener que realizar el acto sexual. Tal ansiedad también puede extenderse a otros comportamientos cotidianos no sexuales, de modo que se altera su conducta habitual en circunstancias domésticas ante las que reacciona con brusquedad o soliviantado.

c) Aislamiento

Ya se ha mencionado anteriormente: algunos varones incapaces de tener una erección suficiente que les permita realizar el acto sexual se repliegan sobre sí mismos y acaban cayendo en estados de soledad. Viven el problema con un secretismo que les impide consultarlo.

d) Culpa

Un porcentaje notorio de hombres con DE viven con sentimiento de culpa su problema eréctil, se consideran responsables de sus fallos de erección, piensan que han realizado alguna conducta inadecuada o incorrecta. O simplemente que quizá no hayan cuidado lo suficiente su salud (tabaco, alcohol…). A ello se une la vivencia de responsabilidad por no poder satisfacer a su pareja sexual, lo que va a contribuir a incrementar aún más la sensación de culpa y autorreproche.

e) **Vergüenza**

Algunos hombres con DE sienten una sensación de vergüenza o incomodidad por miedo a hacer el ridículo o a no estar a la altura en su funcionamiento sexual.

4. CONSECUENCIAS SEXUALES DE LA DE EN EL VARÓN

a) Eyaculación precoz

Pueden aparecer episodios de eyaculación precoz como consecuencia de los constantes intentos del varón por demostrarse a sí mismo que es capaz de funcionar, todo ello como resultado del incremento constante de la ansiedad de rendimiento sexual (querer cumplir en la satisfacción erótica de su pareja sexual).

b) Miedo a no funcionar sexualmente

Al ver que se repiten los episodios fallidos de intentos coitales, llega un momento en que el varón con DE tiene miedo a no funcionar sexualmente, empieza a pensar que va a fallar (anticipa mentalmente el fallo) y renuncia a intentar el coito.

c) Pérdida de la iniciativa sexual

Llega un momento en que, dada la reiteración constante de fallos, termina perdiendo la iniciativa sexual y renuncia a entablar las relaciones sexuales.

d) Rechaza las relaciones sexuales solicitadas por su pareja

Tampoco se atreve a afrontar la relación sexual si es ella, la chica, quien solicita el encuentro erótico. Más aún, el hecho de que sea ella y no él (como suele ocurrir en general) quien demande el encuentro sexual hace que se sienta peor a la hora de afrontarlo.

e) Pérdida del deseo sexual

Finalmente aparece en él una pérdida de deseo sexual, el sexo no le atrae o, mejor dicho, lo rehúye, y en su cabeza se instala la sensación de apatía sexual y poco interés por buscar el placer erótico.

PÍDELE AYUDA A TU CHICA…

1. Siendo humilde y solicitando su apoyo para resolver tu problema de erección.
2. Reconociendo ante ella que te sientes muy afectado por tu problema de erección.
3. Transmitiéndole que el problema de la DE te preocupa por ti y por ella (aspiras a que ella disfrute sexualmente).
4. Admitiendo que tienes miedo de que tu erección no funcione y por eso has rehuido en ocasiones el encuentro sexual con ella.
5. Haciéndola saber que a ella no la rechazas sexualmente porque no te atraiga (muchas mujeres consideran que la culpa de la DE puede ser suya).
6. Evitando hacerla culpable de tu problema.
7. Olvidándote de hacerle reproches sexuales a ella.
8. Proponiéndole compartir la lectura de este libro.
9. Reforzando otros aspectos de la convivencia (amabilidad, colaboración, ocio, actitud positiva…). La vida en pareja no se acaba por un problema de erección.
10. Dejándole claro tu evidente disposición a resolver el problema. No conviene que dilates la búsqueda de alternativas de solución.
11. No cometiendo el error de ponerte a prueba al menor atisbo de erección, intentando la penetración coital a deshoras, sin contar con ella, sin preámbulos sexuales, sin complicidad erótica.
12. Mejorando la comunicación sexual con tu chica.
13. Recordándole la importancia que en tu vida ella sigue teniendo para ti.
14. No escatimando hacia ella palabras afectivas, gestos cariñosos, actitud positiva…

Figura 5.2. *La DE es un problema sexual del varón que afecta a la pareja sexual y a la relación. El apoyo de la mujer durante el tratamiento es fundamental para su solución.*

5. ACTUACIÓN GENÉRICA DE LA MUJER ANTE UN PROBLEMA DE DE

Sorprendida por el aislamiento de él, no le gusta el enfado ni la actitud negativa y aislacionista de su pareja sexual.

Se cuestiona su funcionamiento sexual (¿estaré actuando bien eróticamente?).

Se inquieta pensando que puede que ya no resulte atractiva para él.

Algunas mujeres se plantean la posibilidad de que él tenga una amante.

PREGUNTAS Y DUDAS QUE LA MUJER SUELE PLANTEARSE
ANTE UN PROBLEMA DE DE

¿Es por mi culpa?
¿Habré dejado de ser atractiva para él?
¿Tendrá otra mujer?
¿Habré estado demasiado ocupada en los hijos o en el trabajo?
¿Debería haber estado más pendiente de sus demandas sexuales?
¿Tendría que haber sido más activa sexualmente?
¿Me faltará sensualidad?

---

6. CONSECUENCIAS NO SEXUALES DE LA DE EN LA MUJER

a) Introducción

La DE tiene consecuencias importantes en la pareja sexual que pueden variar dependiendo de diversas consideraciones, fundamentalmente el contexto de pareja en que se produce el problema. Una consideración fundamental es el nivel de implicación emocional y afectiva que tenga la pareja para con el varón que sufre DE. Otra, también importante, es el estado de la relación. No es lo mismo que el problema se produzca en una situación en que la pareja se lleve bien, tenga complicidad erótica, una vida sexual satisfactoria hasta la aparición del problema y un buen nivel de relación de pareja que la DE surja en un contexto en el que ya existía una desavenencia afectiva, una crisis de pareja o un cultivo de la sexualidad pobre y desmotivado. Vamos a analizar la posible afectación general en la mujer como consecuencia de la DE del varón.

b) Depresión

Existen varios estudios que confirman que la DE puede causar depresión en la mujer pareja sexual del hombre afectado. De hecho, concluyen que, en personas situadas en el segmento de edades medias, la función sexual está significativamente asociada con la depresión. Digamos que el problema eréctil del hombre afecta al ánimo de los dos miembros de la pareja.

c) Estrés

La situación de tensión creada en el hogar como consecuencia de un problema de DE puede inducir respuestas de estrés en la pareja sexual, que se siente superada, no consultada, rechazada o simplemente ninguneada por su compañero.

d) Sentimiento de culpabilidad

Muchas mujeres ante la DE del varón acaban asumiendo que tienen una parte de culpa en el problema al considerar que quizá no sean lo suficientemente atractivas para él o que no han actuado con la necesaria solvencia erótica para poder satisfacerlo. Esta consideración o creencia la encontramos en mujeres que han recibido una educación sexual tradicional y que tienen sentimientos de culpabilidad por no ser más atrevidas, lanzadas o sensuales en su comportamiento erótico con su pareja sexual. Tal sentimiento de represión sexual, unido a la idea tradicional e histórica que tienen asimilada sobre lo que es un modelo romántico de comportamiento amoroso, puede impedir que se «suelten en la cama». Y tal vivencia prejuiciada de actitud sexual es utilizado como autorreproche y generar un sentimiento de culpabilidad ante la disfunción eréctil del varón.

e) Distanciamiento emocional

Muchas mujeres perciben que su pareja no les cuenta el problema, que lo ocultan provocando un evidente distanciamiento de ella. Tal hecho provoca desánimo y un desapego emocional hacia el varón al comprobar que no tiene complicidad con ella.

7. CONSECUENCIAS SEXUALES DE LA DE EN LA MUJER

La disfunción eréctil es el problema sexual del varón que mayor repercusión presenta sobre la erótica de la mujer. De hecho, hasta un 40 %

de las mujeres pareja sexual de un hombre con disfunción eréctil acaban padeciendo una difusión sexual propia como consecuencia de ello.

a) Pérdida del deseo sexual

Es una de las consecuencias más claras observadas en las mujeres que son pareja sexual de un hombre afectado por DE. Junto al desapego afectivo, aparece la desmotivación sexual, ya que «su hombre» pasa de ella sexualmente hablando, no la busca, no le cuenta, no le confía nada. La falta de contactos sexuales o los escasos que se producen, y que suelen ser fallidos, contribuyen a la pérdida del apetito sexual de la mujer, a la que ya no le atrae el sexo, que se ha desmotivado por la negativa de él a buscar soluciones al problema o los reproches que se pueden haber intercambiado.

b) Anorgasmia coital

La obtención del logro orgásmico coital femenino no es tan fácil como algunos sectores masculinos pueden pensar. De hecho, se sabe que en términos generales y en circunstancias normales, un tercio de las mujeres suelen tener problemas en la obtención del orgasmo durante el coito. Si a esta realidad relativamente frecuente o cotidiana se le añade un problema de erección y una falta continuada de contactos sexuales, tendremos como consecuencia un problema de anorgasmia coital en la mujer que incrementará su ya de por sí insatisfecha sexualidad.

8. PROCESO DE DEMANDA DE EJECUCIÓN EN EL HOMBRE

Explicando la ansiedad

En el capítulo dedicado a analizar los conceptos fundamentales en torno a la DE ya mencioné en qué consistía el círculo de rendimiento coital (en el capítulo dedicado a las causas lo amplío), un formato de retroalimentación de la ansiedad ejecutoria que se produce antes y durante el coito y que contribuía a explicar por qué se produce la DE de causalidad psicológica. Ahora, en este apartado, explicaré de manera complementaria cómo se amplía tal proceso de fracaso sexual del varón cada vez que se produce una demanda sexual por parte de la mujer y cómo afecta tal proceso del varón a la respuesta sexual de esta.

En 1986 Barlow presentó un modelo experimental que demostró que los sujetos sin problemas de erección, ante la demanda de ejecución coital, tendían al acercamiento a la pareja mientras que los disfuncionales trataban de evitar los contactos sexuales. En el cuadro siguiente queda reflejado tal modelo:

DEMANDAS DE EJECUCIÓN	
Sujetos con buen funcionamiento	Sujetos con DE (feedback negativo)
Percepción de control	Percepción de falta de control
Atención centrada en sensaciones eróticas	Atención centrada en las consecuencias públicas de la no ejecución
Excitación y abandono	Aumento del *arousal* autonómico: la ansiedad somática
Aumento de la atención en lo erótico	Aumento de la atención centrada en las consecuencias de la no ejecución
Ejecución correcta	Ejecución incorrecta
Tendencia al acercamiento	Tendencia a la evitación

FUENTE: modelo explicativo de Barlow, 1986.

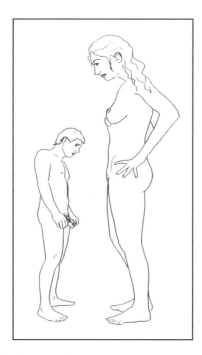

Figura 5.3. *Muchos hombres se sienten empequeñecidos ante la demanda sexual de la mujer. La DE contribuye a incrementar el complejo promoviendo que muchos varones rehúyan el encuentro coital.*

9. ROL DE RENDIMIENTO Y DEMANDA DE EJECUCIÓN: INCREMENTO DE LA ANSIEDAD

El hombre con problemas de erección suele acabar cayendo en el círculo de rendimiento coital como consecuencia de su ansiedad de ejecución. A tal ansiedad hay que añadirle la ansiedad consecuente a la demanda de ejecución. Es decir, cada vez que el varón con DE siente la demanda sexual de su pareja, piensa que tiene que responder coitalmente, no se ve capaz de funcionar, se incrementa aún más su ansiedad y termina por rehuir el encuentro. La mujer se siente rechazada y se complica aún más la interrelación erótica de la pareja.

CONSECUENCIAS DE LA DISFUNCIÓN ERÉCTIL EN LA SEXUALIDAD DE LA MUJER

Muchos varones afectados por DE intentan evitar el sexo con su pareja sexual. Cuando el reclamo o estímulo erótico se produce, se incrementa la ansiedad sexual en el varón, que en consecuencia, y por miedo a fallar, rehúye el encuentro amoroso.

La respuesta de la mujer variará en función de tres tipos de perfil femenino:

1. Mujeres con un buen nivel de satisfacción sexual.

   Presentan conductas eróticas más demandantes, presionan al hombre y le obligan a buscar solución a su problema. No quieren perder su capacidad de goce y reclaman su lugar en el sexo. Tal presión, sumada a la que el propio varón se autoimpone, produce que el varón incremente aún más su miedo al sexo y rehúya el encuentro coital poniendo disculpas de todo tipo: «que la sexualidad no es lo más importante de una relación», «que su pareja está obsesionada con el sexo», etc.

2. Mujeres con una sexualidad poco activa, pero sin disfunción sexual alguna.

   Este perfil de mujeres actúa «pasando del sexo» aunque no padezcan ninguna disfunción sexual. Digamos que es «como si aprovecharan el déficit sexual del marido para pasar aún más del sexo».

3. Mujeres que presentan alguna disfunción sexual (anorgasmia coital, falta de deseo sexual, aversión al sexo…).

   Se dan dos tipos de perfiles:

   a) Unas animan a su pareja quitando importancia a la DE y mostrándose comprensivas con él.

   b) Otro perfil o grupo «echan la culpa» de su problema a la DE de su pareja sexual. Un ejemplo típico de ello son las mujeres con problemas de anorgasmia coital y fácil capacidad de excitabilidad.

FUENTE: Marlow, 1986; Cabello, 2010.

10. CONSECUENCIAS DE LA DE EN LA RELACIÓN DE PAREJA

Si un problema de DE no es abordado, se puede crear una dinámica de confrontación y hostilidad en la pareja que degenere en un ambiente de desconfianza y recelo. Si es la mujer quien propone buscar soluciones con un profesional y el varón lo aplaza o rechaza, puede llegar un momento en que se cree un rechazo mutuo que con el tiempo puede enquistarse y precipitar una crisis en la que, si bien el ocaso erótico de la pareja no tiene por qué terminar con la relación, sí puede suponer un incremento del deterioro convivencial y una pérdida de la calidad relacional de la pareja.

También puede ocurrir que, si la relación emocional es buena y la convivencia saludable, la pareja renuncie al sexo e interiorice un modelo de relación sexual carente de motivación erótica que, dependiendo de la edad (a mayor edad, más posibilidad de deserotizarse), la convivencia y los mutuos intereses, congele el problema durante años.

11. EL PAPEL DE LA MUJER EN LA DE

1) Introducción. Los problemas sexuales surgen en pareja y se solucionan en pareja. Ambas cuestiones, el problema y la solución, son inherentes a la interrelación erótica de la pareja. Por ello es importante que la mujer apoye al varón, que tú, la chica, como pareja sexual y afectiva de un hombre con problemas de erección, apoyes a tu chico durante el abordaje y tratamiento del problema de DE. Por ello este apartado va dirigido a informarte sobre la importancia de tu papel en la solución del problema y a transmitirte una serie de consejos y sugerencias encaminados a reforzar tu apoyo para resolver la DE de tu compañero sexual.

2) Un hombre con un problema de erección es una persona con la autoestima quebrada. Es muy importante que no le rechaces y le apoyes emocionalmente. Lo necesita y él sabrá valorarlo.

3) Para muchos varones la hombría y la masculinidad residen en los genitales, de modo que si estos «están mal», se encuentran desubicados, rotos. Los hombres pueden aparentar fortaleza y dureza, pero cuando tienen un problema de erección la mayoría se derrumba como muñecos de papel. Pueden parecer insensibles y ajenos a las emociones o, por lo menos, no tan sensibles como las chicas, pero cuando el problema afecta a un asunto «tan delicado» como el pene, la cuestión adquiere otra valoración para ellos. Por tal motivo es conveniente que te mentalices de que tu chico va a cambiar a raíz del problema y puede mostrarse triste y apagado, o aislado y huraño. Está «rumiando su

problema». Es fundamental que no se sienta rechazado por ti, que seas consciente de la importancia de tu papel, y resulta vital que le apoyes tanto emocional y psicológicamente como en la realización de las prescripciones clínicas que voy a proponeros como solución del problema.

4) La mayoría de los hombres se preocupan por la satisfacción sexual de su pareja, que consideran una cuestión muy importante. La DE no solo representa para estos hombres la incapacidad propia de no poder disfrutar plenamente del sexo, sino también de no poder hacer disfrutar a su pareja sexual. Son dos frustraciones en una. Para estos chicos, que la chica alcance el orgasmo o/y quede satisfecha sexualmente es una cuestión prioritaria, tanto como obtener el propio placer.

5) El papel de la pareja (la chica) durante el tratamiento. Qué puedes hacer tú por él en el abordaje y solución de la disfunción eréctil:

a) Consultar el problema con un experto. Muchos hombres son reticentes a dar el paso de acudir a un profesional de la sexología. El pudor o vergüenza, el miedo a encontrarse con una realidad desconocida, los pensamientos negativos sobre su posible tratamiento («igual no tiene solución», «tendré que tomar mediación», «será difícil abordarlo») predisponen a retrasar la consulta o postergarla a la espera de que el problema remita por sí solo, como creen y esperan algunos hombres.

Desde esta perspectiva, puede ser decisivo un «empujón» por parte de la pareja sexual para que consulte el problema. Puede ser interesante comenzar hablándole de tal posibilidad. Se puede empezar sugiriéndoselo o proporcionándole la dirección o teléfono de algún experto en el tema. Se trata de que le ayudes, de favorecer la decisión de consultarlo, de solucionar un problema de salud sexual que afecta a la calidad de vida de la pareja y a su bienestar físico y psicológico.

b) Asegúrale que le vas a acompañar a la consulta. Es importante que sienta tu calor, tu cercanía y tu apoyo. Que sepa y tenga la convicción de que le vas a acompañar a la consulta y durante el tratamiento. Y si tu chico no se atreve o no quiere acudir a una consulta profesional, es importante que por lo menos sea capaz de leer este libro e intentar solucionar el problema siguiendo el programa de tratamiento aquí explicado. Asegúrale que le apoyaras en la lectura de este libro y en la aplicación del tratamiento de solución de la DE que aquí figura.

c) Apoyarle durante el tratamiento. El tratamiento de la DE, como has podido comprobar en páginas anteriores, suele implicar en general la asistencia del paciente a la consulta de sexología durante varias sesiones. Por ello es aconsejable que acudas con él al mayor número posible de citas (no suele hacer falta acudir a todas las sesiones clínicas) para compartir la información recibida por parte del experto, la prescripción de los pasos clínicos que debe realizar en casa, el entendimiento de la dinámica relacional que tenéis, la comprensión de los conceptos que hay trabajar y todos aquellos factores que la psicoterapia permite esclarecer.

d) Realizar juntos los pasos correspondientes de terapia sexual que suele prescribir el experto y, en este caso, los pasos que figuran en este libro. En el capítulo dedicado a los recursos existentes para el abordaje de la DE, podrás adquirir información y conocimientos básicos de las técnicas y estrategias tanto sexológicas como médicas y psicológicas utilizadas en la resolución de un problema de DE y que conviene que tú sepas para poder apoyar con garantía de éxito a tu pareja. Y en el capítulo referido al tratamiento de la DE cuando se tiene pareja, podrás ver y aprender los pasos clínicos que es necesario que realicéis juntos los miembros de la pareja para poder solucionar el problema. Compartir la lectura de este libro con tu chico te hará entender mejor el mundo de la DE (origen, tipos, grados, diagnóstico, pruebas, causas, consecuencias y tratamiento) y reforzará tu convencimiento de la importancia de tu papel en la solución del problema. Compartiendo su lectura, compartirás la solución del problema al realizar los pasos del tratamiento que figura en este.

6)   Apoyo de la mujer durante el tratamiento de la DE. Predisposición para la terapia sexual dependiendo de que tengas previamente problemas sexuales o no.

Por experiencia basada en la observación clínica de pacientes tratados en consulta, se puede decir que cuando una chica conoce a un chico con problemas de DE, pueden darse dos tipos de comportamiento en función de si ella tiene algún problema sexual propio o no.

Así, tenemos que:

1. Si la chica previamente tiene anorgasmia coital o falta de deseo sexual:

    a) En general, demanda menos sexo a su chico, entre otras cosas porque es consciente de su problema individual.

    b) Exige o presiona menos también en su demanda orgásmica coital.

    c) Pero, de cara a un posible tratamiento, está menos dispuesta a apoyar a su chico, en parte porque está más desmotivada eróticamente hablando.

d) Puede utilizar el problema de DE de su pareja para justificar su apatía sexual.

e) Algunas «echan la culpa» de su problema a la DE de su pareja sexual.

2. Si la chica previamente no tiene un problema sexual propio:

a) Presenta una mayor demanda de relaciones sexuales hacia su chico.

b) Ejerce una mayor presión sobre el varón a la hora de demandarle mayor satisfacción sexual.

c) Y de cara a un posible apoyo en el tratamiento de la DE del chico, está más dispuesta a ayudarle que la chica que tiene problemas previos.

d) No renuncia a la satisfacción sexual a pesar del problema de erección de su pareja.

¿En qué grupo te encuentras tú? ¿Sientes que tienes alguna dificultad sexual propia? En principio he de decirte que tanto si tienes problemas sexuales propios como si no, en sexología clínica existen muchísimas posibilidades de ayuda profesional. Y en cuanto al hecho de apoyar a tu chico, la información que te acabo de dar es orientativa. Lo importante es entender que los problemas sexuales tienen hoy en día una óptima solución y, por tanto, no deberías angustiarte en exceso. Tengas o no alguna dificultad sexual propia, te conviene ayudar a tu chico. Una pareja que se apoya está cimentando su futuro con mayor consistencia. Compartir placer y momentos de felicidad une mucho, pero también una pareja cimenta su futuro sobre el mutuo apoyo en las dificultades. Invertir en la búsqueda del derecho a tener una salud sexual es apostar por un futuro mejor como pareja.

7) El clítoris como recurso. Es importante que le transmitas a tu pareja sexual con problemas de DE la importancia del clítoris y que le hagas saber que la penetración vaginal no es la única forma en la que puedes alcanzar satisfacción sexual. Esta es una manera inteligente de ayudarle a quitarse presión a sí mismo, transmitiéndole la convicción, tu convicción, de que la sexualidad del varón, su capacidad erótica, no reside solo en la erección de su pene, y que tú puedes alcanzar también el orgasmo a través de la excitación directa del clítoris. Debes conseguir que tu chico entienda que «también hay sexo más allá de la erección del pene».

8) Importancia del papel de la mujer en la solución de la DE. (Motivos para que apoyes a tu chico en la realización de los ejercicios que figuran en este libro.)

La DE es un problema sexual del varón que repercute en la sexualidad de la mujer y en la vida sexual de pareja. Por ello es importante que apoyes a tu chico en la comprensión, abordaje y solución del problema. Para una solución más eficaz y duradera de la DE es muy importante el apoyo que tú puedes darle a tu chico, tanto en la comprensión y entendimiento del problema como a lo largo del desarrollo de las prescripciones o ejercicios del programa de tratamiento de la DE.

9)   Tu chico te necesita, así que dale tu apoyo y estaréis más unidos. La DE es un problema de tu chico que afecta a tu sexualidad. Tu chico es muy probable que se encuentre en un estado de indefensión manifiesta. Si le apoyas, no lo olvidará. Colaborando con él, sentirá tu complicidad, estaréis más unidos y mejorará tu satisfacción sexual.

10)   Escúchale. Escucharle supone que, además de oírle, intentes entenderle. Seguramente pienses que es culpable de tu insatisfacción sexual o, por lo menos, culpable de no intentar buscar soluciones. Es probable que tu chico tenga parte de responsabilidad en tu insatisfacción sexual, pero también es alguien que seguramente está más afectado de lo que tú piensas por no poder satisfacerte.

11)   Dale pie a que te cuente su problema. Si has comprobado que tu chico no es capaz de expresarte lo que le pasa, de contarte lo mal que se siente sexualmente, es conveniente que le des un «empujoncito» para que se arranque y sincere. Si le ayudas a contártelo, es probable que descubras a otro hombre, alguien más sensible y generoso de lo que pensabas.

12)   No tengas miedo a hablar del tema de la DE. Busca un momento y un lugar adecuados para sacar el tema de la DE. Hazlo con delicadeza, pero debes tratar de sacar el tema y hablar de él. Así podemos empezar a intentar solucionarlo.

13)   Aparca temporalmente (solo durante el tratamiento) tu demanda sexual. Si la mujer transmite al varón durante la realización de los ejercicios su necesidad inminente de ser satisfecha sexualmente, ello puede contribuir a incrementar la ya de por sí alterada ansiedad ejecutoria del varón.

Por ello es muy importante que durante el desarrollo del programa de tratamiento de la DE no actúes presionando a tu chico por la necesidad de buscar y obtener tu orgasmo, tu clímax coital mediante la penetración vaginal. Si directa o indirectamente le transmites tu ansiedad, va a ser peor para él. Bastante tiene tu pareja con gestionar la suya propia. Durante el desarrollo del programa de tratamiento intenta hacer un *impasse* con tu insatisfacción sexual (si es que la tuvieras o sintieras). Apárcala un tiempo, posponla mientras ayudas a que tu chico supere su problema. Dicho pragmáticamente: te conviene invertir emocionalmente en la realización de los ejercicios y la superación de su problema de erección para que, una vez superado este, se pueda paliar tu insatisfacción erótica.

Tal hecho obedece a motivos exclusivamente cínicos y terapéuticos. Voy a poner un ejemplo:

Si en vez de abordarse la solución de un problema de erección, estuviéramos solucionando un problema de vaginismo (vaginismo es la contracción espasmódica e involuntaria por parte de la mujer de los músculos de entrada a la vagina) que impidiese la penetración, también le pediríamos al varón que durante el tratamiento y solución del problema de su chica la ayudase colaborando en los ejercicios mutuos y renunciase a la penetración (y a su orgasmo coital, claro) hasta que la situación revirtiese. Bastante tiene una chica con la culpa y ansiedad que le genera el hecho de no ser capaz de poder relajar «su vagina» como para que su «chico» la presione con intentos de penetración durante el tratamiento. Creo que ha quedado claro: durante el tratamiento de un problema sexual, la persona que padece la disfunción sexual tiene «preferencia» terapéutica.

14)   Consecuencias de la falta de apoyo de la chica:

a) El chico no va a poder completar la parte de los ejercicios que se realizan en pareja.
b) La solución de la DE se va a hacer más dificultosa.
c) Con el tiempo, y como consecuencia de no haberse solucionado la DE y hacerse crónico el problema de erección, puede presentarse en la chica un problema de anorgasmia coital y más tarde también una pérdida del deseo sexual.
d) Puede darse una crisis de pareja y, a veces, una ruptura de la relación.

15)   Aprovechar el problema de la DE para revisar la relación erótica de pareja.

Un problema sexual puede romper la dinámica erótica de una pareja creando una crisis sexual, pero la búsqueda de su solución puede también permitirles descubrir nuevas vías eróticas de comunicación sexual, ampliando su repertorio sexual y fomentando la práctica de nuevas cauces de placer y una mayor sinceridad. En esta línea, os animo a que, aprovechando la lectura de este libro y la búsqueda de una solución para el problema de DE, reviséis vuestra relación erótica de pareja y os hagáis unas preguntas de manera individual y también compartida que os ayuden a crecer eróticamente; por ejemplo:

a) ¿Soy sincero en la expresión de mi deseo sexual?
b) ¿Hago realmente lo que quiero eróticamente?

c) ¿Realizo alguna conducta erótica a disgusto?

d) ¿Existe algún cambio sexual que me gustaría realizar pero que no me atrevo a plantear?

e) ¿En qué me gustaría cambiar mi conducta sexual?

f) ¿Qué cambios propondría a mi pareja para mejorar nuestra vida sexual?

g) ¿Estamos estancados eróticamente como pareja?

La contestación franca y sincera a estas preguntas os puede poner en la antesala de encontrar nuevos caminos para vuestra felicidad sexual y de pareja. No tengáis miedo a enfrentaros a vuestros temores. Sed sinceros mutuamente. Hacedlo con delicadeza, sin reproches, admitiendo que todos cometemos errores y que nadie nace sabiendo cómo compartir y encajar satisfactoriamente las demandas sexuales propias. El camino no es fácil, pero, aprovechando la búsqueda de solución de un problema sexual, se puede dar un «empujón significativo» al crecimiento erótico como pareja y encontrar ese patrón sexual común de comportamiento erótico con el que ambos miembros de la pareja se sientan plenamente satisfechos.

IMPORTANCIA DEL PAPEL DE LA MUJER EN LA SOLUCIÓN DE LA DE. PUEDES APOYAR A TU CHICO:

1. Informándote sobre el mundo de la DE y sus circunstancias.
2. Comprendiendo el problema.
3. Compartiendo la lectura de este libro con tu chico.
4. No echándole la culpa de tu insatisfacción erótica (los reproches son dañinos).
5. Empatizando con él.
6. Apoyándole emocionalmente.
7. Colaborando en la realización de los ejercicios clínicos que se deben realizar en pareja.
8. No presionándole sexualmente (gestionando sin ansiedad tu demanda sexual).
9. Entendiendo que la DE es un problema de salud sexual.

DALE UNA OPORTUNIDAD A TU CHICO

Tu apoyo es vital. Puede que estés resentida con él porque no ha consultado todavía su problema con un experto a pesar de que llevas tiempo diciéndoselo. Tal vez estés muy insatisfecha de tu sexualidad de pareja y se lo atribuyas a él. O quizá has llegado a tal grado de resignación con el problema que pasas de colaborar con tu chico. Puede que tengas razones suficientes para no apoyarle en el desarrollo del programa de tratamiento de la DE que figura en este libro. Pero también puede ocurrir que tu chico te haya enseñado ya el libro y sugerido que le eches un vistazo. Deberías darle una oportunidad leyéndolo y colaborando con él en la realización de los ejercicios o prescripciones que deben hacerse en pareja y que figuran en el capítulo dedicado al tratamiento. Tu chico TE NECESITA. NO LE ABANDONES.

6. CAUSAS DE LA DE

INTRODUCCIÓN

Durante muchos años (hasta los años noventa) se pensó que la mayor parte de las causas de DE eran de corte psicológico. Todavía no se disponía por entonces de suficientes pruebas diagnósticas para poder cribar con eficacia el origen de los correspondientes casos de DE que acudían a nuestras consultas. En las últimas décadas se han incrementado los recursos diagnósticos, lo que ha contribuido a detectar un mayor número de disfunciones eréctiles de origen orgánico que antaño pasaban desapercibidas en su etiología. Aun así, hoy en día se considera que el porcentaje estadístico de disfunciones eréctiles tanto de origen orgánico como psicológico viene a ser parecido. De hecho, sabemos que son las disfunciones eréctiles de origen mixto las más frecuentes, porque, aunque una DE sea claramente orgánica, se sabe que con el tiempo ese paciente va a acabar afligido psicológicamente por la ansiedad que le genera su problema y los pensamientos que van a rondar por su mente, como: «ya no soy un hombre completo», «he perdido masculinidad», «qué pronto empiezo con problemas sexuales»…).

Las disfunciones eréctiles de origen orgánico suelen aparecer en edades más avanzadas, y las psicológicas son más propias de jóvenes o personas de mediana edad. Aun así, hay que decir que la mayor parte de las disfunciones sexuales son de origen secundario (aparecen después de un tiempo de funcionar bien), siendo muy escasas las disfunciones eréctiles de origen primario (aquellas que ocurren desde siempre, es decir, desde el inicio de la vida sexual del paciente).

1. FACTORES DE RIESGO ASOCIADOS CON LA DISFUNCIÓN ERÉCTIL

FACTORES DE RIESGO ASOCIADOS CON LA DISFUNCIÓN ERÉCTIL
⇨ Consumo de alcohol, drogas y tabaco.
⇨ Consumo de medicamentos que afectan a la respuesta sexual. Es el caso de los antihipertensivos, los psicotrópicos, los antagonistas H2 y las hormonas (Lue et al., 2004).

⇨ Condiciones médicas, como enfermedades cardiovasculares, hipertensión arterial y diabetes mellitus.

⇨ Aterosclerosis múltiple.

⇨ Enfermedad de Alzheimer.

⇨ Enfermedad pulmonar obstructiva crónica.

⇨ Enfermedad de La Peyronie: pueden padecer DE por infiltración de las venas emisarias por la placa fibrosa que afecta el mecanismo venooclusivo y también por el factor psicológico que se produce en el hombre cuando ve su pene deformado.

⇨ Trastornos psiquiátricos (en la depresión severa se da un alto porcentaje de casos de DE).

2. CAUSAS ORGÁNICAS DE LA DE

CAUSAS ORGÁNICAS DE DISFUNCIÓN ERÉCTIL (DE)		
Causas vasculares (60 %-80 %)	**Causas neurológicas (10 %-20 %)**	**Causas hormonales (5 %-10 %)**
Arterioesclerosis. Infarto de miocardio. Tabaco. Hiperlipidemia. HTA. Diabetes. Enfermedad de La Peyronie. Fracturas pélvicas. Traumatismos perineales. Hipospadias. Micropene. Fractura de cuerpos cavernosos. Trasplante renal heterotópico. Síndrome de Leriche. Baipás aortoilíaco o aortofemoral. Secuelas de la radioterapia. Secuelas del priapismo.	**Sistema nervioso central** Accidente cerebrovascular. Síndrome de apnea del sueño. Enfermedad de Alzheimer. Enfermedad de Parkinson. Tumor cerebral.	**Exceso de estradiol** Obesidad. Hepatopatía. **Hipeprolactinemia** Farmacológica. Tumor hipofisario (prolactinoma).

Causas vasculares (60 %-80 %)	Causas neurológicas (10 %-20 %)	Causas hormonales (5 %-10 %)
	Médula espinal Traumatismos. Hernia discal. Esclerosis múltiple. Tumor medular. Infarto medular. Mielomeningocele. Tabes dorsal.	**Alteraciones del tiroides** Hipertiroidismo. Hipotiroidismo. **Alteraciones suprarrenales** Síndrome de Cushing. Enfermedad de Addison.
	Nervios periféricos Neuropatía diabética. Neuropatía alcohólica. Secuelas posquirúrgicas. ⇨ Prostatectomía. ⇨ Cistoprostatectomía. ⇨ Resección trasuretral de próstata. ⇨ Cirugía de la médula espinal. ⇨ Amputación rectal.	Hipogonadismo. Anorquia. Quimioterapia. Radioterapia. Síndrome de Klinefelter.

Las causas orgánicas se dan con más frecuencia en personas mayores; algo lógico teniendo en cuenta que los factores orgánicos suelen presentar su mayor intensidad inductora con el avance de los años. La edad en sí no se considera una causa de DE, pero sí los factores asociados al envejecimiento.

Características diferenciales de DE de origen orgánico:

⇨ Edad: se da en general en edades maduras o medias (a partir de los 50 años).
⇨ Aparición: permanente.
⇨ Evolución o curso: negativa constantemente.
⇨ Erección extracoital: suele ser escasa.
⇨ Problemas psicosexuales: son secundarios (no son los causantes del problema de DE, sino que han aparecido como consecuencia de este).
⇨ Problemas de pareja: son secundarios (no son los causantes del problema de DE, sino que han aparecido como consecuencia de este).
⇨ Ansiedad anticipatoria: es secundaria (no es la causante del problema de DE, sino que ha aparecido como consecuencia de este).

Vamos a analizar las causas orgánicas más destacables:

Diabetes mellitus

Según distintos estudios, hasta un 50 % de los diabéticos de cualquier tipo terminan desarrollando una DE unos 10 años después de detectarse la diabetes. Con el paso del tiempo y el incremento de la severidad de la diabetes, el porcentaje de DE llega a ser de un 95 % en varones de 70 años.

El origen de la DE en la diabetes es multifactorial: neuropatía, macro y microangiografía, pero se considera a esta última la mayor responsable al provocar esclerosis arteriolar y deterioro del flujo sanguíneo en el tejido cavernoso. Cuando la diabetes está avanzada, se produce un déficit de óxido nítrico (un gas vasodilatador que es clave en la erección) en el cuerpo cavernoso como consecuencia de una producción disminuida por parte de la óxido nítrico sintetasa (la enzima que acelera o convierte el paso de la L-arginina en óxido nítrico), lo que contribuiría directamente a la DE e indirectamente a la neuropatía autónoma.

En la diabetes, además de factores orgánicos, no es infrecuente que aparezca también un componente psicológico mantenedor del problema de erección. Ello se debe a que el paciente, una vez informado de que va a padecer DE, con el paso del tiempo comienza a desarrollar una preocupación por su problema de erección, de manera que anticipa su advenimiento y se autogenera más ansiedad ejecutoria de rendimiento sexual. Ello hace que se incremente psicológicamente su preocupación por la erección y su problema. Aun así, es necesario y conveniente que el paciente diabético esté informado de los problemas de erección que la diabetes conlleva.

El caso de la diabetes es un ejemplo típico de la complejidad diagnóstica y evolutiva de algunos casos de DE en los que intervienen los tres tipos de factores causantes de DE (precipitantes, predisponentes y de mantenimiento). Así, tenemos: factor predisponente (la endocrinopatía va deteriorando la vascularización del pene predisponiendo a que haya un problema base de erección), factor precipitante (el problema aparece o se precipita cuando el flujo vascular no es el adecuado o porque los impulsos nerviosos no lleguen por culpa de la neuropatía diabética) y factor de mantenimiento (aparece reiteradamente la ansiedad psicológica por miedo a fallar o no rendir sexualmente).

Enfermedad cardiovascular

Dada la gran incidencia que tienen las enfermedades cardiovasculares en las personas y la relación evidente que existe entre el sistema cardiovascular y la respuesta sexual humana, la DE es un problema recurrente en este tipo de patología, sobre todo en enfermedades como la cardiopatía isquémica y la insuficiencia cardíaca.

En la DE de origen cardiovascular influyen factores vasculares (arteriosclerosis) y psicológicos (ansiedad), así como algunos de los fármacos que se utilizan en esta enfermedad (betabloqueantes, hipolipemiantes, diuréticos, digoxina). Por otro lado, debe tenerse en cuenta que la DE puede ser un síntoma centinela de enfermedad cardiovascular, es decir, un avisador o predictor de que detrás de esa DE puede existir un problema cardiovascular, sobre todo en menores de 60 años.

Algunos estudios refieren que hay casos de DE de origen orgánico que anuncian unos dos o tres años antes el desarrollo de una angina de pecho y la aparición de eventos cardiovasculares entre tres y cinco después de presentarse la DE.

La incidencia de DE tras un infarto agudo de miocardio (IAM) se sitúa entre el 38 % y el 78 % (Documento de Consenso sobre Disfunción Eréctil, 2002).

En una revisión de múltiples estudios se constata que 48 meses después de un infarto, un tercio de los pacientes padecía DE y presentaba también una disminución del deseo sexual como consecuencia, entre otras cosas, del miedo psicológico a que puedan tener problemas si realizan un esfuerzo sexual. Y es que muchas personas afectadas por insuficiencia cardíaca tienen verdadero miedo a que el corazón no responda, por lo que evitan la posible excitación sexual.

El nivel de actividad sexual para las personas que tienen o han tenido problemas de enfermedad cardiovascular está regulado por lo que se llama el Consenso de Princeton, establecido en el año 2000 (y revisado en 2005), que categorizó el riesgo cardiovascular ligado a la activad sexual y que divide a los pacientes en tres grupos de riesgo (bajo, medio y alto) en función de sus comorbilidades. El grupo de bajo riesgo puede mantener relaciones libremente (más allá de seis semanas tras un infarto no complicado), mientras que el de alto riesgo necesitaría estabilización previa (MHO, estenosis aórtica severa, insuficiencia cardíaca NYHA III o IV, angina inestable…), y los de riesgo intermedio, una evaluación cardiovascular (como por ejemplo DE sin síntomas cardiovasculares, pero tres o más factores de riesgo, excluyendo género).

Hipertensión arterial

La hipertensión arterial puede ser causa condicionante y, en ocasiones, determinante, de la DE. Contribuye al deterioro de la función endotelial, que a su vez puede afectar, como se ha mencionado anteriormente, a la erección. Además, muchos hipertensos tienen una hiperestimulación simpática que también contribuye a que entre el 24 % y el 47 % de ellos desarrollen DE. Recordemos que la erección es sangre que acude al pene a través de las arterias, y vasos. La hipertensión arterial deteriora tales arterias dificultando el abastecimiento de sangre al pene. Al mismo tiempo, algunos de los fármacos que se utilizan para su tratamiento también pueden afectar a la erección. Se calcula que el 14 % de los hipertensos tratados con hipotensores presentan DE en algún momento de su vida, ya sea por la hipertensión en sí misma o por los tratamientos utilizados.

Fuga venosa peneana

a) Definición

La fuga venosa es una patología vascular del pene consistente en la pérdida repentina de la erección (apenas unos segundos después de conseguirla). Digamos que la sangre que previamente ha entrado en el pene para producir la erección no se puede retener por obstrucción de las arterias peneanas o falta de presión. Se fuga y el pene recupera su flacidez, y todo ello en pocos segundos.

Es una disfunción venooclusiva peneana. Suele darse en la vena dorsal del pene y suelen ser fugas venosas profundas las que alteran la hemodinámica del pene, ya que las fugas venosas superficiales o esponjosas (periuretrales) no se consideran significativas para el problema.

b) Prevalencia

Tiene una incidencia pequeña dentro de las causas vasculares (un 10 %), habitualmente asociada a una alteración arterial.

c) Características

La sangre que inunda los cuerpos cavernosos para formar la erección se fuga (de ahí viene el nombre) súbitamente, de forma que el varón sí consigue tener erección pero la pierde muy rápidamente, al momento. Provoca un problema de DE que puede ser parcial o total en los casos más graves. La clave del problema está en un fallo del mecanismo corporovenooclusivo del pene. En términos médicos, esta situación se denomina «detumescencia precoz».

No confundir la fuga venosa con la insuficiencia venosa, la cual ocurre cuando las venas tienen problemas para retornar la sangre de las piernas al corazón.

d) Perfil de paciente

Pacientes jóvenes (menores de 40 años) que pierden la erección de manera fulminante y que padecen el problema casi siempre desde sus inicios sexuales.

Una queja repetida por estos pacientes es la caída fácil de la erección por pérdidas momentáneas de la concentración, cuando usan condón, o por cambios de posición durante la relación sexual, y debe tomarse en cuenta durante el interrogatorio de los pacientes sospechosos de estar afectados por esta enfermedad.

En varios estudios (Wespes et al., 1998; Sohn et al., 2013) en los que se aplicó el cuestionario SHIM (Índice de salud sexual para el varón) este hallazgo implicó un menor puntaje en las preguntas Q3 (capacidad de mantener la erección al penetrar) y Q4 (capacidad de mantener la erección hasta el final).

En cuanto a las características clínicas del síndrome de fuga venosa dorsal (Wespes et al., 1998; Sohn et al., 2013), podemos destacar los siguientes componentes potenciales:

1. Disfunción eréctil primaria o secundaria no estándar de más de seis meses de evolución.
2. Erecciones rígidas, de corta duración o que caen con facilidad.
3. Pico de velocidad sistólica (PSV) superior a 30 cc/s. (no existe enfermedad arterial).
4. Velocidad al final de la diástole = 0 (no existe enfermedad venooclusiva generalizada, es localizada).
5. Fuga venosa dorsal profunda comprobada en el ultrasonido peneano de la prueba Eco-Doppler.
6. Erección del 75 % o mayor durante la prueba Eco-Doppler.

e) Tipo o clasificación

Causa orgánica vascular y de origen primario (desde el comienzo de la vida sexual). También puede ser en ocasiones secundaria, pero no estándar.

Existe un alto número de patologías que pueden provocar que el mecanismo corporovenooclusivo del pene falle. Entre ellas:

⇨ Hipogonadismo: es una deficiencia gonadal (falta de testosterona) que se produce cuando las glándulas sexuales producen pocas o ninguna hormona.
⇨ Alteraciones de la túnica albugínea (casos de curvatura adquirida o por la enfermedad de La Peyronie).

⇨ Cambios neurogénicos o alteraciones de la musculatura lisa del cuerpo cavernoso.

⇨ Diabetes.

⇨ Fractura o alteraciones de la túnica albugínea, que es la envoltura fibrosa de los cuerpos cavernosos del pene. Dicha fractura puede darse debido a un movimiento demasiado brusco durante el coito como consecuencia de los movimientos intravaginales (el pene, al chocar contra la pelvis de la pareja en los movimientos intravaginales, se dobla bruscamente provocando que se rompan sus tejidos internos).

No es un problema psicológico. No hay que confundir esta patología con los casos de pérdida de erección por razones psicológicas (por miedos, bloqueos, ansiedad sexual…), en los que la pérdida no es tan fulminante o brusca en tiempo como en la fuga venosa.

f) Pruebas diagnósticas

⇨ Prueba doméstica sencilla. Existe una prueba sencilla que puede realizar el varón en su casa para ver si hay indicios del problema: tumbado en la cama, el varón consigue una erección (mediante autoestimulación, por ejemplo). Una vez llegado a lo que se puede considerar el punto de máxima erección, se levanta y pone de pie o anda un poquito (cinco o seis pasos). Si apenas realizados estos movimientos pierde la erección de forma brusca, en pocos segundos, estamos ante un caso de fuga venosa.

⇨ Pruebas médicas. Ecografía peneana en color Doppler (Eco-Doppler peneano). Como posteriormente referiré, es una prueba ecográfica que permite ver el riego interno de las arterias peneanas, el flujo sanguíneo de los cuerpos cavernosos mediante la inyección en el pene de una sustancia farmacológica que produce erección. Permite diagnosticar el citado síndrome de fuga venosa dorsal profunda que puede explicar el origen de la disfunción.

La cavernosometría y la cavernosografía dinámica nos son objetivas ni fiables, y encima son dolorosas. No merece la pena.

Enfermedades de la próstata

La próstata (el término, de origen griego, significa «uno sobre otro») es un órgano interno glandular del aparato reproductor masculino (las mujeres no tienen próstata) con forma de castaña, que se encuentra detrás del pubis, situada frente al recto, debajo y a la salida de la vejiga urinaria. Contiene células que producen parte del líquido seminal que protege y nutre a los espermatozoides contenidos en el semen. La próstata se relaciona íntimamente con otras estructuras del aparato reproductor, como son los conductos deferentes y las vesículas seminales. Los conductos deferentes son unos tubos finos que van desde cada uno de los testículos hasta la uretra prostática. Se encargan del transporte de los espermatozoides. Las vesículas seminales son unas estructuras con forma de saco que están por encima de la próstata y detrás de la vejiga. Ambas estructuras vacían sus secreciones (líquido seminal y espermatozoides) en la uretra prostática mediante un conducto común, llamado conducto eyaculador, que atraviesa la próstata. De aquí saldrán al exterior junto con su secreción (líquido prostático), constituyendo el semen.

En lo que se refiere a enfermedades de la próstata que tengan que ver con problemas de DE, hay que distinguir varios grupos: HBP, cáncer, fármacos y cirugía:

⇨ HBP (hipertrofia benigna de próstata). La HBP es un crecimiento anómalo pero benigno del tamaño de la próstata, con repercusiones en la calidad de vida del paciente (aumento de la frecuencia urinaria, dificultades para orinar…). Es una enfermedad muy común en los hombres que empieza a manifestarse a partir de los 50 años. A los 60 años, aproximadamente, más del 50 % de los hombres padece HBP, y entre los 70 y 80 años hasta el 90 % presenta alguno de sus síntomas.

En cuanto a la relación de la HBP con la DE, hay estudios que refieren una afectación de hasta un 44 % de pacientes con DE si la HBP es severa y un 13 % si es leve. Existe una clara asociación entre sintomatología del tracto urinario inferior, medida con el IPSS, y la probabilidad de padecer DE, medida con el Test función eréctil del IIEF.

⇨ Fármacos para la HBP. Los fármacos para el tratamiento de la HBP son básicamente de dos tipos: los alfabloqueantes, cuyo objetivo es relajar el componente muscular de la próstata y permitir con ello una mejor función urinaria en el varón y cuyo efecto secundario sexual más relevante es que producen falta de eyaculación (lo que se llama eyaculación retrógrada o seca), y los inhibidores de la 5 alfa reductasa (la reductasa es una enzima que transforma la testosterona en dihidrotestosterona provocando el incremento del tamaño de la próstata), que hacen que disminuya el tamaño de la próstata (y con ello mejoran también los problemas del tracto urinario) pero que tienen como efecto sexual secundario más importante que pueden producir DE (5 %) y pérdida del deseo sexual en quien los toma:

153

- Fármacos alfabloqueantes: tamsulosina.
- Fármacos inhibidores de la 5 alfaduesterasa: finasteride.

⇨ Cirugía de HBP. En lo referente a la cirugía prostática para el tratamiento de la HPB, según la técnica empleada, varían los porcentajes de afectación. Así, tenemos que:

- La resección transuretral (RTU) produce un 13,6 % de DE como consecuencia (secundaria) de la intervención, ya que puede dañar pequeñas fibras nerviosas que inervan el pene.
- La adenomectomía prostática, un 15,6 %.
- La incisión transuretral, un 4,6 %.
- Y el tratamiento con láser, entre un 0,5 y un 4 %.

⇨ Cáncer de próstata. En cuanto al cáncer de próstata, se sabe que solo el hecho de comunicarlo a los hombres puede suponer un impacto tan grande que a un 50 % de ellos les va a producir DE.

⇨ Prostatectomía retropúbica radical: suele ser la intervención más utilizada. Implica una resección completa de la próstata, lo que supondrá que entre el 60 y el 90 % de quienes se han sometido a ella sufrirá DE como consecuencia de la afectación de las bandeletas (paquete vasculonervioso del pene fundamental para la erección) durante la cirugía.

EL PAPEL IMPORTANTE DE LAS BANDELETAS

Las bandeletas (su estructura anatómica tiene forma de banda o cinta, lo que explica su nombre) son un paquete vasculonervioso que rodea la próstata y que transmite órdenes sexuales del cerebro al pene, siendo por lo tanto MUY IMPORTANTES en la obtención de la erección. Contienen no solo los nervios cavernosos, sino también parte del aporte neurovascular del recto, músculo elevador del ano, uretra, próstata y vesículas seminales. Son por tanto unas estructuras sumamente complejas, cuyo manejo quirúrgico requiere delicadeza y habilidad. Además, existe una significativa variación individual en la compleja anatomía de la pelvis masculina, ya que algunas pelvis son anchas, y hacen la próstata fácilmente accesible, mientras que otras son profundas y estrechas, lo que complica el abordaje de la próstata y, de paso, de las estructuras y tejidos que la rodean, entre ellas las bandeletas.

LOS CINCO OBJETIVOS DE UNA PRASTATECTOMÍA RADICAL:

1. Extirpación completa del cáncer con márgenes quirúrgicos negativos.
2. Preservación de la incontinencia urinaria.
3. Recuperación temprana de la función eréctil.

4. Mínimo sangrado.
5. Ausencia de complicaciones perioperatorias.

En algunas ocasiones, y según el desarrollo del tumor, la consecución de uno de tales objetivos va a afectar al logro de uno o más de los otros y viceversa.

BANDELETAS VERSUS TUMOR CANCERÍGENO
(Mantener la erección versus eliminar totalmente el tumor)

En la cirugía de cáncer de próstata (carcinoma de próstata), el cirujano urológico se ve en la necesidad de extirpar la próstata, pero también se plantea como objetivo conseguir mantener intactas las bandeletas para preservar la función sexual del paciente. Al estar «adheridas» a la próstata, su preservación requiere técnica, conocimientos y prioridad de objetivos. De hecho, no siempre es posible conseguirlo, dado que la meta prioritaria del cirujano es eliminar totalmente la extensión del tejido canceroso, lo que implica tener que prescindir en ocasiones de las mencionadas bandeletas dada la extensión del tumor o para prevenir que esta las alcance y pueda afectarlas.

ADENOMA VERSUS CARCINOMA

No se debe confundir el adenoma de próstata (tumor benigno de próstata) con el carcinoma de próstata (tumor maligno o cancerígeno). En la intervención por adenoma de próstata (también denominada hipertrofia prostática) lo que se extirpa es la parte de esta que ha crecido anómalamente (resección prostática), mientras que en el carcinoma lo que se extirpa es toda la próstata (prostatectomía radical).

AFECTACIÓN EN LA ERECCIÓN TRAS PROSTATECTOMÍA (EXTRACCIÓN DE LA PROSTATA) POR CIRUGÍA RADICAL
Entre el 60 y el 90 % de los operados sufrirá de DE.
El nivel de afectación variará en función de:

⇨ Extensión del tumor.
⇨ Preservación unilateral o bilateral de las bandeletas.
⇨ El nivel de problemas de erección que tenga el paciente antes de la operación.
⇨ La calidad, actitud y vivencia de la sexualidad que tuviera el paciente antes de la operación.
⇨ El manejo o habilidad del cirujano.
⇨ La técnica utilizada.

Radioterapia externa: producirá DE entre un 25 % y un 85 %.

Braquiterapia (implantes radiactivos): provocará DE a entre un 15 y un 25 %.

Medicación antiadrogénica: producirá DE en el 100 % de los casos.

EYACULACIÓN RETRÓGRADA O SECA
Consiste en que el semen no es expulsado hacia el exterior del organismo a través de la uretra, sino que se expulsa interiormente a la vejiga. Ocurre como consecuencia de la prostatectomía, ya que al extirpar la próstata queda un hueco por debajo de la vejiga y desaparece el esfínter interno, propiciando que en el momento del orgasmo el líquido seminal sea propulsado hacia la zona vesical. Esto da lugar a orgasmos secos (se siente placer pero no se expulsa semen). Conviene explicarlo (avisarlo) al paciente. Aun así, muchos de ellos irán percibiendo una pérdida de intensidad en la sensación placentera como consecuencia en parte de la desadaptación psicológica a no eyacular.

Enfermedades neurológicas

Como he referido anteriormente, la respuesta sexual está mediada por el sistema nervioso, por lo que en principio cualquier alteración neurológica puede influir de forma negativa en la erección.

Las alteraciones neurológicas son las responsables del 8,5 al 10,5 de las disfunciones eréctiles (Herbaut y Wespes, 1990). Otros autores llegan a situarlas en un 20 % (Padma-Nathan, 1988). Las patologías más frecuentes de origen neurológico son la diabetes y los traumatismos medulares.

Lesiones medulares

En España se producen algo más de 1.000 casos de lesionados medulares al año.

El mayor porcentaje se produce en la franja de edad de entre los 20 y los 40 años; de ellos, casi el 80 % son varones, y el 70 % son de etiología traumática. Cuanto más baja a nivel medular es la lesión, más problemas de DE van a presentarse. Aun así, tanto si la lesión es completa como si es incompleta, la erección suele quedar afectada, por lo que la mayoría de pacientes necesitaran algún tipo de tratamiento para la DE.

Enfermedades endocrinas

El hipogonadismo produce en muchas ocasiones DE, aunque se consiguen algunas erecciones por estímulos visuales. Pero también suele darse disminución del deseo sexual y de las erecciones nocturnas, por lo que la vivencia sexual tiende a quedar reducida.

Alcohol y tabaco

El tabaco supone un doble factor negativo. Por una parte, la nicotina contribuye a una acción local directa sobre los mecanismos fisiológicos del músculo liso cavernoso, pues el aporte arterial al mismo disminuye y se impide el bloqueo del sistema venosoclusivo; por otra, como factor de riesgo cardiovascular independiente, favorece la creación de placas de arteriosclerosis. En base al estudio EDEM, se ha evidenciado un aumento del riesgo de DE como consecuencia del incremento del consumo de tabaco y alcohol: los fumadores de más de 40 cigarrillos al día multiplican el riesgo por 2,5, y los que abusan del alcohol, por 1,53.

3. CAUSAS PSICOLÓGICAS DE LA DE

CAUSAS PSICOLÓGICAS DE DISFUNCIÓN ERÉCTIL (DE)	
Factores predisponentes	**Factores desencadenantes**
Factores cognitivos. Educación moral y religiosa restrictiva. Relaciones entre padres deterioradas. Inadecuada información sexual. Experiencias sexuales traumáticas durante la infancia. Inseguridad en el rol psicosexual durante los primeros años. Trastorno de la personalidad. Modelos paternos inadecuados.	Conflictos de pareja. Infidelidad. Sentimientos de culpa. Estrés. Padecer también otra disfunción sexual. Problemas generales en la relación de pareja. Expectativas poco razonables sobre el sexo. Disfunción sexual en la pareja. Episodio aislado de fallo en la erección. Envejecimiento. Ansiedad como consecuencia de enfermedades orgánicas. Complejo de pene pequeño. Problemática laboral. Nacimiento de un hijo. Trastornos psiquiátricos. Medicación.
Factores de mantenimiento	
Rol de rendimiento sexual. Rol del espectador. Rol de anticipación del fracaso. Problemas de comunicación en la pareja. Sentimientos de culpabilidad. Falta de atracción entre los miembros de la pareja. Deterioro de la autoimagen. Escasez de preámbulos sexuales antes del coito. Miedos o fobias específicas (miedo a la intimidad, a la pérdida de control, al embarazo, al rechazo o al cuerpo de la pareja).	

CÍRCULO ANSIÓGENO DEL RENDIMIENTO COITAL
Cuando un problema de DE se perpetúa en el tiempo, estos son los roles o papeles que normalmente se van a producir: 1. Rol de rendimiento (autoobligación de resultados eróticos): es ese rol o papel que tienen la mayoría de los hombres en la cabeza y que hace que consciente o inconscientemente se sientan con el deber u obligación de satisfacer sexualmente a su chica. 2. Rol de autoobservación: consiste en autoobservarse cuando se realiza el coito. Suele aparecer tras varios encuentros coitales en que ha habido fallos de erección. El varón se convierte en espectador de sus propios actos sexuales, impidiéndole actuar con naturalidad y, sobre todo, concentrarse en sus sensaciones eróticas, las que posibilitan la erección. A veces, además de autoobservarse, el hombre se somete a una especie de autoexamen. 3. Altruismo excesivo: el varón se deja llevar por la idea altruista o romántica de querer satisfacer a su pareja sexual como símbolo de su entrega y amor, por encima de cualquier otra consideración realista. 4. Rol de anticipo del fracaso: cuando se repiten los encuentros coitales fallidos, el hombre ANTICIPA SU FRACASO SEXUAL con pensamientos previos del tipo: «seguro que fallo otra vez», «me va a volver a salir mal». Es decir, que llega un momento en que, después de tantos episodios coitales fallidos, adopta una visión muy pesimista de sus propias posibilidades sexuales y termina por pensar que «ya no va a volver a tener erección». 5. Falta de deseo sexual: esta fase puede tardar en aparecer, pero no es descartable. Como consecuencia de que el problema de falta o pérdida de erección se hace crónico, el paciente termina por no tener deseo sexual, y llega un momento en que renuncia al sexo. Este proceso en realidad no es una falta de deseo sexual puro (deseo sexual hipoactivo), sino un miedo atroz a no intentarlo porque tiene miedo al fracaso.

Características diferenciales de la DE de origen psicológico:

⇨ Edad: suele darse en pacientes jóvenes (menos de 50 años).
⇨ Aparición: suele ser situacional (no se da en todas las situaciones eróticas).
⇨ Curso o evolución: es variable o irregular.
⇨ Erección extracoital: suele ser buena o normal.
⇨ Problemas psicosexuales: existe una historia (a veces larga) de problemas psicosexuales relevantes.
⇨ Problemas de pareja: son primarios, es decir, están en el origen del problema, pudiendo ser la causa de la DE.
⇨ Ansiedad anticipatoria: primaria (puede ser la causa de la DE).

Para algunos autores como Hartmann (1998), las causas de una disfunción eréctil psicológica se dividen en tres grupos:

1. Factores inmediatos.
2. Acontecimientos vitales traumáticos que hayan ocurrido recientemente.
3. La existencia de una cierta vulnerabilidad desarrollada durante la infancia o la adolescencia.

Aun así, se puede decir que las disfunciones eréctiles de origen o carácter psicológico beben de muchas fuentes, lo que significa que pueden darse como consecuencia de una gran variedad de factores, normalmente como consecuencia de la unión, coincidencia o concatenación de varios de ellos juntos. Voy a analizarlos uno por uno porque sabemos que todos ellos son posibles desencadenantes de un problema de DE de base psicológica.

a) Factores predisponentes

Suelen ser sucesos, acontecimientos o situaciones que, fruto de la experiencia vital, de la educación sexual recibida (importante en la futura configuración de la sexualidad de la persona), de la propia personalidad de cada cual o de momentos difíciles, pueden generar estados traumáticos que en determinadas épocas de la vida, y según las circunstancias que viva la persona, sabemos que pueden predisponer a tener problemas sexuales, siendo la DE uno de los más relevantes. Se sabe que en las mismas circunstancias problemáticas y ansiógenas sexuales no todos los hombres manifiestan problemas de erección. Esto es debido entre otros factores a la propia personalidad de cada paciente.

Factores cognitivos

Las creencias erróneas sobre la vivencia sexual llevan al varón a malinterpretar su realidad sexual. Pensar que el varón «debe procurar siempre el orgasmo de la mujer» o «que, si no la satisface, ella puede irse con otro», son ejemplos de creencias equívocas que favorecen la ansiedad de rendimiento sexual.

Trastornos sexuales y de la identidad sexual

Parafilias, problemas de orientación sexual o de identidad sexual pueden generar episodios de DE.

Baja autoestima

Sentirse válido, reconocido, y valorarse a sí mismo es importante para cualquier actividad vital. La erección está asociada en el inconsciente colectivo al rendimiento, la masculinidad, el poder y la potencia. Muchas personas no comulgan con tales ideas, pero han sido influenciadas negativamente por tal educación errónea. Si una persona no se siente válida ante sí misma y presenta una serie de complejos, le va a resultar muy difícil enfrentarse al sexo con la idea previa de que la erección tiene que ser la medida de su masculinidad y rendimiento sexual. Detrás de muchos hombres con problemas de erección existe previamente una falta de autoestima sexual que se incrementará tras los reiterados fallos de erección.

Complejos por la propia imagen

Estamos en una época en que la imagen es clave para todo. En el mundo globalizado en que vivimos, la imagen es fundamental. Las relaciones son estereotipos repetidos en los que la felicidad está asociada a iconos de belleza, dinero y poder. Muchas personas no están a gusto con su imagen y se sienten incapaces de atraer, de seducir, de relacionarse. Algunas de ellas, cuando se atreven a relacionarse, arrastran sus complejos, se manifiestan sexualmente ansiosas y creen no ser capaces de estar a la «altura sexual necesaria». Ello hace que en muchas ocasiones tengan fallos de erección. Por otra parte, el deterioro de la imagen, sea consecuencia del paso de los años o por circunstancias puntuales, también contribuye a desencadenar (y mantener) problemas de erección.

Miedo al compromiso

Algunos varones no quieren implicarse en una relación de pareja, sienten verdadero pavor ante un compromiso «de futuro» en una relación. De modo que cuando «huelen» que una chica quiere relaciones de continuidad con ellos o exige un cierto compromiso afectivo, se muestren inseguros sexualmente y empiezan a tener problemas de erección, cosa que no les ocurría mientras la chica no planteaba tales demandas.

Miedo a la intimidad

A través de las relaciones sexuales, nos exponemos afectivamente, aparecen las emociones y se crean vínculos. Muchos hombres tienen verdadero miedo a mostrar sus sentimientos, a abrirse a otra persona, piensan que quedan a merced de ella, que pueden ser dañados o heridos. Sienten miedo al contacto sexual y su erección se bloquea sea en el inicio o durante la propia penetración. La DE en estos casos suele ser reflejo de ese miedo, síntoma de la inseguridad a dejarse conocer, a mostrarse como se es.

Entorno familiar problemático

La forma en que un niño percibe las relaciones de sus padres, su propia relación con ellos, van a ser trascendentales en la determinación de la vulnerabilidad ante las dificultades sexuales e interpersonales posteriores. Si ha existido tensión o falta de amor hacia el niño, carencia de calor humano o muestras evidentes de desafecto emocional, el niño dispondrá de un mal bagaje para afrontar sus relaciones intersexuales. No olvidemos que un niño es un reflejo evidente de lo que ve en sus padres. Autores como Nettelbladt y Uddenberg ya describían en 1979, en un estudio realizado sobre 58 varones suecos casados, que aquellos que padecían algún tipo de disfunción sexual en el momento del estudio recordaban haber tenido escasa relación afectiva con sus padres durante su infancia. Evidentemente no siempre las carencias afectivas infantiles se reflejan en dificultades sexuales posteriores. También debemos ser cautos a la hora de interpretar testimonios basados en experiencias pasadas por el sesgo o distorsión que la memoria puede tener a la hora de interpretarlas, como ya refiere Keith Hawton (1985).

Inadecuada información sexual

Los modelos educativos en los que nos han formado provienen de modelos normativos permisivos o represivos. El correcto modelo, que sería el comprensivo hacia el hecho sexual humano, suele brillar por su ausencia. Los modelos educativos recibidos influirán en la posterior evolución psicosexual del niño; si este escucha comentarios prohibitivos, represores, y descubre miradas huidizas cuando se habla de sexualidad, se estará produciendo un posible caldo de cultivo de actitudes sexuales futuras en la misma línea. Si se transmite a una persona joven, en edades de formación y aprendizaje, la idea de que el varón siempre debe satisfacer sexualmente a la chica, estamos inculcando a ese chaval una excesiva responsabilidad sexual que puede predisponerle a un posible problema de DE en el futuro. Está confirmado por múltiples estudios que una educación sexual inadecuada puede afectar a la actitud y comportamiento eróticos de hombres y mujeres. Digamos, como colofón de la influencia de la educación sexual en las disfunciones sexuales, que si bien muchos pacientes aseguran estar satisfechos con la educación sexual recibida, todos reconocen que es mejorable.

Experiencias sexuales traumáticas durante la infancia

Evidentemente las experiencias infantiles desagradables —no hablemos ya de los abusos sexuales a menores (tema más dramático pero que se aparta del contenido de este libro)— contribuyen a generar problemas sexuales en la edad adulta, entre otros factores por el alto nivel de ansiedad que inducen. Los estudios habidos hasta ahora mencionan que los efectos posteriores son más devastadores si la experiencia estuvo asociada a amenazas o abuso de fuerza, si se produjo a una edad ya madura, cuando se tiene más conciencia de los efectos de la conducta y por ello se puede sentir mayor culpabilidad, y si se asoció igualmente con sentimientos negativos intensos o/y persistentes. Evidentemente las posteriores experiencias sexuales del afectado modificarán o reforzarán el trauma según lo satisfactorias o aversivas que sean. La DE no es ajena a traumas sexuales infantiles.

Inseguridad en el rol psicosexual durante los primeros años

La ausencia de seguridad o agrado con el propio cuerpo o sexo puede predisponer a futuras dificultades eróticas. Las actitudes familiares hacia la sexualidad de un niño pueden ser un factor influyente en el desarrollo sexual de este. Si a un adolescente se le hace percibir su sexualidad de una manera incómoda o negativa, tal insatisfacción puede persistir en la vida adulta y manifestarse en una escasa autovaloración sexual con recelos hacia la propia conducta sexual. Un adolescente necesita sentirse valorado y aceptado por los demás para que aprenda a quererse. No debemos olvidar cuánta inseguridad genera la etapa adolescente con sus cambios e inestabilidades. De ahí que todo apoyo que se le preste en el desarrollo de su sexualidad va a representar un crecimiento positivo para él.

b) Factores desencadenantes (precipitantes)

Los factores desencadenantes son aquellas experiencias o situaciones que originan el problema. Su efecto puede tener mayor intensidad cuando se dan en individuos que tienen alguno o algunos de los factores predisponentes anteriormente descritos. Entre ellos tenemos:

Conflictos de pareja

Las desavenencias en la relación de pareja constituyen una de las causas más comunes de inadaptaciones eróticas y pueden ser un factor tanto predisponente como desencadenante o precipitante de DE. Una mala relación de pareja fomenta discusiones, tensión, crisis emocional. La hostilidad, la manipulación, el desapego afectivo y el resentimiento son factores que impiden tener una relación sexual satisfactoria. En otras ocasiones no la impiden pero la agravan. Suele decirse que «lo que pasa fuera de la cama influye luego dentro de ella», y suele cumplirse en no pocas ocasiones. Una crisis de pareja puede desencadenar inseguridad sexual en ambos y manifestarse en forma de DE en el varón que se siente inseguro en su papel de amante y está insatisfecho sexualmente. En otras ocasiones, es la DE la que genera el problema de pareja. Digamos, por tanto, que la DE puede ser tanto causa como consecuencia de un conflicto de pareja.

Infidelidad

El descubrimiento por parte del varón de que su pareja le es infiel, aparte del daño emocional que le genera, supone un gran mazazo a su autoestima sexual. La infidelidad suele ser un precipitante claro de DE en el afectado, quien se cuestiona su autoestima sexual. La tristeza, la sorpresa, la desazón, el desencanto del afectado provocan en él un comportamiento sexual más tenso, ansioso y precipitado al ser sabedor de la infidelidad ajena. Todo ello puede desencadenar un problema claro de erección.

Sentimientos de culpabilidad

La culpa no es buena compañera de viaje para la erección. Impide recibir libremente los estímulos eróticos excitantes y poder estar concentrado en las propias sensaciones placenteras. Mente y cuerpo van unidos. Si la mente está oscura por la culpa, el cuerpo no responde. He conocido pacientes cuyos sentimientos de culpa como consecuencia de actos de infidelidad por su parte les impedían actuar con naturalidad e inducían problemas de erección (también puede ser un factor de mantenimiento del problema).

Estrés

Hoy en día los niveles de estrés que soporta el ciudadano se han incrementado (trabajo, pareja, hijos…) y pueden contribuir a hacer manifiesta la predisposición a tener problemas de erección. El estrés suele aportar un punto de ansiedad excesiva que impide al varón estar concentrado en los estímulos eróticos durante el coito, favoreciendo una mayor fragilidad emocional.

Figura 6.1. *Hay una obsesión actual por el triunfo, la fama y el dinero que, unida al estrés laboral y al cambio de la mujer, ha promovido una mayor aparición de casos de DE en el hombre.*

Padecer también otra disfunción sexual propia

Un 17 % de varones con eyaculación precoz, en su intento por superar el problema o como consecuencia de él, terminan teniendo DE. En otros casos es aún mayor el porcentaje de varones (30 %) que padecen falta de deseo sexual (deseo sexual hipoactivo) y acaban sufriendo DE. También hay que reseñar que a veces ocurre el caso contrario: que como consecuencia de la DE, el varón acaba perdiendo el deseo sexual.

Disfunción sexual de la pareja

El hecho de que la pareja sexual del varón tenga problemas de anorgasmia coital pude favorecer que el hombre acabe padeciendo de DE (y al revés también), ya que, al no disfrutar la mujer del logro orgásmico, puede presionar al varón, renunciar al sexo (lo que implica disminución de la frecuencia sexual) o disminuir su deseo sexual (deseo sexual hipoactivo). La insatisfacción sexual de la mujer puede acabar «arrastrando» al varón a tener problemas de erección, ya que este puede llegar a sentirse culpable, responsable o implicado en el problema y actuar con inseguridad sexual o excesiva ansiedad en el desempeño coital.

Episodio aislado de fallo en la erección

Este apartado suele ser uno de los más repetidos en la casuística sexual: un fallo puntual en un encuentro coital puede desencadenar que el varón entre en el círculo ansiógeno de rendimiento coital al favorecer la aparición de los roles de autoobservación y de anticipación del fracaso ante los siguientes encuentros coitales. De esta forma, lo que empezó siendo un fallo sexual aislado al que no se debería haber dado mayor importancia acaba desencadenando un problema de DE. Desde esta perspectiva, un fallo sexual aislado puede ser el «pórtico» de entrada de un problema de erección.

Envejecimiento

La edad en sí no se considera un factor de riesgo de DE, pero sí lo es el envejecimiento, lo que conlleva el paso de los años. Con el paso del tiempo se detecta más prevalencia de DE por la mayor incidencia de enfermedades crónicas y el descenso de los niveles de testosterona. También ocurre que con la edad se necesita mayor estimulación erótica para lograr la erección y se tarda más tiempo en eyacular, dado que la fase refractaria de la respuesta sexual del varón es más larga con el paso de los años.

Ansiedad como consecuencia de enfermedades orgánicas

Como he referido anteriormente, existen muchas enfermedades que pueden producir problemas de erección. Si a ellas le añadimos un componente de ansiedad psicológica como consecuencia de los fallos de erección, tendremos que el problema se puede incrementar. Algunos pacientes son informados de que con el tiempo la enfermedad que padecen (diabetes, por ejemplo) va a acabar provocándoles problemas de erección. Ello les puede llevar a estar excesivamente pendientes de «cuándo llegará ese día» y a estresarles en exceso al anticipar el problema. En este sentido, es importante que los pacientes tengan información, pero también que dispongan de una buena prevención sexual.

Complejo de pene pequeño

Hay hombres que son víctimas de la vivencia del pene pequeño, que se sienten acomplejados e incapaces de actuar con naturalidad, sobre todo cuando su encuentro sexual es esporádico, no con una pareja sexual estable. Están tan pendientes de que la chica repare en el tamaño de su pene que no actúan con naturalidad y no se concentran en los estímulos eróticos propios del encuentro coital.

Problemática laboral

Hay casos de varones que, sin haber tenido problemas de erección previamente, al perder el trabajo sienten resquebrajada su autoestima y se consideran inferiores e incapaces de mantener a su familia. Ello repercute en su vida sexual. De hecho, he tenido varios pacientes que situaban el comienzo de su problema de erección cuando perdieron el trabajo. El funcionamiento sexual para muchos hombres es parte de su valía como personas, de su masculinidad o de su capacidad viril, tal y como ellos lo conciben y entienden. Al perder el trabajo, creen que no son nada, y ello repercute en su funcionamiento sexual. El estrés consecuente a su situación de angustia laboral contribuirá a rematar el problema.

Nacimiento de un hijo

Después del parto suele producirse un desinterés sexual en la mujer. Depresión, cansancio y ansiedad suelen ser los factores causantes de esa inapetencia. Psicológicamente la mujer suele sentirse realizada (también sola y pesimista), olvidándose del marido o pareja, y a veces hasta de sí misma, por lo que ni siquiera se plantea su propia apetencia sexual. Paralelamente, el hombre, aparte de sentirse desplazado, se encuentra con un largo período de abstinencia sexual. En mi experiencia he tratado a pacientes que situaban el comienzo de un problema de erección en los meses siguientes al nacimiento de un hijo, coincidiendo con el citado período prolongado de abstinencia sexual.

Trastornos psiquiátricos

Si ya de por sí algunas enfermedades psíquicas disminuyen o anulan el deseo sexual y producen DE, son los fármacos que se utilizan para tratarlas los que constituyen fundamentalmente la causa de aparición de DE como consecuencia de sus efectos secundarios. Así tenemos cifras que indican que entre el 18 % y el 35 % de personas en tratamiento por depresión padecen DE, porcentaje que se incrementa hasta el 90 % en los casos de depresiones muy severas. En la esquizofrenia, el porcentaje de incidencia es del 46,7 %. La ansiedad y las fobias relacionadas con temas sexuales también favorecen la aparición de DE.

Los psicofármacos (fármacos utilizados para el tratamiento de enfermedades psíquicas) contribuyen de forma importante a la aparición de DE. Es el caso de los antidepresivos, los antipsicóticos y los ansiolíticos.

Entre los antidepresivos, los inhibidores selectivos de recaptación de serotonina (ISRS) la producen en un 29,5 % de media; la clomipramina, hasta en un 50 %; la velanfaxina, en un 36 %, y la risperidona, en un 44,2 %.

Medicación

Además de los psicofármacos y los utilizados para enfermedades prostáticas, existen numerosos medicamentos que desencadenan DE. Se incluyen en este grupo los antihipertensivos, los de actuación hormonal, los que incrementan los niveles de prolactina y los quimioterápicos (utilizados para el tratamiento de cáncer).

c) Factores de mantenimiento (mantenedores del problema)

Son circunstancias o aspectos que generan un círculo vicioso que contribuye a perpetuar la DE ya iniciada previamente. Varios de ellos forman parte de lo que denomino el círculo ansiógeno de rendimiento coital (rol del espectador, ansiedad de rendimiento, anticipación del fracaso). Los problemas de comunicación entre los miembros de la pareja constituyen otro factor que incide notoriamente en el mantenimiento de la DE.

Rol de rendimiento sexual

Todo varón alberga consciente o inconscientemente el deseo de satisfacer a su pareja sexual, de «cumplir sexualmente». Tal papel, rol o meta conlleva una ansiedad de ejecución asociada al rendimiento sexual. Ello supone una presión constante en muchos hombres que les impide actuar con naturalidad durante el coito y les hace proclives al fallo sexual y, lo que es peor, a dramatizarlo.

Sé libre: que el pene y la erección no sean una losa para ti. Recuerda que la erección no lo es todo y que el coito no es la única forma de obtener y dar satisfacción sexual. Elige, busca, disfruta y acepta otros recursos.

Rol (o actitud) del espectador

Consiste en que el varón, cuando descubre que tiene un problema de erección, sea de la causa que sea, desarrolla un rol de autoobserva-

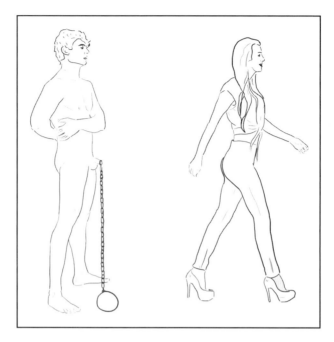

Figura 6.2. *Para muchos varones el rendimiento sexual es como una losa.*

dor o espectador de sí mismo durante el coito. Es decir, intenta conseguir erección denodadamente pero, de forma paradójica, consigue lo contrario: inhibirla o perderla, ya que la erección es un reflejo involuntario y automático. Además, la obsesión por conseguirla le impide concentrarse en los estímulos eróticos que la provocan. Digamos por tanto que el rol del espectador viene a ser un mecanismo de defensa que desarrolla la persona con problema de erección y que contribuye a mantener su problema.

Rol de anticipación del fracaso

Cuando el varón con DE tiene una serie de episodios de erección fallidos, llega un momento en que cree que ya no va a ser capaz de conseguirlo. Esta convicción se instaura en él de tal forma que cada vez que va a realizar el acto sexual, piensa que va a fallar, negativiza el intento. Le pueden la ansiedad y el miedo asociado a pensamientos negativos del tipo: «ya no soy hombre», «estoy viejo», «soy un fracasado sexual», «igual me deja mi mujer».

De esta forma, se instaura definitivamente el problema de DE. Esta actitud se denomina rol de anticipación del fracaso o ansiedad anticipatoria y contribuye a mantener el problema.

Problemas de comunicación en la pareja

Que la pareja se comunique adecuadamente es fundamental. Evita malentendidos, discusiones y favorece acuerdos, sean estos tácitos o hablados. Saber comunicar es un arte, tanto en la vida cotidiana como en el amor y el sexo. Si aparece un problema de erección, una buena comunicación es vital. Hombres y mujeres reaccionan de manera diferente ante un problema sexual. El varón suele asustarse, se repliega a su caverna, se cierra en banda, aislándose. No se enfrenta al problema. Por su parte, la mujer, cuando lo tiene, suele ser más valiente, y busca solución. Uno de los casos típicos de una mala comunicación en torno a un problema sexual suele plantearse cuando aparecen problemas de erección, ya que la mujer tiende a pensar que pueden ser por culpa suya («ya no le atraigo», «se habrá cansado de mí», «habré hecho algo que no le gusta», «tendrá otra»). Se deben aclarar dudas, apoyarse mutuamente, pedir ayuda en un clima de óptimo entendimiento emocional y lúcida comunicación. Hombres y mujeres suelen hablar «lenguajes sexuales diferentes», lo que dificulta el entendimiento, pero es conveniente sentarse en la mesa y expresar lo que se piensa. Aunque debe hacerse con asertividad (expresar lo que se piensa de manera clara sin inhibirse pero también sin agresividad). Si la comunicación entre los miembros de la pareja no es fluida, el problema de DE tiende a mantenerse en el tiempo.

Falta de atracción entre los miembros de la pareja

La atracción entre los miembros de la pareja no dura siempre. Con el paso de los años, el desapego emocional, las discusiones convivenciales o las decepciones, la atracción sexual entre la pareja disminuye o puede desaparecer. Se pierde deseo sexual y no es infrecuente que puedan aparecer problemas de erección en el varón (y de falta de deseo sexual en la mujer).

Miedos o fobias específicas (a la pérdida de control, al embarazo, a sentirse rechazados o al cuerpo de la pareja)

El sexo es control y poder. También es autoconfianza. Hay hombres que tienen verdadero miedo (fobia) a ser rechazados o a perder el control de su actuación sexual. Ello impide una adecuada concentración ante los estímulos sexuales y el equilibrio necesario entre la excitación sexual que requiere la erección y el control de la ansiedad bloqueante. También puede ser un factor que mantenga la DE el rechazo que algunos varones sienten hacia sus parejas, pues de hecho reconocen sentir menor atracción hacia ellas como consecuencia de los cambios físicos producidos por el embarazo y el parto.

Escasez de preámbulos sexuales antes del coito

Muchas mujeres suelen quejarse de que su pareja va «directa al grano», no realiza apenas juego previo sexual. Muchas parejas no realizan preámbulos sexuales, que la mujer echa en falta. Apenas desarrollan juego erótico previo a la penetración. Las chicas, en general, necesitan un acompañamiento afectivo durante el sexo. Durante los años jóvenes el varón (mayoritariamente) no suele necesitar apenas estímulos eróticos para lograr la erección. Muchos hombres suelen centrarse directamente en la penetración, sin apenas estímulos eróticos previos. Pero en ocasiones no es suficiente para poder mantener la erección el tiempo necesario. Mal acostumbrados a esa escasa rutina sexual previa, les cuesta introducir cambios en su protocolo de actuación erótica, lo que contribuye a que sus problemas de erección se mantengan.

4. CONCLUSIONES SOBRE LOS FACTORES CAUSANTE DE LA DE

Causalidad multifactorial

La DE tienen un origen multifactorial con la implicación de causas orgánicas, psicológicas y conductuales. Los avances en las técnicas diagnósticas han permitido descubrir un mayor número de disfunciones eréctiles de origen orgánico. Aun así, es evidente que los factores relacionales y la actitud ante la sexualidad siguen desempeñando un papel importante. De hecho, aunque la causa inicial de un problema de erección haya sido orgánica, prácticamente siempre se produce el añadido de la carga psicológica en el paciente, manifestada en la ansiedad de ejecución que experimenta. Este hecho ocurre sobre todo cuando el problema se perpetúa en el tiempo, ya que el varón intenta examinarse en cada encuentro sexual y está pendiente de su funcionamiento sexual. Ello hace que se incremente su ansiedad ejecutoria coital. De esta manera, la ansiedad como factor psicológico contribuye al mantenimiento del problema sexual. Si, además, la comunicación en la pareja no es óptima, pueden producirse malentendidos (como que la mujer pueda pensar que su pareja tiene otra relación o que ella ya no atrae), incrementándose aún más las dificultades para solucionar el problema. Desde esta perspectiva, la mala comunicación entre la pareja será también otro factor mantenedor del problema de DE, uno de los más relevantes, por cierto, en cualquier disfunción sexual, tanto del varón como de la mujer.

7. CÓMO ORIENTARSE EN EL DIAGNÓSTICO Y EVALUACIÓN DE TU PROBLEMA DE ERECCIÓN. TIPOS, GRADOS Y PRUEBAS EXISTENTES

INTRODUCCIÓN

A pesar de que un problema de erección es un problema de salud (salud sexual), a la hora de consultarlo sigue siendo un tema «delicado» por parte de los hombres. El pudor, el miedo, la inseguridad o las dudas sobre cómo y dónde realizar la consulta están en la mente del varón que padece o tiene un problema de disfunción eréctil.

Si eres una de tales personas, aquellas que no se atreven a consultarlo acudiendo personalmente a una consulta de sexología para poder conocer el tipo, grado y nivel de afectación de tu problema de DE, tienes en este capítulo una explicación pormenorizada que te va a permitir conocer y descifrar las dudas que te atañen a la hora del diagnóstico y evaluación de este, y podrás comprobar si tu caso es de origen orgánico, psicológico o mixto. También te permitirá conocer si es causa o consecuencia de otra disfunción sexual (tuya o de tu compañera sexual).

1. EL DIAGNÓSTICO

Para una buena precisión diagnóstica es importante conocer el nivel de comunicación existente con tu pareja sexual y cómo afecta el problema a tu relación con ella, así como precisar el nivel del problema de erección, ya que no tienen el mismo diagnóstico un fallo eréctil puntual (DE leve) que la repetición continua de episodios eréctiles fallidos, ni tampoco si tales fallos ocurren en todas las situaciones (DE generalizada) o solo en algunas circunstancias (DE situacional).

Es muy importante también, digamos que fundamental, conocer y confirmar si el paciente tiene erecciones mediante la masturbación, porque ello ayudaría notoriamente a descartar causas orgánicas. Estas variables y otras muchas nos permiten a los expertos precisar el tipo y grado de problema, su origen y el distinto enfoque clínico, en consecuencia, que hay que aplicar.

Existen tres tipos básicos de disfunción eréctil: la de origen orgánico, la de origen psicológico y la de causalidad mixta. En función del tipo diagnosticado, se aplicarán diferentes recursos para su tratamiento.

Por ello es importante esclarecer lo mejor posible el origen de los componentes causantes del problema.

En el ámbito de la consulta profesional, una buena entrevista clínica realizada por el experto puede aportar el 80 % del diagnóstico. En ella se comprobarán aspectos médicos, psicológicos y relacionales. Las pruebas diagnósticas específicas deben realizarlas el sexólogo clínico o el médico andrólogo, o ambos en colaboración, aunque en algún tipo de prueba puede necesitarse la intervención del radiólogo o el cardiólogo. Digamos que en el campo de la sexualidad siempre es conveniente disponer de un equipo multidisciplinar para poder apuntalar con precisión el diagnóstico y tratamiento del problema, aunque sean el sexólogo clínico y el médico andrólogo las figuras claves en el tratamiento de la DE.

Antes de realizar tales pruebas diagnósticas específicas, los profesionales deben informarte de ellas y firmarás (si aceptas someterte a ellas, claro) lo que se llama el consentimiento informado, como ocurre en cualquier prueba médica de las que se efectúan en la actualidad. Te conviene conocer y saber el motivo de tales pruebas, su grado de invasividad y las posibles complicaciones.

En este capítulo se ofrece una información sobre la mayoría de las pruebas existentes para que tengas nociones previas sobre su objetivo, razón y sentido.

2. PREGUNTAS BÁSICAS EN LA CONSULTA PROFESIONAL

Las preguntas básicas que realizamos los expertos en la consulta profesional a la hora de enfocar un problema de disfunción eréctil y que tú debes hacerte para ir encuadrando tu posible problema de erección son:

Descripción

¿Qué es lo que te pasa?

Inicio

¿Cuándo empezó tu problema de erección (la primera vez)?

Tipo de inicio

¿Cómo empezó tu problema? ¿Fue brusco, progresivo o intermitente?

Duración del problema

Y la última vez que te pasó, ¿cuándo fue?
Situaciones eróticas en las que ocurre.
¿Te ocurre en todas las situaciones eróticas?

Masturbación en distintos formatos

¿Te ocurre durante la masturbación? (con revistas, Internet, vídeos, fantasías).
¿Te ocurre cuando ella te masturba?

Contacto bucogenital

¿Te ocurre durante la felación (contacto bucogenital)?

Variación según las chicas

¿Te ocurre con unas chicas sí y con otras no?

Erecciones matutinas (al despertarse)

¿Tienes erecciones al despertarte?

Erecciones nocturnas (mientras duermes)

Durante la noche se suelen producir sueños eróticos nocturnos, conscientes o inconscientes, se recuerden o no se recuerden. ¿Sueles tener erecciones nocturnas?

Atribución del problema

¿Atribuyes el problema a algún factor? ¿Cuál crees tú que es la causa?

Rol de autoobservación o espectador

¿Estás expectante ante tu funcionamiento sexual durante el coito?

Rol de fracaso anticipatorio (tener expectativas anticipadas negativas)

Cuando vas a realizar el acto sexual, ¿piensas que vas a fallar?

Afectación de otras fases del ciclo sexual

¿El problema de erección ha hecho que pierdas deseo sexual o este se mantiene intacto?

¿El problema de erección ha afectado a tu respuesta eyaculatoria? ¿Eyaculas precozmente?

¿Tienes sensación de que tu orgasmo es diferente? ¿Se ha empobrecido o sigue igual?

Disminución de la frecuencia sexual

Desde que te ocurre el problema, ¿ha disminuido tu frecuencia sexual coital?

Relación de pareja

¿Crees que tu problema es consecuencia de una crisis o desavenencia con tu pareja?

¿O crees que ocurre al revés y tu relación de pareja ha empeorado como consecuencia del problema de erección?

3. CUESTIONARIOS ÚTILES PARA CONOCER TU GRADO POSIBLE DE DE

Se han desarrollado varios cuestionarios para estandarizar el diagnóstico y grado de DE que pueda tener una persona con problemas de erección. Uno de ellos es el denominado SHIM (Índice de salud sexual para el varón), un test que se puede autoadministrar con bastante fiabilidad, está validado y traducido al castellano y consta de cinco preguntas. Es un cuestionario sencillo de realizar y también una herramienta diagnóstica.

4. ÍNDICE DE SALUD SEXUAL PARA EL VARÓN (CUESTIONARIO SHIM)

El cuestionario SHIM tiene un elevado grado de sensibilidad (0,98), lo que significa que arroja una elevada tasa de verdaderos positivos y también una elevada tasa de especificidad (0,88) (baja tasa de falsos negativos). Debo aclarar que un test o prueba tiene máxima sensibilidad (100 %) cuando todos los positivos que da son ciertos (no hay error en esos positivos). Y tiene máxima especificidad (100 %) cuando todos los resultados negativos que da son ciertos (no hay error en esos negativos). Por ello se puede decir que el cuestionario SHIM es una herramienta bastante fiable en cuanto a la validez y fiabilidad de los resultados que ofrece.

ÍNDICE DE SALUD SEXUAL PARA EL VARÓN (cuestionario SHIM)

		Muy baja	Baja	Moderada	Alta	Muy alta
1. ¿Cómo clasificaría su confianza en que podría conseguir y mantener una erección?		1	2	3	4	5
2. Cuando tuvo erecciones con la estimulación sexual, ¿con que frecuencia sus erecciones fueron suficientemente duras para la penetración?	Sin actividad sexual / 0	Casi nunca/nunca / 1	Pocas veces (menos de la mitad de las veces) / 2	A veces (aproximadamente la mitad de las veces) / 3	La mayoría de las veces (mucho más de la mitad) / 4	Casi siempre/siempre / 5
3. Durante el acto sexual, ¿con que frecuencia fue capaz de mantener la erección después de haber penetrado a su pareja?	No intentó el acto sexual / 0	Casi nunca/nunca / 1	Pocas veces (menos de la mitad de las veces) / 2	A veces (aproximadamente la mitad de las veces) / 3	La mayoría de las veces (mucho más de la mitad) / 4	Casi siempre/siempre / 5
4. Durante el acto sexual, ¿qué grado de dificultad tuvo para mantener la erección hasta el final del acto sexual?	No intentó el acto sexual / 1	Extremadamente difícil / 2	Muy difícil / 3	Difícil / 4	Ligeramente difícil / 5	No difícil / 6
5. Cuando intentó el acto sexual, ¿con que frecuencia fue satisfactorio para usted?	No intentó el acto sexual / 0	Casi nunca/nunca / 1	Pocas veces (menos de la mitad de las veces) / 2	A veces (aproximadamente la mitad de las veces) / 3	La mayoría de las veces (mucho más de la mitad) / 4	Casi siempre/siempre / 5

Después de realizar este cuestionario, y según los puntos que hayas obtenido, estos son los resultados que debes comparar para valorar tu nivel o grado de DE (disfunción eréctil):

PUNTUACIÓN cuestionario SHIM

Si has obtenido más de 21 puntos: no hay DE.
Si has obtenido de 16 a 21 puntos: DE leve o ligera.
Si has obtenido de 10 a 15 puntos: DE moderada.
Si has obtenido 9 o menos puntos: DE severa.

TIPOS DE GRADO DE INTENSIDAD DE UN PROBLEMA DE DISFUNCIÓN ERÉCTIL

⇨ DE leve: cuando usualmente se logra y mantiene la erección.
⇨ DE moderada: cuando ocasionalmente se logra y mantiene la erección.
⇨ DE severa o completa: cuando nunca se logra la erección.

DISFUNCIÓN ERÉCTIL. CLASIFICACIÓN GENERAL

SEGÚN EL MOMENTO DEL INICIO:

⇨ Primaria o de toda la vida: la DE ha existido desde el inicio de las relaciones sexuales.
⇨ Secundaria o adquirida: la DE apareció después de un período de actividad sexual normal.

SEGÚN LA CAUSA:

⇨ Orgánica o biogénica: causada por anomalías o lesiones vasculares, neurológicas, hormonales o cavernosas.
⇨ Psicológica: por motivos psicológicos (ansiedad, depresión, conflictos de pareja, baja autoestima, miedo, complejos…). Funcionalmente es debida a la inhibición central del mecanismo eréctil, en ausencia de un daño físico.
⇨ Mixta: causada por la combinación de factores orgánicos y psicológicos.
⇨ Idiopática (de causa desconocida).

SEGÚN EL CONTEXTO:

⇨ General: se da en todos los contextos eróticos (no se limita a darse en ciertas clases de estimulaciones, de situaciones o de parejas).
⇨ Situacional: el problema se limita a darse en ciertas clases de estimulaciones, de situaciones o de parejas.

SEGÚN EL GRADO:

⇨ Leve: el hombre usualmente consigue y mantiene la erección.
⇨ Moderada: el hombre ocasionalmente logra y mantiene la erección.
⇨ Severa o grave: el hombre nunca logra la erección.

5. CÓMO DIFERENCIAR SI TU PROBLEMA DE ERECCIÓN ES DE ORIGEN ORGÁNICO O PSICOLÓGICO

DIAGNÓSTICO DIFERENCIAL PSICÓGENA/ORGÁNICA		
Características	DE psicógena	DE orgánica
Edad	Menos de 40 años	Mayor de 40 años
Tiempo de evolución	Menos de 1 año	Mayor de 1 año
Aparición	Situacional	Permanente
Erección extracoital	Buena	Pobre
Curso	Variable	Constante

En un problema de erección es importante detectar si el origen es psicológico u orgánico, porque dependiendo de ello el enfoque del tratamiento va a ser distinto. Presta atención a los diferentes síntomas que a continuación expongo para discernir adecuadamente si tu problema de erección es de origen psicológico u orgánico:

6. DISFUNCIÓN ERÉCTIL DE ORIGEN PSICOLÓGICO

1. Ocurre en pacientes jóvenes o de mediana edad.
2. Comienza inesperada o bruscamente.
3. Es situacional (la falta o pérdida de erección no ocurre en todas las situaciones eróticas).
4. En la masturbación es posible tener erección y que no exista el problema de erección.
5. Existen erecciones matutinas al despertarse.
6. Existen erecciones nocturnas (durante el sueño).
7. No consigue la erección antes de penetrar o/y cuando la consigue la pierde apenas introduce el pene.
8. Evolución del problema: de forma irregular. No es constante.
9. Los problemas de pareja están (o pueden estar) en el inicio del problema, no son secundarios al problema de erección.
10. Pueden existir otros posibles problema psicosexuales que estén favoreciendo la disfunción eréctil y que están enquistados desde hace tiempo en la personalidad del varón, favoreciendo la DE.
11. Existe ansiedad anticipatoria de origen primario.

Voy a ir desgranando uno por uno los diversos apartados:

1. Ocurre preferentemente en pacientes jóvenes o de mediana edad. No siempre ocurre, pero en general un problema de erección de origen psicológico suele ocurrirles a chicos jóvenes o a personas de mediana edad. Es decir, suele afectar a hombres de entre 18 y 40 años y a varones en edades medias (40 a 55 años). Es decir, ocurre a edades en las que todavía no han aparecido problemas de salud que conlleven síntomas orgánicos que puedan provocar problemas de erección. Los intervalos de edad que refiero son aproximados, porque no existe una precisión exacta en dígitos de la edad de la juventud, ni de edades medias y ni siquiera de la tercera edad o vejez. Hay que recordar que la edad conlleva también una valoración social, y que gracias al incremento del bienestar social y, sobre todo, a los avances de salud las personas vivimos más años y lo que hace 50 años se consideraba una persona mayor, por ejemplo, hoy no se ve así. No hay que olvidar, por ejemplo, que la esperanza de vida de los españoles se ha duplicado en apenas cuatro generaciones. De hecho, a principios del siglo pasado la esperanza de vida en España era de 45 años. Hoy casi es el doble.
2. Comienza inesperadamente. La DE de origen psicológico suele comenzar inesperadamente. Es decir, el sujeto hasta la aparición del problema venía funcionando correctamente, sin problemas. Para nada esperaba ni le entraba en su cabeza que de repente un día fallara su erección. Se queda descolocado, sorprendido cuando le ocurre. Tiene por tanto un inicio brusco.
3. Es situacional. El problema eréctil no le ocurre en todas las situaciones. Es decir, no le pasa con todas las chicas. Tampoco le ocurre cuando se masturba. Su problema de erección se ciñe a la penetración coital y no le ocurre en todos los encuentros sexuales (hay coitos en los que «se defiende o no le va tan mal»).
4. En la masturbación sí es posible tener erección. De hecho, muchos pacientes psicógenos pueden conseguir erección durante la automasturbación, aunque esta no sea tan fuerte como en otras etapas de su vida o como lo era antes de aparecer el problema. De todas formas, cuando la DE se hace crónica y se alarga en el tiempo (un año o más), suele ocurrir que el paciente también acaba teniendo problemas de erección en la automasturbación como consecuencia del desgaste que supone llevar tiempo con problemas durante el coito y la consecuente ansiedad que genera tal desgaste.
5. Existen erecciones matutinas (justo al despertarse). Otra señal de que estemos ante un problema de erección de corte psicógeno es que el varón tenga erecciones al despertarse.

6. Existen erecciones nocturnas (durante el sueño). Una buena indicación de que el problema es psicológico lo constituye el hecho de que el varón tenga erecciones durante el sueño. No hay que olvidar que mientras se duerme (en la fase REM) la mayoría de las personas tienen sueños eróticos, aunque no sean conscientes de ello o no los hayan buscado. No hablo de fantasías sexuales pretendidas, sino de sueños involuntarios e inconscientes. Como durante el sueño la parte del cerebro que regula las normas «está desconectada», se producen múltiples sueños con representaciones simbólicas y complejas, algunos de los cuales son deseos eróticos. Esta libertad onírica permite que el inconsciente (la parte de la mente que regula lo prohibido, lo reprimido, lo conflictivo) se libere facilitando la aparición en la mente del individuo de todo tipo de sueños y fantasías, algunas de ellas sexuales, que posibilitan que el varón se vea libre de la presión psicológica de «tener que cumplir» que suele acompañarle y atenazarlo (y hace fallar) cuando realiza el acto sexual despierto, consciente y lúcido. No olvidemos que el pene en erección es sangre acumulada que no puede escapar. Está claro que si durmiendo se tienen erecciones, los canales que conducen la sangre al pene y lo irrigan funcionan bien y, por tanto, no hay causa orgánica de tipo vascular que impide tal irrigación. Si la hubiera, dichas «tuberías» no funcionarían por mucho sueño erótico que se tuviera. Luego las erecciones oníricas nocturnas suelen ser una prueba, si no irrefutable, sí suficientemente indicadora en general de que el origen del problema es psicológico.

7. No consigue la erección antes de penetrar o/y cuando la consigue la pierde apenas introduce el pene. Tal hecho es otro síntoma al que damos relevancia para poder etiquetar el problema como «de origen psicológico». La DE de origen psicológico tiene su mayor causalidad en la ansiedad que al varón le genera el rendimiento sexual asociado a la penetración vaginal (también llamada coital). Al mismo tiempo, es sumamente revelador que el varón pierda la erección durante la cópula, ya que refleja la ansiedad que le aflige y le impide estar concentrado en las sensaciones placenteras que se derivan de ella, al tiempo que a los expertos nos hace considerar que la causa de la DE puede ser psicológica.

8. Evolución del problema. El curso del problema suele evolucionar de manera variable, es decir, su evolución es o puede ser un tanto irregular, alternándose encuentros fallidos con algunos de cierta mejoría (cuando la casualidad es orgánica, la evolución del problema suele ser constante en lo negativo, sin darse episodios de mejora).

9. Los problemas de pareja están (o pueden estar) en el inicio del problema, no son secundarios al problema de erección. Las cri-

sis de pareja y los conflictos propios de su relación erótica son un motivo fundamental en los problemas de erección, siendo un factor que, como ya he mencionado con anterioridad, al ser tan relevante puede ser tanto predisponente como precipitante o mantenedor de una DE. Sin embargo, cuando la DE es de origen psicológico, las desavenencias conyugales suelen estar ya presentes desde el inicio del problema.

10. Pueden existir otros posibles problemas psicosexuales que estén favoreciendo la disfunción eréctil y que están enquistados desde hace tiempo en la personalidad del varón, favoreciendo la DE. En los casos de DE de origen psicógeno no es de extrañar que el varón presente una larga historia de problemas de origen psicológico (estrés, ansiedad generalizada, conflictos relacionales, neurosis…) que hayan terminado por afectarle en su erección.

11. La ansiedad anticipatoria es primaria. La tantas veces repetida ansiedad anticipatoria tiene un origen primario. Es decir, está en el origen del problema, es una causa de este, no una consecuencia.

7. DISFUNCIÓN ERÉCTIL DE ORIGEN ORGÁNICO

1. Ocurre, en general, en pacientes maduros (mayores de 50 años).
2. Su aparición es permanente. Ha venido para quedarse (la falta o pérdida de erección ocurre en todas las situaciones eróticas).
3. Su inicio es progresivo.
4. En la masturbación el varón también tiene problemas de erección.
5. Al despertarse no suele tener erecciones matutinas o, si las tiene suelen ser flojas.
6. No suelen darse las erecciones nocturnas (durante el sueño).
7. La evolución del problema es regular o constante. No suelen existir picos o fases de mejora.
8. Si existen problemas en la relación de pareja, no son el origen de la disfunción eréctil. Sí pueden ocurrir como consecuencia (secundarios) de la DE.
9. La ansiedad anticipatoria es consecuencia de la DE, no su causa.

Voy a ir desgranando también uno por uno estos apartados:

1. Ocurre, en general, en pacientes maduros (aproximadamente en mayores de 50 años). Si bien existen casos de DE de origen orgánico que se presentan en varones jóvenes, en general la mayoría de las disfunciones eréctiles de causalidad orgánica suelen darse en varones ya maduros como consecuencia del avance de la

edad y, sobre todo, de diversas enfermedades (diabetes, hipertensión, aterosclerosis…).

2. Su aparición no es situacional, sino permanente. Es decir, se da en todas las variables eróticas posibles (coito, masturbación, felación…).

3. Su inicio es progresivo. El problema ha ido apareciendo poco a poco, de manera progresiva (ha ido ocurriendo a lo largo de un período de tiempo, no se ha producido de golpe).

4. En la masturbación el varón también tiene problemas de erección. Cuando la causa de la DE es orgánica, el problema de erección no solamente ocurre en la penetración vaginal, sino también durante la masturbación.

5. Al despertarse, no suele tener erecciones matutinas o estas son flojas. Las erecciones matutinas que sí son posibles en los casos de DE de origen psicológico no suelen darse en aquellos problemas de erección de causalidad orgánica.

6. No suelen darse las erecciones nocturnas (durante el sueño). Aunque el paciente tenga sueños eróticos inconscientes y esté libre de presiones psicológicas, como el problema de DE es orgánico, tampoco se dan erecciones durante la fase REM del sueño.

7. La evolución del problema es regular o constante. No suelen existir picos o fases de mejora. A diferencia de los casos de origen psicológico, que evolucionan irregularmente, la DE de origen orgánico presenta un curso evolutivo constante. Digamos que, una vez que aparece, ya no suele darse una mejoría.

8. Si existen problemas en la relación de pareja, no son el origen de la disfunción eréctil. Pero sí pueden ocurrir como consecuencia de la DE o ser secundarios a ella. Cuando ocurre un problema de erección, no es extraño que se produzca tensión o crisis dentro de la relación de pareja como consecuencia de la DE. Pero en los casos de causalidad orgánica, no suelen ser el motivo del problema de erección, sino que se añaden a él.

9. La ansiedad anticipatoria es consecuencia de la DE, no su causa. En los casos de DE de origen orgánico la ansiedad suele presentarse después de la aparición del problema. Inicialmente no ha sido su causa originaria.

En consecuencia, con lo descrito en los párrafos anteriores se puede decir que:

⇨ Si ves que tienes una edad todavía joven (menos de 45-50 años), el problema te ha aparecido inesperadamente, te ocurre durante el coito pero no en otras situaciones como la masturbación, las erecciones nocturnas o al despertar y la evolución del problema es irregular, es decir, no es constante, sino que has tenido (desde que empezó el problema) algún episodio bueno o no tan malo, PODEMOS PENSAR que tu problema tiene un componente psicológico claro. Si, además, tu relación de pareja también te genera una ansiedad que pueda estar afectando a tu funcionamiento sexual, es muy probable que la causa de tu problema de erección sea psicológica.

⇨ Tal consideración, la de ser una DE de origen psicológico, tendrá aún mayor consistencia si has pasado o pasas actualmente por la vivencia de estas experiencias que tienen que ver con tu comportamiento sexual durante el coito:

- Vives el rol de la autoobservación o espectador. Es decir, cuando vas a realizar el acto sexual, estás pendientes de ti mismo, de tu erección, eres como un espectador o examinador de tu propio comportamiento sexual.
- Solo con pensar que tienes que realizar el coito se desencadena en ti angustia y pones en marcha todo tipo de pensamientos negativos que se convierten en profecías anticipatorias de tu fracaso, de modo que acabas cayendo en lo que se llama ansiedad anticipatoria.
- No padeces diabetes, ni hipertensión, ni enfermedad cardiovascular alguna que pudiera hacer pensar que existe alguna causa orgánica.

Si cumples las condiciones mencionadas, puedes tener bastante seguridad de que tu problema de erección no es orgánico y tiene que ver con causas psicológicas.

Ahora bien, si al contrario:

No tienes erecciones durante el coito, ni cuando te autoestimulas, ni al levantarte, ni cuando duermes, todo apunta a que tu problema va a tener un motivo u origen orgánico. Estos datos son ya de por sí, como te digo, claramente indicadores de que tu problema tiene un componente orgánico.

ORIGEN PSICOLÓGICO DE LA DISFUNCIÓN ERÉCTIL

Cuando se tienen erecciones durante la masturbación, pero no durante el coito, el problema es claramente psicológico. Y si, además, también existen erecciones matutinas (al despertarte) o por la noche (durmiendo) pero no en el coito, con más razón aún se puede considerar que el origen o causa del problema de erección es psicológico.

ORIGEN ORGÁNICO DE LA DISFUNCIÓN ERÉCTIL

Cuando no existen erecciones durante el coito, ni en la masturbación, ni al levantarte, ni durante el sueño, se puede considerar que el origen o causa del problema de erección es orgánico.

ORIGEN MIXTO DE LA DISFUNCIÓN ERÉCTIL

La disfunción eréctil también puede tener una causalidad mixta, es decir, que existan causas orgánicas y también psicológicas.

---

8. DE DE CARACTEROLOGÍA MIXTA

Espero que, tras las explicaciones anteriores, tengas claro el origen o causalidad de tu problema de erección.

En el campo de la causalidad psicológica es donde más seguridad existe en el diagnóstico. Es decir, la existencia de las causas de origen psicológico, fundamentalmente la ansiedad de ejecución, es fácil de constatar. De hecho, sabemos que se dan en un alto porcentaje de casos de DE. Incluso se presentan en muchos casos de disfunción eréctil que tienen un origen orgánico claro, a los que se suman como factor añadido.

Se puede decir con toda seguridad que, de forma inevitable en todas las disfunciones sexuales masculinas, aunque tengan un origen orgánico, con la evolución del problema acaba apareciendo también un componente psicológico añadido como consecuencia del rol del rendimiento coital que todo hombre tiene interiorizado en su obsesión por satisfacer a la pareja sexual y su propio narcisismo.

Este capítulo está concebido para ayudar en el diagnóstico de un problema de erección. Pero un problema de DE no siempre es consecuencia de un solo hecho. En él pueden intervenir diversos factores que combinados contribuyen a producirlo. Es importante, por tanto, que tengas conciencia de las limitaciones de un diagnóstico sin la presencia real del paciente y la complejidad que puede conllevar la evaluación de muchos casos de DE.

Las disfunciones eréctiles que llamamos mixtas plantean una mayor complejidad diagnóstica. Hay que tener en cuenta que un problema de DE puede ser consecuencia de una conjunción de factores: predisponentes, precipitantes y de mantenimiento. En un mismo paciente pueden concurrir un problema de diabetes (causa orgánica) y una ansiedad ejecutoria (causa psicológica) o bien una ruptura de pareja (causa psi-

cológica) en un varón que es fumador y bebedor severo (causa orgánica). Ya un varón que padece una cardiopatía (causa orgánica) le puede
sobrevenir además un problema de estrés laboral (causa psicológica)
como consecuencia de la pérdida de su puesto de trabajo.

Analicemos a través de unos ejemplos (son casos reales) tal complejidad. Es decir, que varios factores (orgánicos y psicológicos) interac-
túen conjuntamente y desemboquen en un problema de erección.

Ejemplo 1. Paciente de 47 años con un déficit hormonal que inicia
una nueva relación de pareja.

Una persona tiene un déficit hormonal de testosterona libre que es
el causante inicial de su problema eréctil, pero tras romper con su anterior pareja inicia una nueva relación. En parte por el déficit hormonal,
pero también por la emoción de un nuevo amor y el miedo a fallar en
la recién estrenada relación, se le presenta un problema de DE. Este
varón, cuando se le soluciona su problema de testosterona, puede que
siga padeciendo de DE como consecuencia de la ansiedad de rendimiento añadida.

En este caso, tenemos que su problema de erección es consecuencia
de la concatenación de varios factores:

⇨ Factor predisponente: un déficit hormonal de testosterona.
⇨ Factor precipitante: inicio de una nueva relación de pareja.
⇨ Factor de mantenimiento: ansiedad de ejecución sexual.

Ejemplo 2. Paciente de 59 años operado de prostatectomía radical
que como consecuencia de esta presenta un miedo evidente a no funcionar.

Se juntas varios factores:

⇨ Factor predisponente: saber que la extirpación de la próstata pre-
senta un alto nivel de casos de DE.
⇨ Factor precipitante: la propia operación en sí.
⇨ Factor de mantenimiento: el miedo a no volver a funcionar.

Ejemplo 3. Paciente de 38 años al que como consecuencia de una
depresión le recetan fármacos antidepresivos que le provocan pérdida
del apetito sexual y episodios fallidos de erección.

De nuevo confluyen varios motivos que inciden negativamente en la
erección:

⇨ Factor predisponente: la depresión.
⇨ Factor precipitante: los efectos secundarios del fármaco.

⇨ Factor de mantenimiento: la ansiedad psicológica causada por el rol del rendimiento coital.

Ejemplo 4. Paciente de 50 años, hipertenso, bebedor habitual y fumador que llevaba un año con problemas intermitentes de erección. Pierde el trabajo y a partir de tal momento se siente poco hombre, considera que su mujer le mantiene económicamente, desciende su autoestima personal y comienzan a incrementarse sus problemas de erección.

⇨ Factor predisponente: la hipertensión, el alcohol y el tabaco.
⇨ Factor precipitante: la pérdida de su puesto laboral.
⇨ Factores de mantenimiento: el alcohol, el tabaco, la hipertensión, la baja autoestima sexual y la ansiedad de rendimiento sexual.

Ejemplo 5. Paciente de 22 años operado de hipospadia (es una enfermedad o defecto de nacimiento que consiste en que el orificio de la uretra, por donde se orina, no se encuentra en la punta sino en la parte inferior del pene). A partir de la cirugía (aunque fue operado con éxito) empieza a tener problemas de erección con varias chicas. Es un chaval de color y considera que su pene «no tiene el tamaño ni está a la altura de lo que se espera de su raza».

⇨ Factor predisponente: un prejuicio o idea equivocada: pensar que por ser raza negra hay que tener un pene grande y un alto rendimiento sexual.
⇨ Factor precipitante: la operación para corregir su meato urinario.
⇨ Factores de mantenimiento: la ansiedad de rendimiento sexual por estar «a la altura».

> A pesar de gran avance producido en las últimas décadas en el campo del diagnóstico y evaluación de la DE, seguimos sin conocer en profundidad cómo interactúan conjuntamente muchos de los múltiples factores tanto orgánicos como psicológicos que predisponen, precipitan y mantienen un problema de DE.

Es, sin embargo, en el campo de las CAUSAS ORGÁNICAS y en su efecto sobre la erección donde más complejidad puede existir a la hora de buscar o descartar su influencia en el problema. Para ello existen varios tipos de pruebas que pueden ayudar a descartar causalidad orgánica, sobre todo de tipo vascular. Estas son las pruebas de que se dispone para descubrir o descartar causas de tipo orgánico en un problema de DE.

Las pruebas diagnósticas para descartar causalidad orgánica en un problema de DE se realizan cuando se considera o cree que no hay causa psicológica evidente o que, si la hubiera, va acompañada de otras de origen orgánico y, por tanto, decidimos buscarlas o descartarlas.

Como habéis visto, un problemas de DE puede empezar por una causa orgánica (una diabetes) pero acabar presentando también un componente psicológico. Y al revés, puede tener un origen psicológico (una depresión) pero aparecer posteriormente una hipertensión arterial). También puede darse el caso de un inicio psicológico (estrés) que tenga un mantenimiento psicológico posterior (una depresión como consecuencia del problema de erección). Y tampoco son infrecuentes los casos en que como consecuencia de una extirpación total de próstata (inicio orgánico), se dé un mantenimiento del déficit orgánico (las consecuencias de la prostatectomía) y también psicológico (el miedo a no volver a funcionar).

NECESIDAD DE CLASIFICAR EL TIPO DE DISFUNCIÓN ERÉCTIL PARA PODER INICIAR EL ENFOQUE DEL PROBLEMA

Dada la complejidad de los posibles componentes que pueden determinar un problema de DE (pueden concurrir tanto factores orgánicos como psicológicos), desde un planteamiento clínico rigurosamente académico pudiera parecer simplista clasificar una DE en psicológica, orgánica o mixta. Aun así, es conveniente hacerlo para poder iniciar el enfoque del problema y establecer un orden en la aplicación de los recursos existentes.

---

9. TIPOS DE PRUEBAS DISPONIBLES PARA UN DIAGNÓSTICO MÁS PRECISO DE CAUSAS ORGÁNICAS

La DE es la disfunción sexual que ofrece la mayor posibilidad de utilizar pruebas objetivas que permitan aclarar el diagnóstico o por lo menos descartar diversos factores. De hecho, actualmente se dispone de distintos medidores psicofisiológicos, neuroelectrofisiológicos y radiológicos que permiten indagar más objetivamente en la búsqueda de las causas de la DE.

Aun así, una buena entrevista clínica con el paciente en la consulta sigue siendo la mejor y fundamental herramienta para buscar la causa o causas que motivan la DE, sobre todo en los casos de causalidad psicógena. Si la entrevista o la lectura de este capítulo no fueran suficientes para ti, debes saber que existen una serie de pruebas que pueden completar un buen diagnóstico. A continuación describo tales pruebas para que las conozcas y sepas su razón de ser y en qué consisten:

A. Descartar causas hormonales

Pruebas analíticas (extracción de sangre).
(Para detectar diabetes).
Dada la correlación entre diabetes y DE, puede convenir en ciertos casos realizar una:

1. Determinación de glucemia. Es imprescindible la determinación de los niveles de glucosa o, mejor aún, el análisis de la hemoglobina glicosilada.
2. Determinación de niveles hormonales. La valoración de la influencia de los estados hormonales en la DE varía según los autores. Va de un 6 a un 37 % según quien haya hecho el estudio.

B. Descartar causas arteriales

1. Prueba de inyección de fármacos intracavernosos (prostaglandina)

Es una prueba que consiste en inyectar en el pene una sustancia que induce la erección para que, viendo si la produce o no, se puedan descartar lesiones arteriales y venosas del pene.

Se trata de inyectar fármacos relajantes de la fibra lisa del pene en los cuerpos cavernosos de este. La sustancia empleada es prostaglandina. No está desprovista de efectos secundarios, pero de los fármacos intracavernosos es el que ofrece más seguridad.

1.º Si tras inyectar la prostaglandina aparece una erección inmediata, se descartan tanto una posible lesión arterial como una venosa.

2.º Si no se obtuviera erección tras la inyección, es necesario volver a intentarlo en una segunda sesión, pero con automasturbación añadida por parte del paciente. Si la erección apareciese en este caso, se da por hecho que el mecanismo de funcionamiento venoso del pene es correcto y el reflejo bulbocaveroso del pene también.

Una vez descartado lo anterior, quedaría la posibilidad de que el problema fuera consecuencia de una alteración vascular moderada.
Por ello, se recurriría a:

2. Medición del potencial erectivo espontáneo

La aparición de erecciones espontáneas es una buena señal que hace pensar que las posibles causas de una disfunción eréctil pueden ser orgánicas. Tenemos varias opciones para confirmar tal posibilidad:

1. *Prueba de tumescencia peneana nocturna*

Figura 7.1. *Entre los sueños nocturnos involuntarios no es infrecuente tener fantasías eróticas. En tales sueños, el inconsciente aflora y el deseo sexual campa a sus anchas. Que se produzcan erecciones nocturnas durante tales episodios eróticos suele ser indicativo de que no existe causa orgánica en el origen de la posible DE del paciente.*

Cuando dormimos soñamos, y muchos de tales sueños son fantasías eróticas inconscientes. Como por la noche la parte cerebral que regula las normas y obligaciones está «atrofiada», nos permitimos imaginar todo tipo de fantasías, eso sí, disfrazadas para poder sortear o engañar al superyó o parte normativa de nuestra personalidad. En tales sueños el inconsciente aflora y el deseo sexual campa a sus anchas. Ante estos hechos, se parte de la idea clínica de que la aparición de erecciones durante la fase inconsciente del sueño es señal de que no existe causa orgánica en el origen de la posible DE. Es decir, señal de que las «tuberías» que llevan la sangre al pene (las arterias y venas que irrigan los cuerpos cavernosos de este) están sanas (si no lo estuvieran, no habría tales erecciones nocturnas), lo que permite descartar causas orgánicas de origen vascular del problema. En este caso, y en consecuencia, los expertos consideraríamos que son causas psicológicas las que están en la base del problema eréctil.

Como por la noche no tenemos las tensiones psicológicas del día (tener que cumplir sexualmente, el estrés, la preocupación por quedar bien en el sexo…), la erección hace acto de aparición.

Por tanto, la medición de la tumescencia (erección) peneana nocturna (TPN) resulta eficaz para diferenciar entre un trastorno de origen psicológico y uno vascular porque aporta datos útiles para saber si el problema vascular es arterial o venoso. Durante años esta prueba o señal (tener tales erecciones) equivalía a determinar un causa psicológica en el problema que estábamos estudiando y nos permitía descartar un origen orgánico vascular. Se le preguntaba al paciente si tenía tales erecciones nocturnas y si nos confirmaba que sí, descartábamos causalidad orgánica de tipo vascular. Pero se observó que también se daban falsos positivos. Es decir, se comprobó que había un porcentaje (un 20 %) de casos de causalidad psicológica que no tenían erecciones nocturnas. Hoy día se sabe que algunos casos de erección floja o inexistente durante el sueño no se deben a una pérdida vascular sino a un déficit en la plenitud del sueño durante la citada fase REM.

Por ello, se aconseja acompañar la comprobación de las erecciones nocturnas con un aparato que las monitorice. El Rigiscan (se acopla cómodamente a la pierna y cuenta con dos anillos transductores que se adaptan a la base y extremo del pene, distendiéndose con las variaciones del tamaño y la rigidez de este) es el aparato más famoso y mejor diseñado para tal fin, ya que permite medir los cambios de circunferencia peneana en centímetros y la rigidez expresada en porcentajes, así como el número y la duración de los citados episodios o eventos nocturnos. Se almacenan tales datos y se recurre a la informática. Si bien los indicadores de normalidad dependen de la edad del sujeto, en general se considera normal la presencia de al menos un 60 % de rigidez en la

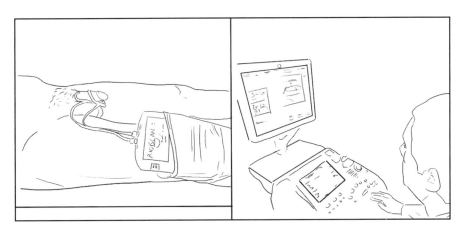

Figura 7.2. *El Rigiscan es el aparato más famoso y mejor diseñado para medir las erecciones nocturnas inconscientes, ya que permite registrar los cambios de circunferencia peneana en centímetros y la rigidez expresada en porcentajes, así como el número y la duración de los citados episodios o eventos nocturnos. Un programa informático ayuda a descodificar los datos para contribuir a un mejor diagnóstico.*

erección registrada en el extremo distal del pene durante 10 minutos o más (lo que descartaría causalidad orgánica de tipo vascular). La prueba debe realizarse (repetirse) durante al menos tres días para poder contrastar valores tomados en diversas sesiones. El paciente debe presentarse en la clínica con ropa adecuada para pasar la noche (pijama holgado que no le apriete), luego de cenar levemente. Debe abstenerse de beber, fumar y tomar café ocho horas antes de la prueba, y de ingerir en ese tiempo fármacos que le dificulten la erección (antihipertensivos, relajantes musculares, etc.). Lógicamente, antes de la prueba deberá ducharse e higienizar los genitales.

Lugares donde se realiza la prueba: en general solo en clínicas o consultas privadas.

2.	*Prueba de tumescencia peneana diurna o TPD (también llamado Test de estimulación visual)*

Es la prueba anterior pero hecha de día, con el paciente consciente, no dormido y siendo expuesto a estímulos eróticos visuales. Tal técnica se pensó al comprobar que el sueño no es imprescindible para verificar si existe o no erección. Consiste en presentarle películas eróticas al paciente en sesión diurna mientras se le miden las erecciones con el Rigiscan. Si presenta erecciones, se puede considerar con un alto grado de seguridad que no hay causalidad orgánica. En cambio, si no las presenta, no se puede descartar nada, ya que existen muchos factores conniventes a la prueba que pueden falsearla (Cabello, 2010) y habrá que buscar otras fuentes o pruebas para seguir descartando.

Ambas pruebas (tanto la TPN como la TPD) permiten considerar que el diagnóstico de causalidad psicológico es correcto en un 80 % de los casos.

Lugares donde se realiza la prueba: en general solo en consultas privadas.

COLOCAR UNA TIRA O BANDA DE SELLOS DE CORREOS ALREDEDOR DEL PENE DURANTE EL SUEÑO

Era una prueba menos sofisticada que las actuales y que se realizaba hace años. Venía a ser un recurso doméstico más que una prueba en sí, pero hablamos de la sexología de hace varias décadas, cuando no se disponía de técnicas cualificadas. Consistía en aconsejar al paciente que se pusiera una tira o banda de sellos de correos (sí, los sellos de pegar en las cartas de toda la vida) alrededor del pene y, si al levantarse estaba la tira rota, era señal de que había habido erecciones. Es obvio decir que eran otros tiempos para la sexología...

Pruebas radiológicas

Entre todas las técnicas radiológicas son de elección para el estudio de la DE las basadas en los ultrasonidos:

1. Prueba Dúplex-Doppler. Permite la visión individualizada de los vasos sanguíneos, midiendo el diámetro de estos y la velocidad del flujo sanguíneo. No resulta del todo fiable a la hora de estudiar las pequeñas arterias cavernosas.
2. Color Flow Doppler. Ofrece una mayor capacidad de diferenciación de los pequeños vasos sanguíneos. Si bien tanto la Asociación Americana de Urología como la Asociación Europea de Urología no recomiendan su uso rutinario, es la prueba menos invasiva y algunos autores la encuentran eficaz en un 80 % de los casos (Corona, Fagioli, Mannucci, Romeo, Rossi et al., 2008).

La prueba ECOGRAFÍA DÚPLEX combina las imágenes de una ecografía con los ultrasonidos del Doppler, permitiendo una mayor objetividad en el diagnóstico.

3. *Test Doppler (Eco Doppler-Dúplex dinámico peneano).* Es una prueba que combina la ecografía Doppler de ultrasonidos con una inyección intracavernosa (PGE1) que induce la erección y que permite así hacer más visibles las arterias. Permite medir el diámetro de las arterias y las irregularidades y velocidad del flujo (antes y después de la inyección en el pene) arterial, es decir, antes y después de tener la erección. Mide lo que se llama velo-

cidad del pico sistólico (PSV) y la velocidad diastólica final (EDV). La PSV debe encontrarse por encima de 25 cm/segundo. En casos dudosos, puede ser conveniente aplicar una nueva dosis de PGE1 para disminuir la incidencia de falsos fracasos veno-oclusivos. El test Eco Doppler-Dúplex dinámico permite un gran estudio del componente arterial, aunque la valoración del mecanismo venooclusivo puede no ser totalmente fiable, ya que durante la realización de la prueba no hay seguridad total de que exista una relajación completa del músculo liso.

C. Descartar causas venosas

Son pruebas radiográficas en las que se inyecta en el pene un contraste yodado (permite ver con rayos X las venas) y una inyección intracavernosa (produce erección) para poder estudiar sus cuerpos cavernosos.

Son pruebas consideradas invasivas. Es decir, son molestas e incluso dolorosas para el paciente.

La valoración del estado venoso recurriendo tanto a la cavernosometría como la cavernografía solo se puede plantear cuando las pruebas mencionadas anteriormente (Duplex-Doppler, Color Flow Doppler y Test Doppler) no han dado resultados positivos y se trata de pacientes jóvenes susceptibles de ser sometidos a una intervención quirúrgica correctora en caso de encontrarse sospecha de déficits venosos, como pueden ser los casos de fuga venosa peneana. Además, hay que añadir que ninguna de las dos pruebas permite discernir si se trataría de un problema de fuga venosa estructural o solo funcional.

Estas son las pruebas:

1. Cavernosometría dinámica y farmacocavernosografía. Consiste en provocar una erección perfundiendo suero salino en el pene, de tal modo que estaríamos ante una fuga venosa cuando es necesaria una infusión superior a 180 ml/min para mantener llenos los cuerpos cavernosos.
2. Cavernografía con fármacos intracavernosos. Se inyectan 15 mg de prostaglandina y una perfusión de 15 ml/min. Si a los 5 minutos de la inyección no se mantiene una presión de más de 60 mm de Hg, hay indicación de fuga venosa.

Y en cuanto a los posibles efectos secundarios de la cavernosometría y la cavernografía, son los siguientes:

⇨ Hematomas, que en ocasiones son importantes.
⇨ Áreas cavernosas de tumefacción constante y prolongada, que en ocasiones pueden durar meses.

✧ Vértigo.

✧ Hipotensión.

✧ Priapismos.

De todas formas, este tipo de cirugía peneana (cirugía venosa por disfunción venooclusiva) solo es aconsejable en determinados casos puntuales: pacientes que previa y rigurosamente seleccionados cumplen unas condiciones adecuadas para ser intervenidos.

CIRUGÍA EN DISFUNCIÓN ERÉCTIL

En necesario que los pacientes proclives a una cirugía arterial, venosa o mixta del pene sean sometidos previamente a un diagnóstico riguroso y pormenorizado que les haga ser candidatos adecuados a recibir tal tratamiento.

D. Descartar (valorar) causas neurológicas

Como he referido anteriormente, en la erección del pene también intervienen factores neurológicos. Los nervios del pene y las eferencias y aferencias del sistema nervioso central y periférico garantizan el correcto funcionamiento y la sincronización necesaria para una erección fisiológica eficaz. La DE de origen neurológico se produce como consecuencia de las alteraciones de las vías nerviosas tanto autonómicas como somáticas o la combinación de ambas y de los componentes cerebrales que inducen la erección.

Hay que decir que normalmente no es necesario recurrir a las pruebas que a continuación voy a exponer, porque una buena entrevista clínica al paciente suele ser suficiente para descartar causalidad de tipo neurológico. Los pocos casos en que suelen realizarse se suscriben a pacientes que han tenido algún tipo de accidente (coche, moto…) con lesión medular y afectación, en consecuencia, de la erección.

Son pruebas que presentan un limitado valor diagnóstico. Aun así, recojo a continuación unos conocimientos básicos sobre ellas:

1. Medición del reflejo bulbocavernoso. Se basa en estimular la piel del pene eléctricamente a una frecuencia de un impulso por segundo, aumentando de forma progresiva la amplitud. Se inserta en el periné un electrodo que mide el tiempo de latencia, que debe ser de 40 milisegundos. Un tiempo superior indicaría una alteración de la médula sacra. Es una prueba que suele dar muchos falsos positivos.

2. Medición de potenciales evocados. Radica también en estimular con un electrodo la piel del pene y registrar la conducción mediante detectores colocados en el cuero cabelludo. Es poco específica.

3. Biotensiometría. Sirve para valorar la función somatosensorial del nervio dorsal del pene.

La medición tanto de los reflejos bulbucavernosos como de los potenciales evocados solo evalúa fibras nerviosas grandes. Como en la irrigación del pene intervienen fibras nerviosas autonómicas de pequeño diámetro (de la misma medida que las fibras que intervienen en el calor y el frío), es más revelador medir los umbrales de temperatura del pene, cuyas alteraciones se corresponden con la alteración en la erección (Cabello, 2010).

PRUEBAS DE LIMITADO VALOR DIAGNÓSTICO

Para Cabello (2009), la cavernosometría, la cavernosografía, la angiografía, la medición de los potenciales evocados y la medición del reflejo bulbocavernoso son pruebas de limitado valor diagnóstico.

---

8. RECURSOS, TÉCNICAS Y ESTRATEGIAS PARA EL TRATAMIENTO DE LA DE

INTRODUCCIÓN

En los últimos años, y gracias a los notorios avances que en el campo de la sexología se han producido, nos encontramos con una gran disponibilidad de recursos terapéuticos para el tratamiento de la DE en sus diversas variables de causalidad, tanto si son orgánicas como psicológicas o mixtas.

1. RECURSOS GENERALES PARA LA INTERVENCIÓN EN DE

RECURSOS GENERALES PARA LA INTERVENCIÓN EN DE (KOLDO SECO, 2017)	
	TERAPIA SEXUAL
Sexológicos	*Estrategias:* ⇨ Prohibición de la cópula. ⇨ Focalización sensorial. ⇨ Búsqueda y exploración de los deseos. *Técnicas:* ⇨ Técnica de ganar y perder erección. ⇨ Técnica de distracción. ⇨ Técnica de contención vaginal. ⇨ Técnica del cartero. ⇨ Técnica de rozamiento genital. ⇨ Distracción cognitiva. ⇨ Técnica del bloqueo dactilar. ⇨ Técnica de aclimatación a la cópula. ⇨ Técnica de control del músculo pubococcígeo (PC). ⇨ Técnica de la contención vaginal. ⇨ Entrenamiento en rehabilitación del suelo pélvico por estimulación eléctrica.

Psicológicos	**TERAPIA PSICOLÓGICA**
	⇨ Técnicas de relajación.
	⇨ Terapia informativa (educación sexual: libroterapia, videoterapia…).
	⇨ Terapia de pareja.
	⇨ Técnicas de autocontrol emocional.
	⇨ Técnicas cognitivo-conductuales:
	   • Reevaluación y reinterpretación de pensamientos y sentimientos asociados a la DE.
	   • Aprendizaje de identificación de: distorsiones cognitivas/distracciones cognitivas.
	   • Entrenamiento en habilidades amatorias.
	   • Entrenamiento en asertividad.
	   • Técnicas de prevención de la recaída: disminución de la misma/garantizar los avances logrados.
	⇨ Psicoterapia:
	   • Conflictos profundos.
	   • Temor a la pérdida afectiva.
	   • Traumas eróticos infantiles.

Médicos	**TERAPIA MÉDICA** Suspensión o modificación de medicación, que entre sus efectos secundarios tiene el de producir DE. Farmacológicos: ⇨ IPDE-5: sildenafilo/tadalafilo/vardenafilo. ⇨ Intracavernosos: PGE1-prostaglandina. Cirugía: ⇨ Prótesis de pene. ⇨ Tratamiento por ondas de choque.

2. RECURSOS SEXOLÓGICOS

Muchas de las técnicas son juegos tácticos (juegos porque llevan un contenido de entretenimiento y despreocupación, y tácticos porque sirven a una estrategia).

Técnica de prohibición del coito

La prohibición de la penetración es una estrategia descubierta por Masters y Johnson, la primera y una de las más importantes de las que aportaron. Va a acompañar durante buena parte de la terapia a las otras estrategias. Es decir, sobre la base de la prohibición de la cópula, y compartiendo estrategia con ella, se van añadiendo los diversos juegos tácticos que convivirán en armoniosa complicidad durante buena parte del recorrido terapéutico. Es una estrategia que a los profanos podría parecerles irrelevante e incluso difícil de entender, pero que libera a los pacientes de la obligación de «cumplir» con la penetración, siendo el principio del camino que les va a ayudar a disminuir la ansiedad ejecutoria del encuentro erótico. El hecho de prohibir la penetración vaginal posibilita que la pareja, sobre todo el hombre, se olvide de «tener que cumplir» y le permite a este olvidar su obsesión por satisfacer a su pareja y concentrarse en otras zonas eróticas susceptibles de ser utilizadas por él eróticamente.

Técnica de focalización sensorial

La focalización sensorial es un juego de caricias sin un objetivo sexual previo. Una forma de estar en intimidad corporal sin buscar la excitación sexual previamente ni pretender que sea un preámbulo coital (el juego va acompañado de la prohibición de realizar la penetración). Digamos que es una técnica (también se puede considerar una estrategia) que tiene dos partes (focalización sensorial I y focalización sensorial II). En las dos está prohibida la penetración. La única diferencia entre ellas estriba en que en la I está prohibido también acariciar genitales y pechos, mientras que en la II sí está permitido.

Normalmente se aconseja que el juego lo empiece cualquiera de los dos miembros de la pareja y que en las posteriores repeticiones vayan alternando el orden de comienzo.

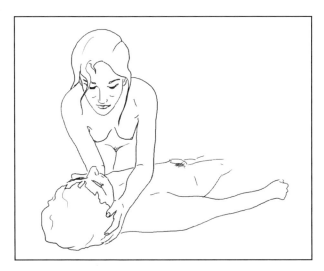

Figura 8.1. *La focalización sensorial está diseñada para posibilitar el goce de una sensualidad relajada donde la caricia sea un fin y no un medio para la excitación.*

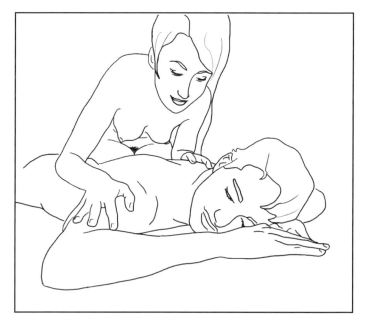

Figura 8.2. *La focalización sensorial tiene entre otros objetivos: aprender a pedir caricias, intercambiar roles sexuales, olvidarse del rendimiento sexual, actuar sin ansiedad, disfrutar del aquí y ahora y enseñar a dar placer pero también a saber recibirlo. Aprender, en suma, a concebir la sexualidad como un juego, nunca como una obligación a cumplir o un rendimiento sexual a producir.*

LUGAR Y PREPARACIÓN DEL ENCUENTRO

La ansiedad es clave en muchos problemas sexuales, uno de ellos la DE. Para intentar paliarla, uno de los recursos domésticos más asequibles consiste en preparar y elegir adecuadamente el lugar de los encuentros sexuales donde se va a realizar la focalización sensorial. Sea dormitorio, salón u otra habitación, la clave es que sea un lugar cómodo, tranquilo, confortable y silencioso. La pareja puede contribuir a hacerlo más atractivo añadiendo velas, fragancias, música agradable u otros elementos que favorezcan un encuentro sexual y permitan que la pareja esté distendida y receptiva para disfrutar con la caricia por la caricia; es decir, conseguir que un juego sensual no esté asociado a la penetración coital.

Técnica de focalización sensorial: beneficios que puede aportaros

El juego de focalización sensorial es una de las técnicas troncales de la terapia sexual dado el gran abanico terapéutico de posibilidades de mejora que ofrece. Por ejemplo:

⇨ Posibilita que gocéis de una sensualidad relajada donde la caricia sea un fin y no un medio para la excitación.

⇨ Os propone tener un contacto erótico mutuo carente de exigencias sexuales renditivas.

⇨ Os sugiere centraros fundamentalmente no en las excitaciones sino en las sensaciones.

⇨ Promueve buscar el deseo como base de cualquier forma de emoción.

⇨ Permite jugar en el mejor y más amplio sentido lúdico del término.

⇨ Supone descubrir el tacto en su amplia variedad de tipos y formas de caricias.

⇨ Facilita aprender a pedir placer.

⇨ Rompe el círculo ansiógeno de rendimiento sexual.

⇨ Os aconseja disfrutar eróticamente del aquí y ahora.

⇨ Os va a ayudar a responsabilizaros del propio placer.

⇨ Os ayuda a exploraros eróticamente.

⇨ Posibilita que os abandonéis durante el juego erótico.

⇨ Permite que os deis permiso para gozar.

⇨ Permite que os conozcáis mejor eróticamente.

⇨ Facilita perderse en un ritmo de tiempo erótico más amplio y distendido.

⇨ Permite que utilicéis el juego para mejorar la comunicación erótica entre vosotros.

⇨ Ayuda a que descubráis el tacto en su amplísimo abanico (todo tipo y forma de caricias).

⇨ Pretende ayudaros a desgenitalizar la relación erótica.

⇨ Contribuye a que os exploréis eróticamente, facilitando el reconocimiento de la mutua «topografía» de los cuerpos.

⇨ Pretende ayudaros a superar posibles ideas erróneas asociadas a la excitación que tengáis (como, por ejemplo, pensar que la excitación solo tiene desahogo o salida con la penetración).

⇨ Facilita que alternéis los roles sexuales.

⇨ Promueve que tengáis encuentros relajados que os induzcan a exploraciones nuevas con sus consiguientes hallazgos.

Técnica de perder y ganar la erección

Durante la estrategia de focalización sensorial II sí se permite acariciar los genitales, pero aun así su esencia terapéutica estriba en que la pareja siga con la misma actitud que tiene la focalización sensorial I: que la caricia sea el centro de la actitud erótica y que no se obsesionen con los genitales. Cuando se han realizado varias sesiones exitosas de focalización sensorial II, se pueden repetir varias más, pero en este caso utilizando dentro del desarrollo de la focalización sensorial II una técnica llamada «técnica de ganar y perder erección», también conocida como «aumento y disminución del estímulo sexual» y que consiste en conseguir que el varón obtenga una erección intensa con caricias de la mujer suaves y sensuales en su pene, para una vez lograda, dejar de estimular el pene y permitir que se pierda la erección. Este procedimiento o técnica debe repetirse varias veces en cada sesión de focalización sensorial II.

Técnica de distracción cognitiva

El objetivo es evitar que el varón se obsesione con la ansiedad de rendimiento coital «distrayéndose» con fantasías sexuales o pensamientos positivos.

Técnica de penetración sin movimientos (o contención vaginal sin movimiento)

El objetivo es que el varón vaya cogiendo confianza en la penetración vaginal pero sin realizar todavía movimientos coitales. Se pretende que el hombre se sienta seguro con el pene dentro de la vagina a través de la realización de un ejercicio compartido. Se trata de que la mujer guíe con sus manos el pene del varón introduciéndoselo en su vagina. Una vez producida la penetración vaginal, la pareja debe permanecer inmóvil y concentrada en las sensaciones placenteras que experimentan. El hombre no puede realizar movimientos intravaginales (solo si viera que decae o pierde su erección, tendría permiso para realizar apenas unos pequeños movimientos ligeros para intentar no perderla).

La mujer debe contraer los músculos de su vagina para complementar la excitación sexual del varón. La chica también puede utilizar palabras eróticas o vocablos que puedan contribuir a la excitación sexual del hombre. El varón puede recurrir a fantasías eróticas para mantener la erección.

Técnica del cartero

Lleva tal nombre en referencia a la famosa escena erótica de la película *El cartero siempre llama dos veces* (1981), en la que el personaje encarnado por Jack Nicholson y su amante, interpretada por Jessica Lange, realizaban el acto sexual sobre una mesa de cocina (en ausencia, obviamente, del marido de ella). La escena es mítica entre los amantes del cine por el erotismo explosivo que desprende. La posición física de la técnica recuerda a la posición de tales amantes sobre la mesa. Se trata de que el paciente se autoestimule hasta alcanzar la erección mientras ella se encuentra en decúbito supino al borde de una superficie alta, como una mesa o la cama, mientras él se apoya con las rodillas en el suelo o sobre un cojín almohada.

FOCALIZACIÓN SENSORIAL VERSUS PLACEREADO

El término focalización sensorial *(sensate focus)* fue inventado por los sexólogos Masters & Johnson (1970), y el de placereado *(pleasuring),* por la sexóloga Helen S. Kaplan. Ambas estrategias designan un formato de mejora en la erótica de la pareja alejado de la obsesión por la penetración coital.

EL SUELO PÉLVICO Y LA TÉCNICA DE CONTROL DEL MÚSCULO PUBOCOCCÍGEO (EJERCICIOS DE KEGEL)

El suelo pélvico (también conocido como periné o perineo) es el conjunto de músculos y tejidos conjuntivos en forma de rombo que se encuentran entre el pubis y el coxis, alrededor de los genitales y el ano. La técnica propone tonificar los músculos del periné, dado que se sabe que su acondicionamiento ayuda en el fortalecimiento de la erección (además de en el control urinario y eyaculatorio).

Técnica de control del músculo pubococcígeo (PC), también llamada «ejercicios de Kegel»

El entrenamiento del músculo pubococcígeo (PC) es una variación de la técnica propuesta por el médico Arnold Kegel en 1948 (y recomendada por Masters & Johnson en 1966) para el tratamiento de la incontinencia urinaria en mujeres, pero aplicada en este caso al varón.

Se trata de conseguir identificar (en primer lugar) y manejar (en segundo lugar) el conjunto de músculos que forman lo que se denomina músculo pubococcígeo y que básicamente suelen ser el bulbocavernoso y el isquiocavernoso.

Varios autores como Henriksen (1962), LaPera y Nicastro (1966) y Ferguson et al. (1990) confirmaron que el acto de iniciar e interrumpir el flujo urinario durante la micción era muy efectivo para el tratamiento de la incontinencia urinaria y de la eyaculación rápida y para el fortalecimiento de la zona perineal, zona relevante en la obtención de la erección.

De hecho, se sabe que fortaleciendo la musculatura perineal se incrementa la capacidad de erección. Es efectivo cuando el hombre aprende a relajar totalmente el músculo PC antes de la penetración y cuando se utiliza en conjunción con otras técnicas cognitivas y conductuales. Esta técnica se alimenta del efecto inhibitorio natural de relajación de los músculos que están involucrados en la eyaculación. Es una técnica que también favorece el control eyaculatorio al mismo tiempo que monitoriza el nivel de relajación física.

Los ejercicios de Kegel deben ser hechos con la vejiga vacía y siguiendo un proceso progresivo en varios días, para finalmente estabilizarse. Van encaminados a tonificar la musculatura puboccígea, hacernos más conscientes de ella y aumentar la consciencia de la propia respuesta sexual.

El ejercicio fundamental para el control de los músculos pubococcígeos consiste básicamente en contraer el ano para retrasar el reflejo eyaculatorio.

El proceso de realización puede seguir este formato:

TÉCNICA DE CONTROL DEL MÚSCULO PUBOCOCCÍGEO (EJERCICIOS DE KEGEL)

1.ª semana

Ejercicios:

a) Se empieza el primer día recurriendo a la micción para detectar los músculos: según se orina, se contrae el ano para identificarlos.
b) Una vez detectados y con la vejiga vacía, se contraen durante diez segundos/cada vez, unas diez veces seguidas. Se realiza este ejercicio unas 12 veces el primer día.
c) Y así durante todos los días de la semana, haciéndolos coincidir con la visita al baño para no olvidarse.

Objetivos:

a) Aprender a localizar los músculos PC.
b) Favorecer sensaciones de los músculos PC.

2.ª semana

Ejercicios:

a) La semana siguiente se realizan los mismos ejercicios de la primera, pero en este caso sin coincidir con la micción.
b) Se deberá tensar y relajar diez veces durante menos de un minuto, al menos seis veces al día.
c) Se hará el mismo ejercicio pero asociado a fantasías eróticas otras seis veces al día.

Objetivos:

a) Fortalecer los músculos PC.
b) Simular movimientos orgásmicos.
c) Fomentar la asociación de fantasías con movimientos musculares como maniobra de distracción frente a la ansiedad generada por el círculo de rendimiento coital.

3.ª semana

Ejercicios:

a) A lo largo de la 3.ª semana se seguirá profundizando en el ejercicio de contracciones pero aumentando progresivamente la frecuencia de las veces que se realice el ejercicio al día (de cinco veces por día a 50 veces) y el número de ellas por minuto (se empezará por diez y se terminará la semana con 50 o 60 por minuto).

Objetivos:

a) Fortalecer la musculatura perineal para mejorar la capacidad erectiva. Se puede utilizar también para mejorar el control eyaculatorio.
b) También se sabe que ayuda a mejorar en la mujer la incontinencia urinaria y el prolapso vaginal.

3. RECURSOS PSICOLÓGICOS

Técnicas de relajación

Sabemos que un buen funcionamiento erótico del varón depende, entre otros factores, de su estado de relajación fisiológica. Por ello, es conveniente que el hombre aprenda a manejar su ansiedad, la que acompaña al desempeño erótico y que suele estar alimentada, como ya se ha mencionado varias veces, por los diversos roles que integran el círculo ansiógeno de rendimiento amatorio (rol de rendimiento, rol de autoobservación, rol de anticipación del fracaso).

Personalmente suelo utilizar la técnica de relajación de Jacobson. También se sabe que van bien el entrenamiento autógeno de Schultz y el mismo yoga.

TÉCNICA DE RELAJACIÓN PROGRESIVA DE JACOBSON

Origen y autor

Edmund Jacobson, médico estadounidense, creó en 1920 una técnica de relajación que ha pasado a la historia con su nombre.

Base conceptual

Jacobson argumentaba que ya que la tensión muscular suele acompañar a la ansiedad, se puede reducir esta aprendiendo a relajar aquella. Se trata por tanto de aprender a relajar progresivamente toda una serie de músculos del cuerpo para así favorecer que también progresivamente vaya desapareciendo nuestra ansiedad. La relajación progresiva es una técnica de carácter fisiológico orientada hacia el reposo. Se trata de ir tensando primero y destensando seguidamente diversos grupos musculares de nuestro cuerpo para así posibilitar un progresivo abandono fisiológico primero y mental posterior. El entrenamiento en relajación progresiva de Jacobson favorece una relajación profunda sin apenas esfuerzo permitiendo establecer un control voluntario de la tensión-distensión que llega más allá del logro de la relajación en un momento dado.

Es un método que permite reconocer la unión íntima entre tensión muscular y estado mental tenso u ansioso, demostrando claramente que liberando la tensión muscular desaparece la ansiedad. Permite ir alcanzando estados de dominio y relajación de forma gradual, aunque continua.

(Preparación previa)

Se debe estar sentado en una silla cómoda o sofá (mejor que tengan apoyabrazos). También se puede practicar acostado sobre una cama. Mantener los ojos cerrados durante la relajación para ayudar a concentrarse. Que haya silencio en la habitación o lugar donde se realice. Ponerse cómodo (ropa no apretada, zapatos sueltos o descalzos). Disponer de 15 o 20 minutos, por lo menos. La técnica consiste en ir contrayendo y soltando diversos músculos y partes del cuerpo. Durante la contracción de cada parte del cuerpo el paciente debe concentrarse exclusivamente en ella y olvidarse en ese momento del resto del cuerpo.

Desarrollo de la aplicación

Se empieza relajando el área de las articulaciones superiores (manos y brazos)

Manos

Se comienza apretando la mano izquierda, contrayendo los dedos (como si se quisiera apretar con fuerza algo que se tiene dentro de la mano). Hacerlo durante 20 a 30 segundos aproximadamente, poniendo la tención exclusivamente en esta contracción o tensión que se está realizando (olvidarse del resto del cuerpo). Pasado este tiempo, dejar de apretar los dedos, abrir la mano, extender los dedos y dejar la mano abierta reposando sobre el apoyabrazos. Seguidamente se hace exactamente lo mismo con la otra mano, la derecha, apretándola durante otros 20 a 30 segundos, concentrándose exclusivamente en esta parte del cuerpo, para posteriormente abrirla y dejarla reposando en su correspondiente apoyabrazos.

Se puede empezar por la mano izquierda o por la derecha (el orden no tiene importancia).

Si la silla no dispusiera de apoyabrazos, cuando se abran las manos se pueden dejar reposando sobre los muslos.

Brazos

Empezar con el brazo izquierdo: apretar el bíceps (cómo si se hiciera bola) durante 20 segundos. Notar la fuerte tensión que se genera en el citado músculo. Mientras se contrae el bíceps, olvidarse del resto del cuerpo. Soltar el bíceps y dejar reposar el brazo sobre el apoyabrazos. Repetir el mismo proceso (exactamente igual) con el otro brazo.

Ojos

Apretar los párpados durante 20 segundos. Soltarlos y dejarlos distendidos y relajados (pero seguir con los ojos cerrados).

Boca

Apretar las dientes (parte superior contra parte inferior) durante 20 segundos notando la tensión. Soltar la mordida y dejar relajados los dientes.

Labios

Apretar el labio superior contra el inferior durante 20 segundos notando la tensión. Seguidamente, soltarlos y dejarlos relajados.

Lengua

Apretar la punta de la lengua contra la parte alta del paladar durante 20 segundos y seguidamente... dejar de hacerlo y permitir que la lengua vuelva a su estado natural.

Hombros

Levantar los dos hombros hacia arriba durante 20 segundos. Pasado este tiempo, dejarlos recuperar su posición normal y olvidarlos.

Tórax

Inhalar aire por la nariz llenando los pulmones y no respirar durante 20 segundos. Pasado este tiempo, expulsar el aire por la boca. Repetirlo seis veces. Al final volver a respirar normalmente concentrándose en la respiración (cómo entra el aire, cómo sale…) y olvidarse de todo lo demás.

Tripa

Apretar la tripa hacia dentro durante 20 segundos. Seguidamente, soltarla y observar cómo se relaja.

Muslos

Levantar la pierna izquierda y ponerla en posición horizontal. Una vez hecho esto, apretar el muslo durante 20 segundos. Después soltarla y relajarla, dejándola caer suavemente a su posición inicial. Repetir el mismo ejercicio con la pierna derecha.

Contar lentamente hasta 20.

Empezar a contar lentamente hasta 20 (uno, dos, tres…). Según se va contando, relajarse un poco más cada vez, abandonándose a las sensaciones placenteras que procura este estado.

Paisaje

Finalmente, imaginar que se está en un lugar que al paciente le encante o guste, sea porque ya lo conoce o porque le gustaría estar allí. Que el lugar lo elija el paciente a su gusto pero que sea distendido, bello para él, placentero, que le relaje y guste. Durante 10 minutos debe imaginar que está en ese lugar (solo o acompañado, como prefiera).

Una vez pasados los 10 minutos, el paciente debe volver al estado normal, olvidarse del paisaje, abandonarlo y promover que su mente vuelva a la realidad, al lugar en el que está haciendo la relajación (su casa, la oficina, la consulta…). Para ello debe empezar por mover los dedos, estirar las manos, sacudir los brazos lentamente, abrir los ojos despacio, desentumecer el cuerpo y seguir permitiendo que este, poco a poco, vuelva a su estado normal y su mente asuma la realidad del lugar en el que esté.

La relajación ha terminado.

Terapia informativa

Muchos de los problemas de la pareja suelen tener una base educativa y, a veces, simplemente informativa. Es decir, la pareja está mal informada sobre alguna cuestión básica e inducida por ello a funcionar inadecuadamente. La mejor forma de comenzar la terapia sexual es comprobando el nivel de información y educación sexual del varón y su pareja. A pesar de que estamos en el año 2017, a los que trabajamos en sexología no deja de sorprendernos el desconocimiento que sobre aspectos básicos de las relaciones entre los sexos se sigue teniendo.

Es conveniente como norma dedicar una sesión clínica a cubrir las posibles lagunas informativas del consultante y su pareja.

Técnicas para mejorar la autoestima

En el tema de la disfunción eréctil es fundamental reforzar la autoestima del varón (fundamentalmente) y de su pareja. Es la mejor forma de conseguir un cambio positivo de actitud hacia el encuentro amatorio. Conseguir que se sienta capaz de manejar su erección. Para ello utilizaremos las diversas técnicas que favorecen el aumento de la autoestima del cliente:

⇨ Entrenamiento en asertividad.
⇨ Inteligencia emocional.
⇨ Técnica del espejo.
⇨ Retroalimentación positiva.
⇨ Análisis compartido de la imagen.
⇨ Hábitos y manejo de la conducta eficaz.

Técnicas en habilidades de comunicación para aumentar el entendimiento en la pareja

Todos los especialistas sabemos que una buena comunicación de pareja favorece una buena relación erótica. En muchos casos de DE no es infrecuente que haya déficits de comunicación entre los miembros de la pareja.

Para favorecer la buena comunicación recurriremos a las múltiples técnicas que optimizan un buen entendimiento entre los miembros de la pareja. Para ello trabajaremos en diversos campos, como:

1. Entrenamiento en compartir fantasías.
2. Planificación de expectativas.
3. Toma de decisiones compartidas.
4. Focalización sensorial.

Técnica de desensibilización sistemática

Merece especial mención la técnica de desensibilización sistemática (ideada por Joseph Wolpe en 1958), recurso terapéutico basado en principios conductistas y en particular en el contracondicionamiento y que si bien está indicado para el tratamiento de fobias, ha demostrado también su eficacia en el tratamiento de la DE al conseguir promover una disminución ansiógena en el manejo que el paciente realiza de su erección. La desensibilización sistemática parte de la idea, como ya se cono-

207

ce, de que la exposición por parte del paciente al estímulo temido da como resultado la extinción o disminución de la ansiedad que este le produce por efecto de habituación a la misma.

Recordemos los pasos necesarios para su aplicación:

1.º Adiestramiento en relajación muscular profunda.

Se adiestra al paciente en una de las múltiples técnicas de relajación existentes. La técnica en relajación de Jacobson ya descrita anteriormente es una de las más eficaces y sencilla de aplicar. El objetivo es entrenarle en el manejo de una respuesta antagónica a la ansiedad que le generan los diversos estímulos, en este caso eróticos (besar, acariciar, penetrar…). El aprendizaje de una técnica de relajación le va a permitir al paciente disponer de un recurso antagónico a la ansiedad.

2.º Establecer una escala cuantitativa que permita al terapeuta valorar el nivel de ansiedad subjetiva del paciente ante una serie de estímulos.

Una manera sencilla pero práctica de valorar el nivel de ansiedad que le generan una serie de estímulos eróticos al paciente es indicarle que 10 es el nivel máximo con que valoraremos el estímulo más ansiógeno para él y 0 corresponderá a aquel que no suponga elemento ansiógeno alguno. A partir de aquí, el experto, con ayuda del paciente, hará una escala aproximada de la ansiedad que cada estímulo supone para este.

3.º Construcción de una jerarquía de estímulos que sean ansiógenos para el paciente y que siga un orden de menor a mayor ansiedad.

El terapeuta prepara previamente una lista de ítems o imágenes ansiógenas relativas a la DE y ordenada de menor a mayor. Un ejemplo práctico de diseño de dicha jerarquía, en tal orden de menor a mayor, podría ser este:

⇨ Acercarse al piso o lugar donde van a tener lugar los encuentros eróticos.
⇨ Entrar por la puerta.
⇨ Sentarse en el sofá.
⇨ Empezar a desnudarse.
⇨ Comenzar a acariciarse.
⇨ Besarse.
⇨ Acariciar diversas partes eróticas del cuerpo.
⇨ Buscar el preservativo.
⇨ Pensar en la penetración.
⇨ Acariciar pene/vagina.
⇨ Introducir el pene en la vagina.

(Este último paso se puede subdividir a su vez también en diversos pasos o posturas sexuales en función de qué posiciones coitales le generan al paciente, al imaginarlas, una menor o mayor ansiedad).

4.º Contraposición de la relajación a los estímulos provocadores de la ansiedad.

Este paso es la aplicación práctica y directa de la técnica de desensibilización sistemática. Debemos exponer al paciente (previa relajación) a los estímulos eróticos que le alteran.

El proceso será:

1. Relajar previamente al paciente (técnica de Jacobson).
2. Se le ordena que imagine progresivamente diversos estímulos eróticos de la lista que hemos diseñado juntos previamente. Cuando el paciente no sea capaz de imaginar un determinado estímulo erótico por la ansiedad que todavía le genera hacerlo, deberá indicárnoslo para trabajar con él un estímulo menos ansioso y abordar en otra sesión posterior abordar el más problemático.
3. Obviamente se requieren varias sesiones y se debe empezar por los estímulos más suaves, los que menos dificultad ansiógena implican para el paciente, para ir avanzando progresivamente y a lo largo de varias sesiones con toda la lista establecida. Lógicamente, al final de la lista estará la penetración vaginal en sus diversas posturas.

Técnicas cognitivo-conductuales

Como ya se conoce, la terapia cognitivo-conductual es un conjunto de estrategias, técnicas y recursos para el tratamiento de diversos problemas psicológicos.

La terapia cognitiva parte del axioma principal de que las personas sufren no por los hechos en sí, sino por la interpretación que hacen de ellos. Su objetivo terapéutico será por tanto hacer ver al paciente las ideas erróneas o desacertadas que tienen de un hecho o de sí mismos para, cambiando tal visión, conseguir mejorar su autoestima y la consideración del problema.

Por su parte, la terapia conductista parte del axioma de que la conducta depende del medio y puede cambiarse. Su objetivo terapéutico es fomentar un cambio en el comportamiento partiendo de una serie de recursos empíricos.

Si bien ambas terapias parten de axiomas diferentes (la terapia cognitiva cree en la mente como origen y motor del cambio, mientras que la conductual parte de que la conducta no depende de la mente sino del medio), las dos coexisten complementándose en un abordaje de los problemas desde una perspectiva más global al incluir aspectos cognitivos (ideas), afectivos (emocionales) y conductuales (conducta real o comportamiento evidente).

En esta línea ofrece técnicas y recursos que pueden prestar servicio para cambiar comportamientos y pensamientos inadecuados sobre la DE en pacientes afectados por tal problemática erótica y trabajar aspectos como la timidez en las relaciones afectivo-sexuales o el incremento de la autoestima sexual.

Algunas técnicas cognitivo-conductuales:

⇨ Aprendizaje de identificación de distorsiones cognitivas/distracciones cognitivas.
⇨ Entrenamiento en habilidades amatorias.
⇨ Entrenamiento en asertividad.
⇨ Técnicas de prevención de la recaída: disminución de esta/garantizar los avances logrados.

4. RECURSOS MÉDICOS

1. Fármacos inhibidores de la fosfodiesterasa 5 (IPDE-5): sildenafilo, tadalafilo, vardenafilo.
2. Fármacos intracavernosos (2.º nivel de tratamiento de la DE). PGE1 (prostaglandina).
3. Cirugía: vascular y protésica (prótesis de pene). La prótesis que se acompaña de depósito y bomba insufladora permite pasar de erección a flacidez; la que no tiene depósito mantiene la erección permanente.
4. Tratamiento con ondas de choque.

Voy a analizarlos.

1. Fármacos inhibidores de la fosfodiesterasa 5 (IPDE-5)

El descubrimiento de los fármacos IPDE-5 (el Viagra fue el primero) supuso una gran revolución. La utilización de los IPDE-5 es la primera opción en el tratamiento de los problemas sexuales de causa orgánica. Los fármacos IPDE-5 son básicamente tres: sildenafilo, tadalafilo y vardenafilo.

a) Fármaco: sildenafilo

Aparición en el mercado: 1998.
Nombre comercial: Viagra.

Desarrollado por laboratorios Pfizer y patentado en 1996, fue el primer medicamento para el tratamiento de la DE autorizado para su comercialización en Estados Unidos, el 27 de marzo de 1998.

Es una importante y segura herramienta terapéutica para el tratamiento de la DE con independencia de la etiología.

Mejora: entre el 70 % y el 90 %.

Comienzo efectos: entre 25 y 60 minutos tras la toma del fármaco.

Vida media: de cuatro a cinco horas, pero su eficacia puede durar hasta las 12 horas después de su administración. Se recomienda tomar sildenafilo una hora antes de comenzar la actividad sexual. Resulta más eficaz tomada con el estómago vacío y evitando comidas muy ricas en grasa. El alcohol no interfiere en su acción.

Dosis disponibles. 25, 50 y 100 miligramos.

La mayoría de los pacientes prefieren la eficacia de la dosis de 100 mg (incluso con DE leve o leve-moderada). Por eso es recomendable comenzar por dicha dosis.

Efectos adversos poco relevantes. Solo un 2,6 % abandona el tratamiento por tal motivo.

b) Fármaco: tadalafilo

Aparición en el mercado: 2003.

Nombre comercial: Cialis.

Desarrollado por la compañía ICOS y comercializado por Lilly and Company, el tadalafilo (Cialis) fue aprobado en Estados Unidos para el tratamiento de DE en 2003. Fue el tercer medicamento aprobado para el tratamiento de esta afección.

Vida media: 17,5 horas, pero puede ser eficaz hasta 36 horas después de su administración.

La ingesta de alimentos y de alcohol no interfiere en sus efectos.

Su larga vida permite distintas vías de administración:

⇨ A demanda (lo elige un 57,8 % de los pacientes), es decir, tomarlo antes de iniciar la relación sexual.

⇨ Tres veces/semana (lo eligen un 42,2 %).

⇨ A diario: 5 mg/día. Esta modalidad permite su combinación con la terapia sexual a nivel clínico, ya que se elimina la autoobsevación. La dosis diaria es también ventajosa para los pacientes con alta frecuencia sexual.

⇨ A diario: 5 mg/día, durante un mes: cuando hay alguna causa física.

⇨ Fin de semana: 5 mg si no hay causa física; por ejemplo, a gente joven.

Muchos la llaman la «píldora del fin de semana» por la duración de sus efectos (36 horas).

c) Fármaco: vardenafilo

Aparición en el mercado: 2003.

Nombre comercial: Levitra.

Fue la segunda droga aprobada en Norteamérica para el tratamiento de la disfunción eréctil. La primera marca comercial de vardenafilo fue Levitra, desarrollada por Bayer.

⇨ Disponible en dosis de 5, 10 y 20 mg.
⇨ Efectivo a partir de 30 a 60 minutos.
⇨ Puede perjudicarle una comida excesiva en grasas.
⇨ Vida media: cuatro a cinco horas.
⇨ Eficacia: entre el 66 % y el 80 %.

Contraindicaciones:

Las contraindicaciones son muy parecidas en los tres:

⇨ Insuficiencia hepática grave.
⇨ Hipotensión arterial (< 90/50 mm Hg).
⇨ Historia reciente de ACV (accidente cerebrovascular) o IAM (infarto agudo de miocardio).
⇨ Pacientes con disfunciones cardiovasculares graves (angina inestable o insuficiencia cardíaca descompensada).
⇨ Pacientes en tratamiento con nitratos o donadores de óxido nítrico (contraindicación absoluta).
⇨ Pacientes con disminución primaria del deseo.
⇨ Pacientes con trastornos hereditarios degenerativos de la retina.

Efectos secundarios

Aunque se trata de fármacos muy seguros, en algunos pacientes se pueden presentar efectos adversos como:

⇨ Cefalea.
⇨ Congestión nasal.
⇨ Molestias gástricas.
⇨ Rubefacción facial.

FÁRMACOS GENÉRICOS

Un fármaco genérico es aquel que, teniendo la misma composición que el original, es más barato. Normalmente suele costar la mitad aproximadamente. Se suelen distinguir porque llevan en la caja el distintivo EFG.

Que un fármaco tenga la misma eficacia que el original pero cueste la mitad es, hay que reconocerlo, sumamente interesante.

Digamos que se trata de un medicamenta con las mismas características farmacocinéticas, farmacodinámicas y terapéuticas que el original, cuya patente ha caducado.

Características de los iPDE-5 (inhibidores de la fosfodiesterasa 5) disponibles en España

FÁRMACO	SILDENAFILO (VIAGRA)	AVANAFILO (SPEDRA)	TADALAFILO (CIALIS)	TADALAFILO DIARIO (CIALIS)	VARDENAFILO (LEVITRA)	VARDENAFILO BUCODISPENSABLE (LEVITRA)
COMIENZO EFECTOS	Entre 25 a 60 minutos tras la toma del fármaco.	A los 30 minutos de la toma.	Entre 30 y 60 minutos de la toma.	Se toma el fármaco una vez al día, todos los días.	Efectivo a partir de 25 a 60 minutos de la toma.	Entre 25-60 minutos de la toma.
DURACIÓN EFECTOS	4 a 5 horas. Aunque puede llegar hasta 12 horas tras la administración.		Eficacia de 17,5 horas, pero puede llegar hasta las 36 horas desde su administración.	Continuo.	4 a 5 horas de duración de sus efectos.	4-5 horas.
DOSIS (oral) EXISTENTES (en mg)	25, 50 y 200 miligramos.	50, 100, 20 miligramos.	10, 20 miligramos.	5 miligramos	5, 10 y 20 miligramos.	10 miligramos.
Cantidad máxima	30-120 mg. Mediana: 60 g.	30-45.	120.	120 mg (el estado estacionario se alcanza a los 5 días).	30-120.	30-120.
VIDA MEDIA	3-5 horas.	6-17 horas (en Europa). 5 horas (en Estados Unidos).	17,5 horas.	17,5 horas.	4-5 horas.	4-5 horas.
INTERACCIÓN CON ALIMENTOS RICOS EN GRASAS	SÍ.	SÍ.	NO.	NO.	SÍ.	NO.
INTERACCIÓN CON ALCOHOL	NO.	SÍ.	NO.	NO.	NO.	NO.
EXCRECIÓN	Heces: 80 %. Orina: 13 %.		Heces: 61 %. Orina: 36 %.	Heces: 61 %. Orina: 36 %.	Heces: 91-95 %. Orina: 2-6 %.	Heces: 91-95 %. Orina: 2-6 %.

FUENTE: *Revista Internacional de Andrología* (ASESA).

CITAX (TADALAFILO) (Laboratorio Kern Pharma)	
COMIENZO EFECTOS	30 minutos.
DURACIÓN EFECTOS	36 horas.
DOSIS EXISTENTES	5 mg, 10 mg, 20 mg.
DOSIS RECOMENDADAS	⇨ 10 mg una vez al día. ⇨ En pacientes a los que no les produjera el efecto deseado: 20 mg una vez al día. ⇨ En pacientes que prevean un uso frecuente de tadalafilo (dos veces por semana, por lo menos), dosis recomendada: 5 mg una vez al día (aprox. a la misma hora).
FRECUENCIA MÁXIMA DE DOSIFICACIÓN	Un comprimido una vez al día.
CONCENTRACIÓN PLASMÁTICA MÁXIMA MEDIA	2 horas.
VIDA MEDIA	17,5 horas.
INTERACCIÓN CON ALIMENTOS RICOS EN GRASAS	No.
POSIBILIDAD DE TOMA	Se puede tomar a demanda y de continuo.
ESTÍMULO SEXUAL	Utilización siempre ante estímulo sexual.
OTRAS UTILIDADES	Tratamiento de los signos y síntomas de la hiperplasia benigna de próstata (HBP): en dosis diaria de 5 mg una vez al día (la dosis de 2,5 mg no ha demostrado eficacia).

CITAX (TADALAFILO) (Laboratorio Kern Pharma)	
COMIENZO EFECTOS	30 minutos.
DURACIÓN EFECTOS	36 horas.
DOSIS EXISTENTES	5 mg, 10 mg, 20 mg.
DOSIS RECOMENDADAS	⇨ 10 mg/una vez al día. ⇨ En pacientes a los que no les produjera el efecto deseado: 20 mg/una vez al día. ⇨ En pacientes que prevean un uso frecuente de tadalafilo (dos veces por semana, por lo menos), dosis recomendada: 5 mg una vez al día (aprox. a la misma hora).
FRECUENCIA MÁXIMA DE DOSIFICACIÓN	Un comprimido una vez al día.
CONCENTRACIÓN PLASMÁTICA MÁXIMA MEDIA	2 horas.
VIDA MEDIA	17,5 horas.
INTERACCIÓN CON ALIMENTOS RICOS EN GRASAS	No.
POSIBILIDAD DE TOMA	Se puede tomar a demanda y de continuo.
ESTÍMULO SEXUAL	Utilización siempre ante estímulo sexual.
OTRAS UTILIDADES	Tratamiento de los signos y síntomas de la hiperplasia benigna de próstata (HBP): en dosis diaria de 5 mg una vez al día (la dosis de 2,5 mg no ha demostrado eficacia).

VENTAJAS TERAPÉUTICAS DE LA UTILIZACIÓN DE LOS FÁRMACOS IPDE-5 DE MANERA CONTINUADA

Recientes estudios (Puigvert, Prieto y García, 2018) vienen a demostrar que el uso continuado (toma diaria) pero en dosis menores de fármacos IPDE-5 abre nuevas perspectivas para aquellos pacientes en los que el uso a demanda (administración puntual para cada encuentro sexual) había dado los resultados esperados, y todo ello en base a:

1. Incremento del guanosín monofosfato cíclico

Tales estudios sostienen que la utilización continuada de inhibidores de la fosfodiesterasa 5 (IPDE-5) contribuye a mejorar la función endotelial, independientemente de la existencia de factores de riesgo cardiovasculares, gracias al mantenimiento de una concentración alta de guanosín monofosfato cíclico (GMPc) (Fusco et al., 2010). La mejora se mantuvo incluso durante los seis meses siguientes al abandono del tratamiento.

2. Aumento de la oxigenación vascular del pene

Ello se debería a que un tratamiento continuado con tales fármacos podría modificar la fisiopatología de la DE. Por otro lado, al incrementarse las erecciones nocturnas y espontáneas durante el día, el uso continuado de los IPDE-5 contribuirían a aumentar la oxigenación del área vascular del pene, mejorando la funcionalidad endotelial y protegiendo la función de los cuerpos cavernosos (Montorsi et al., 2008).

3. Protección del músculo liso cavernoso del pene

Al mismo tiempo, al impedir que se degrade el guanosín monofosfato, los IPDE-5 harían un papel protector sobre el músculo liso cavernoso del pene (Ferrini et al., 2006).

4. Ventajas en prostatectomías y lesiones traumáticas del pene

Desde esta perspectiva, la utilización continuada de los IPDE-5 podría ayudar en problemas de erección tras lesiones traumáticas del pene, problemas vasculares o una prostatectomía radical (Padma-Nathan, 2005).

5. Favorecimiento de una mayor naturalidad sexual en la pareja

Al mismo tiempo se ha comprobado también que los fármacos tomados de manera continua favorecen una mayor naturalidad en las relaciones sexuales, posibilitando en la pareja una vivencia más espontánea de ellas. Ello se debe a que, al no tomarse a demanda sino de manera continuada a la misma hora del día, los pacientes y sus parejas no están pendientes del tiempo de espera para comprobar su efecto (Sontag, Ni, Althof y Rosen, 2014) ni tienen asociada en su mente (esto es la mejor ventaja psicológica) la pastilla con la erección; esto no ocurre cuando el IPDE-5 se toma a demanda, en cuyo caso el paciente asocia su erección claramente a la ingesta del fármaco.

2. Fármacos intracavernosos PGE1 (prostaglandina)

El segundo nivel de abordaje de la DE de causa orgánica sería el recurso a los fármacos intracavernosos, de los cuales la prostaglandina (PGE1) es el más utilizado. Son medicamentos llamados así porque funcionan inyectándose dentro de los cuerpos cavernosos del pene. Aunque el médico enseña inicialmente al paciente cómo se realiza, será el paciente quien deberá aprender a pincharse en el pene. En aquellos pacientes en los que no funcionan o están contraindicados los IPDE-5, los fármacos intracavernosos son la segunda opción médica.

Suele dar resultados beneficiosos, pero el nivel de abandonos por parte de los pacientes es alto, ya que muchos pacientes acaban cansándose del proceso y dejándolo. Lo abandonan en torno a un 40 % después de tres meses de tratamiento y un 70 a 80 % a los tres años (Cabello, 2010).

Utilización:

1. Hay un estudio publicado por Baum, Randrup y Junot en 2000 que refiere que un 69 % de los pacientes que recibieron prostaglandina a dosis bajas quedaron satisfechos, frente a un 75 % de los que recibieron terapia sexual.
2. En 1998 se comercializó un formato de prostaglandina PGE1 no inyectable (alprostadil) para introducirse a través de la uretra mediante un bastoncillo o aplicador (se comercializó con el nombre de Muse en Estados Unidos); se evitaba así el miedo de los pacientes a la inyección, pero tampoco ha llegado a tener gran éxito. En España no se autorizó hasta el año 2014.

3. Cirugía (vascular y protésica)

a) Vascular: va encaminada a restaurar la vascularización del pene, pero es poco utilizada, ya que salvo casos muy concretos no ha dado los resultados esperados.
b) Cirugía de prótesis.

La cirugía se debe consensuar con el paciente, ya que es el último paso posible para solucionar el problema de erección, la última opción de tratamiento cuando las demás alternativas han fallado. Pero no hay que olvidar que la colocación de una prótesis requiere una cirugía importante e irreversible. Es decir, la extirpación y retirada de los cuerpos cavernosos del pene y demás tejidos peneanos supone que ya no podrá volver a haber otra posibilidad de funcionamiento que la puramente mecánica (la prótesis de pene que se le coloque al paciente). Por ello,

217

es importante informar adecuadamente al paciente y a su pareja. En el capítulo dedicado al tratamiento de la DE para hombres con pareja explico más detalladamente el funcionamiento, los tipos y las ventajas y desventajas de los diversos tipos de prótesis de pene.

4. Otros tratamientos médicos: onda de choque

a) Utilización en traumatología. En general se puede decir que las ondas de choque son unas ondas de presión que se desplazan a través de un medio a la velocidad del sonido. En medicina se utilizan desde 1980 para la fragmentación de los cálculos renales y uretrales. Posteriormente se han desarrollado para múltiples usos médicos. A diferencia de las ondas que se usan para fragmentar los cálculos (que son de alta intensidad), las que se utilizan para la DE tienen menos potencia, ya que son de baja intensidad.

Se vienen utilizando sobre todo en traumatología, especialmente en fisioterapia y rehabilitación para múltiples procesos inflamatorios, como fascitis plantar o codo de tenista, en cuyos casos ayuda por sus efectos analgésicos y antiinflamatorios.

b) Utilización en andrología. En los últimos años se ha puesto «de moda» y extendido su uso también para el tratamiento de los casos de DE de origen vascular, partiendo de la idea de que contribuyen a revascularizar el pene al favorecer la afluencia de sangre

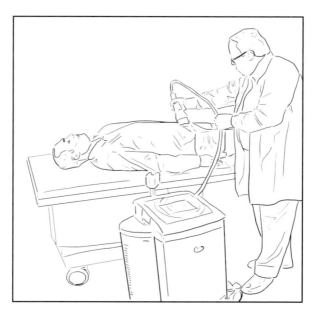

Figura 8.3. *Un médico aplica ondas de choque sobre el pene de un paciente.*

al miembro puesto que supuestamente genera en él nuevos vasos sanguíneos. Las ondas se administran sobre el mismo pene a través de un aplicador (un manguito que sale del aparato), no producen dolor, no requieren anestesia y se distribuyen en varias sesiones en diferentes días.

Si bien hay diversos centros médicos que defienden su utilización, hay que decir que hasta la fecha todavía no hay estudios fiables y consistentes que demuestren su verdadera eficacia en el tema de la DE de origen vascular ni especifiquen los tipos concretos de aparatos idóneos para su administración, ya que existen en el mercado diferentes marcas o modelos, todos con la misma función y parecido diseño pero fabricados por distintas firmas comerciales.

PARTE SEGUNDA

Tratamiento de la DE

9. TRATAMIENTO DE LA DE PARA HOMBRES CON PAREJA SEXUAL

INTRODUCCIÓN

Gracias a los avances que las diversas ramas de la ciencia han aportado al conocimiento de las dificultades sexuales, tenemos hoy en día unas opciones de tratamiento de la DE notoriamente eficaces.

Como ha quedado evidenciado a lo largo de este libro, la DE puede tener una causalidad de tres tipos: psicológica, orgánica y mixta, y, dependiendo de ello, condicionar un diferente abordaje en su tratamiento:

1. DE de origen psicológica: tratamiento con terapia sexual exclusivamente.
2. DE de origen y caracterología orgánicos: tratamiento solo con terapia farmacológica.
3. DE de origen y caracterología mixtos: tratamiento combinado con ambas terapias, la sexual y la farmacológica.

En este capítulo quedan reflejados los tres tipos de abordaje. También se pretende dejar evidenciada la importancia fundamental de la pareja del paciente en el abordaje y solución del problema.

1. OBJETIVOS DEL PROGRAMA DE TRATAMIENTO DE LA DE PARA HOMBRES CON PAREJA SEXUAL

Los objetivos del programa de tratamiento de la DE para hombres con pareja sexual son los siguientes:

1. Conseguir que el varón vuelva a tener confianza en su propia respuesta eréctil y sea capaz de tener encuentros sexuales satisfactorios.
2. Mejorar la comunicación sexual con su pareja.
3. Promover una disminución de su complejo sexual y así incrementar su autoestima sexual y su capacidad relacional.

4. Enseñarle a no exigirse un rendimiento sexual coital frustrante por excesivo e irracional, sino acorde con una sexualidad sana y gratificante.

2. PASOS INICIALES DE PREPARACIÓN PSICOLÓGICA Y SEXOLÓGICA PARA LA APLICACIÓN Y DESARROLLO DEL PROGRAMA DE AUTOTRATAMIENTO DE LA DE

Estos son los pasos iniciales de preparación psicológica y sexológica para la aplicación y desarrollo del programa de autotratamiento de la DE:

1. Habla con tu pareja de tu problema de erección.
2. Exprésale a tu chica cómo te sientes ante el problema.
3. Busca el apoyo de tu chica para la realización del tratamiento. Haz que se sienta importante en la solución de tu problema de erección.
4. Debes ser optimista y positivo ante el tratamiento de la DE: la evidencia clínica demuestra que la terapia sexual funciona.
5. Crea o favorece un ambiente agradable, cálido y tranquilo para realizar las prescripciones clínicas.
6. Promueve en ti y en ella una buena predisposición a realizar los ejercicios: actitud positiva y sin prejuicios.

Tratamiento de los diversos tipos de DE:

1. Tratamiento de la DE psicológica.
2. Tratamiento de la DE mixta.
3. Tratamiento de la DE orgánica.

3. PROGRAMA DE TRATAMIENTO DE LA DE DE ORIGEN Y CARACTEROLOGÍA PSICOLÓGICOS (DESARROLLADO POR SEMANAS)

Empezaremos por la DE de causa psicológica.

Tratamiento de la DE psicológica

PROGRAMA DE TRATAMIENTO DE LA DISFUNCIÓN ERÉCTIL DE ORIGEN Y CARACTEROLOGÍA PSICOLÓGICOS (desarrollado por semanas) (para hombres con pareja sexual)	
Se aconseja realizar cada ejercicio (tanto los comunes como los individuales) por lo menos media docena de veces (y en días distintos). Ello implica que tendrás que dedicar dos semanas aproximadamente a cada paso o ejercicio. Es conveniente intentar seguir los pasos, con cierta continuidad, sin que transcurran muchos días entre uno y otro.	
Prescripciones para que las realice el hombre en SOLITARIO	**Prescripciones para realizarlas en PAREJA**
1.ª QUINCENA	
⇨ Autoacariciarse concentrándose en sensaciones eróticas propias no genitales. ⇨ Técnica de relajación.	1. Prohibición del coito. 2. Focalización sensorial I.
2.ª QUINCENA	
⇨ Autoestimulación hasta conseguir erección, mantenerla y repetirla. ⇨ Desensibilización sistemática I (no se llega a imaginar la penetración vaginal). ⇨ Técnica de relajación.	⇨ Seguimos con prohibición del coito. ⇨ Focalización sensorial II. ⇨ Técnica de distracción.
3.ª QUINCENA	
⇨ Técnica de ganar y perder erección en solitario. ⇨ Desensibilización sistemática II (al final del ejercicio se imagina la penetración vaginal).	⇨ Seguimos con prohibición del coito. ⇨ Técnica de ganar y perder erección en pareja. ⇨ Técnica de autoestimulación delante de la pareja. ⇨ Técnica de rozamiento genital con la pareja.
4.ª QUINCENA	
⇨ Conseguir erección con fantasías. ⇨ Conseguir erección simulando vagina con las manos húmedas. ⇨ Profundizar en lo aprendido.	3. Ya no hay prohibición del coito. 4. Penetración sin movimientos intravaginales. 5. Técnica de contención vaginal. 6. Técnica del cartero. 7. Coito libre.

El tratamiento sexológico (solo con terapia sexual) de la DE se aplica sobre todo y fundamentalmente:

1. Como tratamiento de primera opción de la DE de claro carácter psicógeno. De hecho, es el más frecuente en este caso.

   Pero también se puede utilizar la terapia sexual:

2. Como complemento y mejora del tratamiento de la DE con fármacos.
3. Como alternativa en el tratamiento de la DE con fármacos, cuando estos no han funcionado.
4. Como tratamiento de optimización de la respuesta sexual en aquellas enfermedades crónicas que imposibilitan la erección.

Eficacia probada

Hasta la aparición y descubrimiento de los fármacos IPDE-5 (Viagra, Cialis, Levitra), la terapia sexual era la forma más eficaz en el tratamiento de la DE, por encima de los fármacos que existían hasta entonces (menos eficaces que los IPDE-5) y de otros recursos disponibles. Sobre todo, era y sigue siendo eficaz la terapia sexual en los casos de DE secundaria o adquirida, es decir, cuando la DE sobrevive tras un funcionamiento normal. En estos casos, el porcentaje de fracasos terapéuticos es solo del 26,2 % (McConhagy, 1990), lo que demuestra que la terapia sexual es muy eficaz.

Escasos fracasos terapéuticos

En la cotidianeidad de mi experiencia profesional a lo largo de los años he comprobado que los pocos casos de fracaso terapéutico (así se denomina en el lenguaje clínico a los casos que no se resuelven) que se producen en la aplicación de la terapia sexual se deben fundamentalmente a las siguientes causas:

1. A la falta de motivación por parte del paciente, al que le resulta incómodo un formato de terapia que le obliga a realizar una serie de ejercicios de manera programada.
2. A que el paciente no tiene paciencia para aguantar varias sesiones previas hasta poder realizar la penetración.
3. A que el paciente tiene que aceptar la inclusión y apoyo en terapia de su pareja sexual cuando en realidad preferiría resolver solo «su problema de erección».

4. A que en los ejercicios en pareja algunos pacientes no consiguen prontamente la erección, por lo que se desmotivan para seguir realizándolos.

5. A que algunos pacientes están acostumbrados a tomar fármacos para resolver con la máxima rapidez su problema y les cuesta acepar un formato de tratamiento que no los prescribe.

6. A que algunos pacientes no tienen pareja sexual o están en crisis con ella y no se sienten capaces de compartir terapia sexual en ese momento.

7. A que algunos hombres tienen su problema de erección con la esposa pero no con «la amante» (o al revés) y por temor a ser descubiertos abandonan la terapia.

8. A que el paciente, la pareja o ambos miembros abandonan la terapia sin haber terminado el tratamiento.

9. A que durante la realización de la terapia sexual la pareja comprueba que además del problema de erección existen otras tensiones relacionales que impiden un desarrollo exitoso de la misma.

10. A que viven en una dinámica laboral o vital estresante y «no sacan tiempo» para realizar los ejercicios.

11. A que les cuesta entender el sentido de la terapia.

12. A que algunas mujeres no soportan la idea de que su marido supere el problema y se vaya con «otra». Ante tal miedo, boicotean la terapia realizándola mal, buscando disculpas para no ponerla en práctica o dejando de acompañarle a la consulta.

13. A que el paciente abandona el tratamiento sin que el experto considere que se ha terminado (lo que se llama «abandono clínico»).

El concepto de ABANDONO CLÍNICO hace referencia a aquellos casos en los que el paciente deja de acudir a la consulta sin haber finalizado el tratamiento (a juicio del experto).

ARGUMENTOS O DISCULPAS QUE SUELEN OFRECER LOS PACIENTES PARA JUSTIFICAR UN ABANDONO CLÍNICO:

1. Falta de apoyo de su pareja.
2. Estrés.
3. No disponer de una vivienda para realizar los ejercicios terapéuticos.
4. Considerar que el tratamiento tiene un número excesivo de sesiones.
5. No disponibilidad de tiempo.
6. Irse de vacaciones.
7. Pérdida de su puesto de trabajo.
8. Por motivos del entorno familiar ajenos a la sexualidad.

EL BUEN PRONÓSTICO EN EL TRATAMIENTO DE LA DE MEDIANTE LA TERAPIA SEXUAL CURSA CON LOS SIGUIENTES MARCADORES:

⇨ El buen apoyo de la pareja del paciente durante el tratamiento.
⇨ Una buena relación de pareja o, al menos, carente de conflictos.
⇨ El papel de la DE en la relación de pareja.
⇨ Una buena comunicación erótica entre los miembros de la pareja.
⇨ Pérdida del miedo a tomar la iniciativa erótica.
⇨ La buena empatía o química entre terapeuta y paciente.
⇨ Responsabilidad por parte del paciente en la realización del programa.
⇨ Un cambio en la autoestima del paciente.
⇨ La buena motivación para la terapia.
⇨ Un cambio de actitud en la forma de concebir o vivir los encuentros eróticos por parte del hombre.
⇨ Creer en el tratamiento.
⇨ Comprender el tratamiento.

La terapia sexual para el tratamiento de la DE de origen psicológico se aplica en dos frentes o niveles:

1. Las prescripciones o ejercicios que deben realizar juntos los dos miembros de la pareja.
2. Las prescripciones o ejercicios que debe realizar solo el varón.

Empezaremos por aquellos ejercicios que tienen que realizar juntos los dos miembros de la pareja.

Las prescripciones o ejercicios que debe realizar la pareja incluyen ocho pasos que se distribuyen en cuatro fases:

1. Fase sensual (contiene el 1.er paso o ejercicio).
2. Fase genital (contiene el 2.º paso o ejercicio).
3. Fase orgásmica no coital (contiene los pasos o ejercicios 3.º, 4.º y 5.º).
4. Fase coital (contiene los pasos o ejercicios 6.º, 7.º y 8.º).

Así es su desarrollo:

PROGRAMA DE TRATAMIENTO DE LA DE PARA HOMBRES CON PAREJA SEXUAL. DESARROLLO

El PROGRAMA DE TRATAMIENTO DE LA DE PARA HOMBRES CON PAREJA SEXUAL SE DESARROLLA EN DOS NIVELES:

1. Las prescripciones o ejercicios que deben realizar juntos los dos miembros de la pareja.
2. Las prescripciones o ejercicios que debe realizar únicamente el varón.

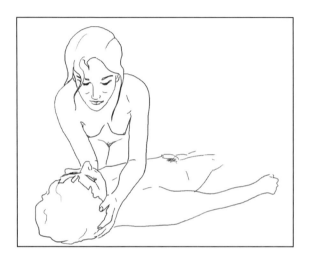

La focalización sensorial es un juego de caricias sin un objetivo sexual previo. Una forma de estar en intimidad corporal sin buscar la excitación sexual previamente ni pretender que sea un preámbulo coital, ya que el juego va acompañado de la prohibición coital.

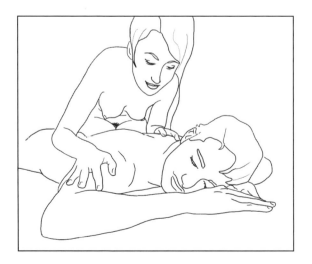

Una mujer acaricia la espalda a su pareja. La focalización sensorial consiste en estar en intimidad sexual sin tener objetivos de rendimiento sexual.

FOCALIZACIÓN SENSORIAL

La focalización sensorial es un juego de caricias sin un objetivo sexual previo. Una forma de estar en intimidad corporal sin buscar la excitación sexual previamente ni pretender que sea un preámbulo coital (el juego va acompañado de la prohibición coital).

La técnica tiene dos partes (focalización sensorial I y focalización sensorial II). En las dos está prohibida la penetración. La única diferencia entre ellas estriba en que en la I está prohibido también acariciar genitales y pechos mientras que en la II está permitido hacerlo.

LUGAR Y PREPARACIÓN DEL ENCUENTRO

La ansiedad es clave en el problema de la DE. Para intentar paliarla, uno de los recursos domésticos fáciles consiste en preparar y elegir adecuadamente el lugar donde vais a realizar la focalización sensorial. Sea dormitorio, salón u otra habitación, la clave es que sea un lugar cómodo, acogedor y silencioso. Tú y tu chica podéis contribuir a hacerlo más atractivo añadiendo velas, música agradable u otras cosas que puedan ayudar a favorecer un encuentro en que los dos estéis distendidos y receptivos para disfrutar de la caricia por la caricia. Es decir, poder disfrutar de la caricia en sí, sin asociarla a la penetración vaginal.

PROGRAMA DE TRATAMIENTO

El programa de tratamiento de la DE de carácter psicológico mediante la terapia sexual va encaminado fundamentalmente a conseguir que el paciente revierta su problema eréctil y vuelva a creer en sus posibilidades, recurriendo a una serie de pasos o ejercicios clínicos que le permitan ir recuperando progresivamente su erección.

4. PROGRAMA DE TRATAMIENTO DE LA DE PARA HOMBRES CON PAREJA (DESARROLLADO POR PASOS Y TÉCNICAS)

PROGRAMA DE TRATAMIENTO DE LA DE PARA HOMBRES CON PAREJA (desarrollado por pasos y técnicas) (Ejercicios que deben realizar juntos los dos miembros de la pareja)
1.ª fase: SENSUAL: (En pareja)   PASO 1.º: TÉCNICA DE FOCALIZACIÓN SENSORIAL I (con prohibición del coito).
2.ª fase: GENITAL: (En pareja)   PASO 2.º: TÉCNICA FOCALIZACIÓN SENSORIAL II (con prohibición del coito).
3.ª fase: ORGÁSMICA NO COITAL: (En pareja)   PASO 3.º: TÉCNICA DE GANAR Y PERDER ERECCIÓN. PASO 4.º: TÉCNICA DE AUTOESTIMULACIÓN DELANTE DE LA PAREJA. PASO 5.º: TÉCNICA DE ROZAMIENTO GENITAL.
4.º fase: COITAL: (En pareja)   PASO 6.º: TÉCNICA DE PENETRACIÓN SIN MOVIMIENTOS INTRAVAGINALES. PASO 7.º: TÉCNICA DEL CARTERO (penetración controlada). PASO 8.º: COITO LIBRE (penetración libre).

PASOS O EJERCICIOS A REALIZAR EN PAREJA

PASO O EJERCICIO 1.º: juego de focalización sensorial I con prohibición de realizar la penetración. Tampoco se pueden acariciar los genitales de ninguno de los dos ni los pechos de ella.

Lugar: debéis elegir un lugar cómodo y adecuado que os permita estar tranquilos, sin que podáis ser interrumpidos. Si os apetece, podéis dejar que os acompañe una música agradable. Vais a realizar un juego, que como tal debe ser entendido.

Actitud: deberéis tener el compromiso de no realizar la penetración coital, es decir, estará prohibida. Además, conviene mantener actitud de relajación, con predisposición a jugar y divertirse acariciándose mutuamente.

231

Frecuencia: seis veces por lo menos.

Tiempo de duración: de 45 minutos a una hora.

Objetivo: que la pareja sea capaz de tener un encuentro erótico sin estar pendiente de la penetración, el orgasmo y la erección. Es decir, superar a través del juego la dinámica de ansiedad que ha producido el problema de DE. La penetración genera el mayor porcentaje de ansiedad eyaculatoria. Por ello está prohibida. En este juego también se prohíbe acariciar los genitales y los pechos de ella porque lo que se pretende es que el varón se mentalice de que es capaz de acariciar y ser acariciado sin ansiedad de ejecución o rendimiento sexual.

MOTIVACIÓN PARA REALIZAR LA FOCALIZACIÓN SENSORIAL

Para poder obtener el mayor provecho posible de la focalización sensorial es importante que la pareja esté motivada para su realización. En este sentido, es muy conveniente que seáis conscientes de su importancia, de los beneficios que puede aportaros.

Desarrollo del juego de focalización sensorial I.

Los dos deberéis estar en ropa interior y en posición extendida en el suelo. Recuerda la única norma: está prohibido penetrar y acariciar pechos y genitales.

Uno de los dos, el que quiera, empezará acariciando al otro por todo el cuerpo, desde el cabello hasta los dedos de los pies, sin dejarse ninguna parte, cara, cuello, pecho… con la palma de la mano, el interior de los dedos, con los nudillos, los brazos, la propia cara, con diversas presiones y ritmos, pero con ternura y dedicación. El acariciado puede sugerir cómo y dónde acariciar. Se podrán utilizar objetos pequeños (pañuelos, plumas, papelitos…) para acariciar con ellos las diversas partes del cuerpo, sugiriendo al receptor que intente identificarlas sin que le sea permitido verlas. Como estaréis tumbados sobre el suelo, empezaréis acariciando primero una parte, la frontal, por ejemplo, y luego la otra. Quien reciba las caricias deberá estar especialmente distendido, abandonado al placer de recibirlas, a sus sensaciones, sintiéndose egoístamente sano, entendido esto como un derecho al propio placer. Una vez realizado esto, el miembro de la pareja que haya sido acariciado pasa a ser el acariciador, haciendo exactamente lo mismo que ha hecho su compañero anteriormente; es decir, se intercambiarán los roles a lo largo del juego: dar-recibir, ser activo-ser pasivo.

Finalmente, una vez realizado este intercambio, os abrazaréis durante un breve espacio de tiempo dando por acabado el juego. Posteriormente, si os apetece, podréis hablar entre vosotros sobre lo que os ha parecido el juego, su vivencia, novedades, aportaciones más agradables, las emociones que os ha generado.

Y no olvidéis que no es un juego de preámbulo erótico, sino un juego de compartir sensaciones. Es, en conjunto, una base pedagógica sobre la que se irán añadiendo los siguientes pasos del tratamiento.

¿Por qué la prohibición de la penetración vaginal?

La prohibición de la penetración, como ya he adelantado, es una estrategia, la primera y una de las más importantes. Va a acompañar durante buena parte de la terapia a las otras estrategias. Es decir, sobre la base de la prohibición de la cópula, y compartiendo estrategia con ella, iremos añadiendo los diversos juegos tácticos que convivirán en armoniosa complicidad durante buena parte del recorrido terapéutico.

Es una estrategia que a los profanos pudiera parecerles irrelevante e incluso difícil de entender pero que, como se ha mencionado anteriormente, libera a los pacientes de la obligación de «cumplir» con la penetración y se configura como el principio del camino que les va a ayudar a disminuir la ansiedad ejecutoria del encuentro erótico.

Asimismo, esconde la posibilidad de poder trabajar con diferentes tácticas. Son juegos para los pacientes, tácticas para los expertos. Son juegos tácticos (juegos porque tienen un contenido de entretenimiento y tácticos porque sirven a una estrategia).

NO PENSAR EN LA ERECCIÓN Y OLVIDARSE DE LA PENETRACIÓN

El objetivo de la focalización sensorial es olvidarse de la erección; por ello es muy importante que ninguno de los miembros, especialmente el chico, esté pendiente de ella. Y nunca se debe realizar la técnica teniendo en mente la idea o posibilidad de intentar la penetración.

Cuando hayas ejecutando con éxito el paso anterior, pasaremos a realizar el siguiente. Se puede deducir que habéis realizado exitosamente el paso anterior cuando:

1. El chico ha sido capaz de jugar sin estar pendiente de su erección (este es el avance fundamental).
2. Ha estado relajado.
3. Ha disfrutado del juego.
4. Ha comprobado que se puede mantener un contacto físico con la persona querida sin estar tenso.
5. La pareja ha disfrutado de un encuentro diferente, distinto a lo que era habitual para ellos.

6. Se han dado cuenta (el chico, sobre todo) de que, en el juego sexual, la penetración no lo es todo.

MUY IMPORTANTE: EL APOYO DE LA PAREJA ES FUNDAMENTAL PARA LA SOLUCIÓN DE LA DE

Si tienes pareja, es muy importante que consigas que tu chica te apoye durante la realización de los ejercicios. Su colaboración es clave, tanto desde la vertiente emocional como desde la práctica, para la solución del problema de DE. Pídela ayuda sincera y agradécele su apoyo. Colaborando los dos unidos, incrementaréis vuestra complicidad, afirmaréis vuestra relación de pareja e invertiréis positivamente en vuestra calidad de vida sexual y de pareja.

PASO O EJERCICIO 2.º: juego de focalización sensorial II con prohibición de realizar la penetración. En este juego ya se pueden acariciar los genitales.

Lugar: igual que en el anterior y en todos los demás pasos: debéis elegir un lugar cómodo y adecuado que os permita estar tranquilos, sin que podáis ser interrumpidos. Si os apetece, podéis dejar que os acompañe una música agradable. Vais a realizar un juego, que como tal debe ser entendido.

Actitud: a pesar de poder acariciar los genitales, debemos seguir con actitud de juego y divertimento, asumiendo las caricias de los genitales como una parte más del cuerpo, sin obsesionarnos con ellos. Y no olvidemos que sigue prohibida la penetración vaginal. Olvidemos totalmente cualquier idea que haga referencia a intentarlo. No interesa tal idea, ya que romperíamos la dinámica de la terapia.

Frecuencia: seis veces por lo menos.

Tiempo de duración: de 45 minutos a una hora.

Objetivo: aunque en este juego se permite acariciar los genitales, la pareja debe seguir con el objetivo inicial de ser capaz de tener un encuentro erótico sin estar pendiente de la penetración, el orgasmo y la erección. Es decir, superar a través del juego la dinámica de ansiedad que ha producido el problema de DE.

Desarrollo del juego de focalización sensorial II.

(Se permiten las caricias en los genitales pero sigue vigente la prohibición coital).

Este juego tiene la misma filosofía de ejecución y desarrollo que el anterior pero con la posibilidad de que puedes acariciar los genitales de tu pareja y ella los tuyos. Por tanto, el juego en sí, la forma de hacerlo y su sentido son idénticos a los del paso anterior, salvo que en esta ocasión sí se pueden acariciar los genitales y los pechos de ella. No obstante, y pese a que se incluyen los genitales en el mapa erótico, no es un juego para aumentar la excitación sino para demostrar la capacidad de seguir jugando como en el primero. Debes fijarte en tus sensaciones sexuales y también en la excitación sexual, pero saboreándola sin pretender buscar el orgasmo.

Es importante que te concentres en los puntos o lugares en los que vas recibiendo las caricias. Cuando seas acariciado por tu chica en los genitales o el pene, debes concentrarte en las sensaciones que experimentes pero sin mostrarte tenso ni buscar la excitación sexual. Al revés, conviene que no des importancia a tales caricias y actúes con naturalidad.

Por lo demás, debes tener la misma mentalidad que en el paso anterior. Y no olvidéis ni tú ni tu pareja que sigue prohibida la penetración vaginal.

Recuerda que durante el desarrollo de este juego puedes recurrir también a la técnica de distracción cognitiva, consistente en imaginar estímulos eróticos (abstraerte trayendo a tu mente fantasías eróticas que tú elijas y prefieras) para contrarrestar los pensamientos de tipo negativo que pueden venirte en ese momento, del tipo «no puedo tener erección», «soy incapaz de conseguirlo», «qué torpe soy».

TÉCNICA DE DISTRACCIÓN COGNITIVA

Es un recurso sencillo y práctico consistente en recurrir a fantasías eróticas que sirvan de distracción para «despistar» o contrarrestar las ideas (cogniciones) negativas que pueden venirnos a la mente del tipo «no valgo», «soy un inútil», «no voy a poder conseguirlo».

POSIBILIDADES DE ESTE JUEGO

Conseguir avanzar un paso más en la eliminación de la ansiedad de rendimiento coital al promover que tú y tu chica os familiaricéis con las caricias genitales con el objetivo de disminuir la ansiedad erótica.

Otro objetivo es facilitar que aprendas a reconocer e identificar tu excitación sexual desde una óptica que sea más relajada y menos sometida al rendimiento erótico (no olvides, por cierto, que sigue prohibida la cópula).

También es un paso de preparación a otras técnicas o estrategias, como son la técnica de ganar y perder erección y la técnica del cartero, que realizarás posteriormente, en otros pasos del tratamiento.

No es infrecuente que tú o tu pareja sexual durante el ejercicio tengáis ganas de llegar al orgasmo. No está contraindicado que lo tengáis.

Simplemente, os propongo y sugiero que no lo busquéis. Precisamente lo que pretende este paso es conseguir que seas capaz de estar realizando caricias sensuales con tu pareja sin estar tenso ni pensando en alcanzar el orgasmo. Pero si os llega y no podéis evitarlo como consecuencia de las caricias mutuas, pues... disfrutadlo. Pero que sea mediante la masturbación, nunca con penetración. De hecho, cuando es el chico quien acaricia a la chica, suele ocurrir que ella tiene más probabilidad de excitarse y de paso contribuir a que el chico también lo haga al verla a ella. Ello no debe inducir a la pareja a intentar la penetración. La penetración sigue prohibida.

Cuando hayáis sido capaces de realizar con solvencia el paso anterior, pasaremos al siguiente. Realizarlo con éxito quiere decir seguir en la misma línea de exigencia que para el paso anterior:

1. El chico ha sido capaz de jugar sin estar pendiente de su erección (este es el avance fundamental).
2. Ha estado relajado.
3. Le ha gustado el juego.
4. Ha comprobado que se puede mantener un contacto físico con la persona querida sin estar tenso.
5. La pareja ha disfrutado de un encuentro diferente, distinto a lo que era habitual para ellos.
6. Se han dado cuenta (el chico, sobre todo) de que, en el juego sexual, la penetración no lo es todo.
7. La meta de este juego no es tener erección, sino que, a pesar de que aparezca o se tenga, no suponga agobio ni presión por actuar.
8. A pesar de haber tenido contacto con los genitales, el chico (sobre todo) y la chica no han sido víctimas de la ansiedad, han estado relajados sin sentirse «cohibidos» o «tensos».

PASO O EJERCICIO 3.º: TÉCNICA DE GANAR Y PERDER ERECCIÓN
(Sigue prohibida la penetración vaginal)
Lugar: igual que en el anterior y en todos los demás pasos, debéis elegir un lugar cómodo y adecuado que os permita estar tranquilos, sin que podáis ser interrumpidos. Si os apetece, podéis dejar que os acompañe una música agradable. Vais a realizar un juego, que como tal debe ser entendido.

Actitud: deberéis tener el compromiso de no realizar la penetración coital, es decir, estará prohibida. La técnica de ganar y perder erección es sencilla y fácil de aplicar. Seguiremos con actitud de juego y distensión.

Frecuencia: seis veces por lo menos.
Tiempo de duración: de 45 minutos a una hora.

Objetivo: seguir en la misma línea de avance progresivo para eliminar la ansiedad a través del juego de caricias, pero añadiendo en este paso la capacidad de conseguir una erección y perderla por voluntad propia. Sigue prohibida la penetración coital.

Desarrollo: este paso 3.º se comenzará con un juego de focalización sensorial II pero de duración más corta (con unos 15 minutos basta), al que añadiremos de manera seguida y a modo de continuación la aplicación de la técnica de ganar y perder erección. Esta técnica tiene como objetivo básico y fundamental ayudarte a coger confianza en tu erección a base de demostrarte a ti mismo que conseguirla es «algo» relativamente fácil y asequible. La técnica en sí es sencilla: se trata de autoestimularte el pene hasta conseguir una erección y tras dejar pasar unos segundos (no más de un minuto) permitirte perderla. A continuación, has de volver a repetir el ejercicio de ganar y perder erección dos veces seguidas.

No debes obsesionarte con conseguir la erección. Si no fueras capaz, relájate, desiste, espera un tiempo y vuelve a intentarlo en otra ocasión.

El ejercicio no tiene como meta obtener el orgasmo, así que no trates de eyacular. Se trata de un ejercicio clínico, no placentero. Pero si haciendo el ejercicio te excitaras, eyacula. No hay problema por ello. De todas formas, antes de hacerlo, recuerda autoplantearte que se trata de un ejercicio clínico, no placentero, cuya meta es ayudarte a obtener más seguridad en tu erección y a constatar que esta (si no existe un problema orgánico) se puede conseguir «a demanda» siempre y cuando estés relajado, sin ansiedad y sin presión de rendimiento sexual.

Esta técnica se puede completar recurriendo a imágenes eróticas, vídeos o libros si hiciera falta.

Debo recordarte que es conveniente que mantengas vivo tu deseo sexual y por ello debes realizar con cierta regularidad este ejercicio, ya que contribuyes a vascularizar tu pene permitiendo su rehabilitación, y a mantener la motivación sexual necesaria para solucionar el problema de erección.

TÉCNICA DE PERDER Y GANAR LA ERECCIÓN

La erección es un mecanismo más frágil de lo cualquier hombre puede pensar. Perderla es un hecho relativamente fácil, pero también es asequible volver a conseguirla. La técnica o ejercicio de perder y volver a ganar erección tiene como objetivo terapéutico que el varón y su pareja se familiaricen con la adversidad de perderla. Pero también para que vean claramente que la pérdida de la erección no es un proceso irreversible (salvo por causas orgánicas severas) sino recuperable. La erección, igual que se pierde, se vuelve a ganar. Además, con este ejercicio la pareja comparte la complicidad de la recuperación.

PASO O EJERCICIO 4.º: TÉCNICA DE AUTOESTIMULACIÓN DE-LANTE DE LA PAREJA

(Sigue prohibida la penetración vaginal)

Lugar: igual que en el anterior y en todos los demás pasos: debéis elegir un lugar cómodo y adecuado que os permita estar tranquilos, sin que podáis ser interrumpidos. Si os apetece, podéis dejar que os acompañe una música agradable. Vais a realizar un juego, que como tal debe ser entendido.

Actitud: se debe continuar con la actitud mostrada en los anteriores pasos de juego, manteniendo la diversión y relajación en la realización de los ejercicios. La penetración sigue estando prohibida. Actuar con confianza el uno con el otro.

Frecuencia: seis veces por lo menos.

Tiempo de duración: de 45 minutos a una hora.

Objetivo: en este caso, se trata de que el chico se autoestimule estando con la chica para ir reafirmando progresivamente su erección y la convicción cada vez mayor en sus posibilidades. El hecho de compartir con ella la excitación sexual le va a permitir afianzarse emocionalmente ante ella y seguir contrarrestando su miedo al fracaso. El apoyo afectivo

Figura 9.1. *TÉCNICA DE AUTOESTIMULACIÓN DELANTE DE LA PAREJA. Se trata de que el chico se autoestimule delante de la chica para ir reafirmando progresivamente su erección y la convicción cada vez mayor en sus posibilidades. El hecho de compartir con ella la excitación sexual le va a permitir afianzarse emocionalmente ante ella y seguir contrarrestando su miedo al fracaso.*

de su pareja y la complicidad que le va a mostrar contribuyen positivamente al éxito en el logro eréctil (no olvidar la importancia que tiene el
apoyo de la compañera sexual en el resultado final).

Desarrollo: este paso 4.º lo comenzaréis con un juego de focalización sensorial II pero de duración más corta (con unos 15 minutos basta), al que añadiréis de manera seguida y a modo de continuación la
aplicación de la técnica de autoestimulación delante de la pareja. Se
trata de que autoestimules tu pene delante de tu chica. Se aconseja empezar haciéndolo con la chica detrás, a la espalda de él, para que este
no se sienta observado y pueda actuar lo más desinhibido posible. Por
ello, si a ti no te importa y crees que te va a ayudar, en alguna de las
seis sesiones recomendadas para este paso tu chica puede colaborar
ayudándote en la masturbación, es decir, masturbándote ella directamente (técnicamente se llamaría alomasturbación: cuando la masturbación se realiza a otra persona).

Por ello otro recurso muy utilizado en terapia sexual y de eficacia
demostrada es recurrir a fantasías sexuales. En este sentido, para conseguir la erección, puedes, además de los estímulos eróticos que tu pareja te aporte, recurrir a pensamientos y fantasías eróticos que te puedan
dar un plus de excitación sexual que promueva la erección.

PASO O EJERCICIO 5.º: TÉCNICA DE ROZAMIENTO GENITAL
(Sigue prohibida la penetración vaginal)

Lugar: igual que en el anterior y en todos los demás pasos: debéis
elegir un lugar cómodo y adecuado que os permita estar tranquilos, sin
que podáis ser interrumpidos. Si os apetece, podéis dejar que os acompañe una música agradable. Vais a realizar un juego, que como tal debe
ser entendido.

Actitud: deberéis tener el compromiso de no realizar la penetración,
es decir, estará prohibida. Además, mantendréis una actitud de relajación, con predisposición a jugar e intentar superar el problema en un
ambiente distendido.

Frecuencia: seis veces por lo menos.

Tiempo de duración: de 45 minutos a una hora.

Objetivo: que el varón siga afianzando su convicción en su capacidad de obtener una erección, en este caso, recurriendo y apoyándose
en el roce con los genitales de su chica. Es un paso más en la lucha del
chico por afianzar su autoconfianza. El hecho de rozar con su pene los
genitales de ella le permite ir comprobando que cada vez se siente más
capaz de conseguir la penetración. La cadena progresiva de avance hacia el final va apuntalando el éxito, otorgando al chico un mayor incremento de confianza en alcanzar el éxito final. Aun así, no olvidéis que
todavía sigue prohibido y desaconsejado intentar la penetración.

PASO O EJERCICIO 6.º: TÉCNICA DE PENETRACIÓN SIN MOVIMIENTOS INTRAVAGINALES

(En este paso se acaba la prohibición de no poder realizar la penetración vaginal)

Lugar: igual que en el anterior y en todos los demás pasos: debéis elegir un lugar cómodo y adecuado que os permita estar tranquilos, sin que podáis ser interrumpidos. Si os apetece, podéis dejar que os acompañe una música agradable. Vais a realizar un juego, que como tal debe ser entendido.

Actitud: en este paso desaparece la prohibición coital. Ya está permitido realizar la penetración, pero va a ser todavía una penetración «clínica», enmarcada dentro de un ejercicio de autorrefuerzo.

Frecuencia: seis veces por lo menos.

Tiempo de duración: de 45 minutos a una hora.

Objetivo: se trata de que te habitúes a perder la erección y ser capaz de volver a conseguirla. Es decir, a que entiendas y hagas consciente en tu mente la idea de que puedes recuperar la erección por ti mismo.

Dado que a estas alturas se supone que has conseguido y consigues tener erección delante de tu chica, nos planteamos ya la realización de la penetración. Pero por ahora solo vas a realizar una penetración sin movimientos intravaginales, porque debemos ir paso a paso y no conviene todavía que realices una penetración completa (un coito). Vamos paso por paso y con tranquilidad. El objetivo es que tú, el chico, seas capaz de penetrar sin ponerte nervioso, que te familiarices con la sensación agradable de sentir tu pene en la vagina de tu chica. Que te habitúes a tal situación, pero sin la obligación del rendimiento sexual. Y que compruebes que puedes repetir la penetración ayudándote con la autoestimulación.

Desarrollo: debes comenzar el ejercicio autoestimulándote delante de tu chica. Una vez que has conseguido la erección, te tumbas boca arriba sobre la cama. Tu chica se coloca de rodillas sentada sobre ti, con las piernas abiertas, una a cada costado tuyo (postura de encabalgamiento, también llamada a horcajadas) y se introduce el pene. Una vez tengas tu pene dentro de su vagina, os quedáis quietos sin realizar movimiento intravaginal alguno. Cuando el pene pierde la erección, abandonáis la postura coital, retirando el pene de la vagina. Seguidamente, vuelves a autoestimularte hasta conseguir la erección y repetís la penetración sin movimientos en la misma posición. Cuando pierdas de nuevo la erección dentro de la vagina, retiras el pene otra vez.

Cómo terminar el ejercicio: dado que este paso o ejercicio genera una tensión erótica, podéis terminar buscando el orgasmo mutuo pero (esto es importante) nunca haciéndolo vía coital, sino recurriendo a la masturbación. Puedes automastubarte tú y luego ella hacer lo propio. O tú masturbarla a ella.

PASO O EJERCICIO 7.º: TÉCNICA DEL CARTERO (PENETRACIÓN CONTROLADA)

Seguimos avanzando paso a paso en la superación del problema. La técnica del cartero es conocida por tal nombre como referencia a la película de título *El cartero siempre llama dos veces,* cuya escena cumbre es un homenaje al erotismo en el cine. Sobre una mesa grande de cocina, los dos protagonistas tienen un encuentro erótico apasionado en ausencia del marido de ella. Platos volando, harina desperdigada y una posición coital que recuerda a la que se prescribe en este paso o ejercicio.

Lugar: igual que en el anterior y en todos los demás pasos, debéis elegir un lugar cómodo y adecuado que os permita estar tranquilos, sin que podáis ser interrumpidos. Si os apetece, podéis dejar que os acompañe una música agradable. Vais a realizar un juego, que como tal debe ser entendido.

Actitud: seguimos con actitud positiva. Estamos en la parte final del tratamiento. No debemos abandonar. Prácticamente tenemos el problema solucionado y hay que apuntalar los últimos ejercicios.

Frecuencia: seis veces por lo menos.

Tiempo de duración: de 45 minutos a una hora.

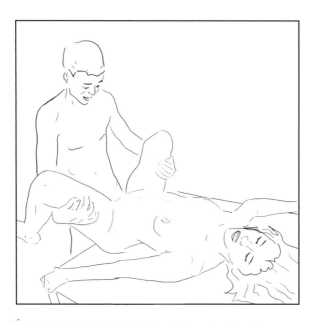

Figura 9.1. *TÉCNICA DEL CARTERO. El chico debe autoestimularse en presencia de su chica, que estará colocada en posición sentada (decúbito supino) sobre una cama o una mesa. Se debe acercar a ella y frotar su pene con sus genitales hasta alcanzar la erección. Una vez conseguida, introducirá el pene en su vagina pero lo retirará inmediatamente para seguir autoestimulándose y volver a repetir la misma breve penetración.*

Objetivo: enseñar al varón a perder la erección sin miedo a no recuperarla. Es decir se trata de apuntalar el progreso previo extendiendo el ejercicio anterior a otra postura y tomando el chico más la iniciativa. Se trata de conseguir erección, penetrar e inmediatamente después retirar el pene, para volver a repetir el mismo proceso otra vez: conseguir erección, penetrar unos segundos y retirar el pene.

Desarrollo: debes autoestimularte en presencia de tu chica, que estará colocada en posición sentada (decúbito supino) sobre una cama o una mesa. Te acercas a ella y frotas tu pene con sus genitales hasta alcanzar la erección. Una vez conseguida, introduces el pene en su vagina pero lo retiras inmediatamente para seguir autoestimulándote y volver a repetir la misma breve penetración.

PASO O EJERCICIO 8.º: ALTERNAR LO APRENDIDO CON ENCUENTROS LIBRES

Lugar: igual que en el anterior y en todos los demás pasos, debéis elegir un lugar cómodo y adecuado que os permita estar tranquilos, sin que podáis ser interrumpidos. Si os apetece, podéis dejar que os acompañe una música agradable. Vais a realizar un juego, que como tal debe ser entendido.

Actitud: a estas alturas se supone que has superado el problema prácticamente. Ahora se trata de mantener una actitud de refuerzo de lo aprendido, extendiendo tal conocimiento a los encuentros coitales libres, sin dejar de seguir manteniendo también algún encuentro «clínico» de control de la erección.

Frecuencia: seis veces por lo menos.

Tiempo de duración: de 45 minutos a una hora.

Objetivo: aplicar lo aprendido hasta ahora a otros encuentros, pero alternando encuentros «clínicos» con otros totalmente libres.

Desarrollo: hasta ahora has estado realizando una serie de ejercicios o pasos que eran prescripciones mandadas, de carácter clínico. Ahora se trata de que en tu actividad sexual normal apliques lo aprendido. Pero te puedes encontrar con un problema: que después de estar varias semanas siguiendo un programa de autoayuda para solucionar la DE, te sientas ahora inseguro al actuar con libertad en tus futuros encuentros sexuales.

Por ello, la mejor manera de enfrentarte progresiva y acertadamente a tu «libertad sexual» va a ser mezclar en tu dinámica erótica normal la alternancia de encuentros de corte terapéutico (los realizados en el programa) con otros llamémoslos libres (tenerlos de la forma que tú y tu pareja dispongáis siguiendo vuestros deseos).

Yo creo que durante un período de cuatro a seis meses conviene alternar encuentros terapéuticos con libres. Una buena mezcla puede consistir en tres encuentros sexuales por uno de tipo terapéutico, por ejemplo, técnica del cartero o penetración sin movimiento. Todo ello hasta que pasado el tiempo, y viendo que te encuentras ya plenamente seguro, puedas realizar todos tus encuentros sexuales sin cortapisas clínicas.

ALTERNAR ENCUENTROS TERAPÉUTICOS CON LIBRES
Una vez terminado el tratamiento, y aunque el problema de DE esté superado, se aconseja que durante un período de cuatro a seis meses la pareja siga aplicando lo aprendido. Por ello, una buena terapéutica consiste en alternar encuentros sexuales libres (la pareja hace lo que quiere y como quiere) con otros de corte clínico o terapéutico. Es la mejor forma de evitar recaídas. Por lo menos conviene hacerlo así hasta que se haya consolidado de forma permanente lo aprendido.

5. PRESCRIPCIONES QUE DEBE REALIZAR ÚNICAMENTE EL VARÓN

Como mencioné al principio del programa del tratamiento de la DE de origen psicológico, la terapia sexual se aplica en dos frentes: en pareja (ya explicado y desarrollado) y de forma individual.

Es decir, para poder superar la DE, el varón, además de realizar los ejercicios en pareja, debe completar el tratamiento poniendo en práctica ejercicios individuales. A continuación se exponen los pasos que debe seguir individualmente el varón.

PRESCRIPCIONES O EJERCICIOS QUE DEBE REALIZAR SOLO EL VARÓN Aprendizaje solitario para conseguir un manejo óptimo de la erección
1.ᵉʳ paso individual. Concentrarse en las sensaciones eróticas no genitales.
2.º paso individual. Autoestimularse hasta conseguir la erección (para ello el paciente debe concentrarse en las sensaciones eróticas genitales).
3.ᵉʳ paso individual. Conseguir tener erección pero mantenida varios minutos y repetida varias veces.
4.º paso individual. Estimular su pene con la técnica de ganar y perder erección.
5.º paso individual: conseguir la erección simulando con las manos húmedas una vagina.
6.º paso individual: profundizar en lo aprendido.

243

TIEMPO DE DESARROLLO DE LAS SESIONES INDIVIDUALES
Se aconseja realizar cada ejercicio por lo menos media docena de veces (en días distintos). Ello implica que tendrás que dedicar dos semanas aproximadamente a cada paso o ejercicio. Es conveniente intentar hacer los pasos seguidos, sin que transcurran muchos días entre uno y otro.

El varón con problemas de erección tienen la sensación de que una parte de su cuerpo, la dinámica eréctil, ya no le responde, no le obedece, y siente una cierta ruptura erótica con su pene. Por ello es importante que para volver a recuperar el mecanismo de su función eréctil empiece por el arranque básico: conectar con la erótica general de su cuerpo.

Es importante, pues, que arranques de nuevo el motor erótico de tu cuerpo. Que conectes con él para, en su momento, más adelante, empatizar con tu erección, hacerla consciente. En esta línea vas a seguir una serie de pautas o prescripciones terapéuticas que una vez realizadas te van a permitir ser capaz de «fabricar» tu propia erección, volver a gestionar tu respuesta eréctil. Como estás en un momento en el que tienes miedo de afrontar el encuentro coital, lo primero que debes conseguir es volver tú, individualmente, a creer en ti, en tu erección, en tus posibilidades eróticas.

Pero antes empezaremos por el primer paso: tomar conciencia de las sensaciones corporales pero no genitales de tu organismo, de ti mismo. Este es el proceso de ejercicios en solitario (los pasos) que tienes que realizar y que constituyen la parte individual de la terapia sexual de solución para la DE.

Por ello, debes empezar así:

1.er paso individual. Concéntrate en tus sensaciones eróticas no genitales.

Objetivo: comprender e interiorizar que todo nuestro cuerpo es receptivo al erotismo y anular la idea de que solo los genitales pueden producir excitación sexual.

Preparación previa: puedes empezar por darte previamente una ducha relajante, utilizando jabones aromáticos y sales. Una vez duchado, túmbate y déjate llevar por fantasías sexuales, por pensamientos eróticos.

Desarrollo: se trata de practicar lo que se llama autosensibilización corporal no genital. Pero debes hacerlo de manera lenta, parsimoniosa, sin la mínima ansiedad. Por ello debes autoacariciarte por todo el cuerpo (salvo los genitales), concentrándote en las sensaciones eróticas que te produzcan tus propias caricias realizadas por todo tu físico no genital. La meta es que aprendas a sentir y valorar las sensaciones eróticas no genitales y de que lo hagas sin asociarlas al rendimiento sexual. El objetivo es promover en ti la conciencia de que la erótica corporal no solo emana de los testículos y el pene, sino de todo el cuerpo. Aunque te sientas un poco extraño autoacariciándote, es conveniente que lo hagas para interiorizar que todo nuestro cuerpo es receptivo al erotismo.

Lugar: debes elegir un lugar agradable y adecuado para ti, en el que te sientas cómodo, silencioso y tranquilo para concentrarte en los ejercicios sin ser interrumpido.

Actitud: positiva. Aunque te encuentres extraño autoacariciándote, debes hacerlo con interés y sin desidia.

Frecuencia: debes hacerlo por lo menos media docena de veces, pero en días diferentes.

Tiempo de duración del ejercicio: el que tú creas que necesitas, pero sin prisas ni exigencias ansiosas. Si necesitas referencia concreta de tiempo, alrededor de media hora puede ser tiempo suficiente.

2.º paso individual. Concéntrate, ahora sí, en tus sensaciones eróticas genitales y consigue tener erección.

Objetivo: conseguir tener erección para demostrare a ti mismo que sí eres capaz de obtenerla. Es decir, anular la idea de que tu «pene no funciona».

Preparación previa: puedes empezar este paso (igual que los demás y si te apetece) por darte previamente una ducha relajante, utilizando jabones aromáticos y sales. Con ducha previa o sin ella, el caso es estar en actitud tranquila y relajada antes de realizar el ejercicio.

Desarrollo: se trata de que te concentres detenidamente en tus propias sensaciones placenteras mientras te masturbas para conseguir tener mayor conciencia de tu erótica. No es un ejercicio para aprender a masturbarte o ser capaz de alcanzar mayor placer erótico. No. No se trata de eso. Se trata de un juego o ejercicio diseñado para que vuelvas a recuperar la confianza en tu erección, en tus propias posibilidades eróticas. Para que «te convenzas» de que tú solo, ante ti mismo, sin la presencia de nadie, eres capaz de conseguir una erección satisfactoria. Para ello recuerda que tienes que olvidarte de la obsesión por cumplir, de tus episodios fallidos anteriores con tu chica. Tienes que olvidarte en este momento de tales pensamientos frustrantes que te impiden centrarte en tu propio placer. Ahora, cuando estés realizando este paso, todos esos pensamientos negativos sobran. Siéntete con derecho al placer, a disfrutar de tus propias sensaciones eróticas.

Por ello empezarás a masturbarte de la manera en que tengas costumbre (puedes recurrir a pensamientos y fantasías sexuales) pero sin ansiedad, sin prisas por obtener la erección inmediata. Déjate llevar por el placer pero recuerda que la meta de este ejercicio no es buscar un orgasmo, sino «afianzarte en tu propia erección». Pero no debes mirar de reojo a tu pene para comprobar si se pone erecto, porque basta que lo observes para que no se responda. Para conseguir la erección, puedes utilizar fantasías sexuales, fotos, vídeos o cualquier recurso que consideres que te puede ayudar a incrementar tu excitación sexual. Se trata en suma de que consigas tener erección, no hace falta que la mantengas mucho tiempo. Simplemente quiero que seas capaz de conseguirla.

Lugar: debes elegir un lugar adecuado en el que te sientas cómodo, silencioso y tranquilo, para concentrarte en los ejercicios sin ser interrumpido.

Actitud: positiva, paciente y relajada. Debes creer en ti mismo. No olvides que puedes recurrir a todo tipo de fantasías sexuales.

Frecuencia: debes realizar el ejercicio seis veces por lo menos, pero en días distintos.

Tiempo de duración del ejercicio: el que consideres necesario para ti, pero alrededor de media hora puede ser suficiente.

3.er paso individual. Consigue tener erección pero mantenida y repetida varias veces.

Objetivo: con conseguir tener erección no basta en este caso. Debes intentar mantenerla varios minutos.

Preparación previa: como todos los demás pasos, con ducha o sin ducha previa, conviene estar relajado antes de realizarlo.

Desarrollo: autoestimúlate probando ritmos y fantasías de todo tipo que a ti te sirvan y motiven. Se trata de dar un paso más en el autoconvencimiento de que tu erección es factible y, además, repetible. Se trata también de comprobar que cuando no existe un problema orgánico evidente que pueda impedirlo, la erección es un proceso asequible al varón, que en un alto porcentaje depende de sí mismo, de que se autofacilite los elementos necesarios para que se produzca (relajado, sin estrés, motivado, sin complejos…).

Lugar: como siempre, cómodo y acogedor. Que te permita estar concentrado en el ejercicio.

Actitud: positiva. Recuerda que no es un acto de masturbación, sino un ejercicio de tonificación de los cuerpos cavernosos del pene para que fluya y entre la sangre en ellos. Se trata de vascularizar los genitales.

Frecuencia: debes realizar el ejercicio seis veces por lo menos, pero en días distintos.

Tiempo de duración del ejercicio: el que consideres necesario para ti, pero alrededor de media hora puede ser suficiente.

4.º paso individual. Estimula tu pene con la técnica de ganar y perder erección.

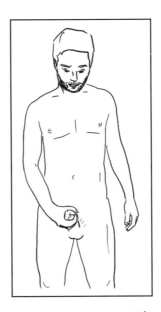

Figura 9.3. *TÉCNICA DE GANAR Y PERDER ERECCIÓN. Un hombre se autoaplica la técnica de ganar y perder erección. Una de las partes del tratamiento de la DE consiste en la realización en solitario por parte del varón de una serie de prescripciones terapéuticas (ejercicios) necesarias para conseguir revertir el problema de erección.*

Objetivo: avanzar un paso más al cerciorarte de que la erección, igual que se puede perder, se puede volver a ganar o recuperar. La pérdida no es irreversible. Ello es importante porque muchos hombres a quienes les ha fallado la erección se sienten tan impactados en ocasiones que consideran, asustados, que «ya no van a poder volver a funcionar».

Preparación previa: como en todos y cada uno de los seis pasos, estar relajado previamente antes de realizar el ejercicio.

Desarrollo: esta técnica es la misma que tienes que realizar en pareja en el paso 3.º de los ejercicios comunes. La diferencia está en que en esta ocasión la realizas estando solo, sin compañía de tu chica. Recuerda que esta técnica tiene como objetivo básico y fundamental ayudarte a coger confianza en tu erección a base de demostrarte a ti mismo que conseguir la erección es «algo» relativamente fácil y asequible. La técnica en sí es sencilla: se trata de autoestimularte el pene hasta conseguir una erección y tras dejar pasar unos segundos (no más de un minuto) dejarla perder. A continuación volver a repetir el mismo ejercicio de ganar y perder erección dos veces seguidas. No debes obsesionarte con conseguir la erección. Si no fueras capaz, relájate, desiste, espera un tiempo y vuelve a intentarlo en otra ocasión. El ejercicio no tiene como meta obtener el orgasmo, así que no trates de eyacular. Se trata de un ejercicio clínico, no placentero. Pero si haciendo el ejercicio te excitaras, eyacula. No hay problema por ello. De todas formas, antes de hacerlo, recuerda autoplantearte que se trata de un ejercicio clínico, no placentero y cuya meta es ayudarte a obtener más seguridad en tu erección y a constatar que esta (si no existe un problema orgánico evidente) se puede conseguir «a demanda» siempre y cuando estés relajado, sin ansiedad y sin presión de rendimiento sexual. Esta técnica se puede completar recurriendo a imágenes eróticas, vídeos o libros si hiciera falta. Debo recordarte que es conveniente que mantengas vivo tu deseo sexual, y por ello debes realizar con cierta regularidad este ejercicio, ya que contribuyes a vascularizar tu pene permitiendo su rehabilitación y a mantener la motivación sexual necesaria para solucionar el problema de erección.

Lugar: como siempre, cómodo y acogedor. Que te permita estar concentrado en el ejercicio.

Actitud: Seguimos con actitud siempre positiva.

Frecuencia: debes realizar el ejercicio seis veces por lo menos, pero en días distintos.

Tiempo de duración del ejercicio: el que consideres necesario para ti, pero alrededor de media hora puede ser suficiente.

5.º paso individual. Consigue erección simulando con tus manos húmedas una vagina.

Objetivo: reforzar un paso más tu seguridad en la erección e ir mentalizándote para cuando realices la penetración vaginal en los ejercicios de pareja.

Preparación previa: estar relajado previamente antes de desarrollar el ejercicio.

Desarrollo: cuando hayas realizado con éxito el anterior, comenzarás el quinto paso. Recurriendo a un gel de baño corporal normal (el típico gel de baño cotidiano) con el que impregnes tus manos, vas a autoestimular tu pene hasta conseguir erección. Una vez conseguida, envuelve con tus manos el pene simulando el interior de la vagina y muévelo con ritmo, fantaseando mentalmente que estás introduciendo el pene en la vagina y moviéndolo por dentro. Combina ritmo y fantasías libres.

Lugar: como siempre, cómodo y acogedor. Que te permita estar concentrado en el ejercicio.

Actitud: realista pero positiva. Aunque sepas que tus manos no son una vagina, el ejercicio te sirve para afianzarte en tu avance.

Frecuencia: debes realizar el ejercicio seis veces por lo menos, pero en días distintos.

Tiempo de duración del ejercicio: el que consideres necesario para ti, pero alrededor de media hora puede ser suficiente.

6.º paso individual. Profundiza en lo aprendido.

Objetivo: estás terminando la fase individual del tratamiento, la que se realiza en solitario. Por ello, en este ejercicio debes apuntalar todos los pasos anteriormente realizados, volviéndolos a practicar en repetidas ocasiones. Te conviene repetir los que mejor te salen para afianzarte en tu seguridad e intentar mejorar aquellos que te hubieran salido peor en los pasos anteriores.

Preparación previa: como siempre, estar relajado previamente antes de desarrollar el ejercicio.

Desarrollo: será un paso compendio de los demás que pretende que recurriendo a las técnicas ya mencionadas indagues y profundices en lo aprendido, favoreciendo la seguridad en tu erección y en ti mismo. Cuando más manejo y capacidad tengas para conseguir erección de diversas formas y maneras (con o sin fantasías sexuales, ganar y perder, erección húmeda…), mejor preparado estarás para afrontar el coito.

Lugar: como siempre, cómodo y acogedor. Que te permita estar concentrado en el ejercicio.

Actitud: estás terminando los ejercicios individuales del tratamiento y estoy seguro de que a estas alturas estás satisfecho con tu avance. Debes mantenerte positivo.

Frecuencia: como en los pasos anteriores, tienes que realizar por lo menos media docena de veces el ejercicio, pero no olvides que en días distintos.

Tiempo de duración del ejercicio: como en todos los ejercicios anteriores, alrededor de media hora cada vez.

6. TRATAMIENTO DE LA DE DE ORIGEN ORGÁNICO

El tratamiento de la DE de origen orgánico es básicamente médico, es decir, basado exclusivamente en los recursos médicos disponibles.

Existen tres niveles u opciones en el tratamiento médico de la DE. El orden de aplicación es escalonado y preferencial, comenzando por el primero, que es la opción inicial. Si no funcionase la primera opción de tratamiento, se pasaría a la segunda. El tercer nivel (cirugía) sería la opción final si no hubiesen funcionado los anteriores.

1. En un primer nivel de tratamiento se dispone como protocolo de actuación clínica el siguiente:

   a) Modificación de los hábitos insanos.
   b) Administración de fármacos orales (los fármacos IPDE-5).
   c) Utilización de aparatos de vacío.

   Si este primer nivel de tratamiento no funcionase o no fuera conveniente aplicarlo, se pasaría al segundo nivel.

2. En un segundo nivel de tratamiento (si no hubiese funcionado o no hubiese sido posible aplicar el primer nivel) se recurrirá a la utilización de fármacos intracavernosos.

   Si tampoco hubiese funcionado el segundo nivel o no procediese su aplicación, entraríamos en el tercer nivel de tratamiento de la DE de origen orgánico: la cirugía.

3. En un tercer nivel de tratamiento se encuentra la cirugía, encaminada a restaurar la vascularización en casos en los que sea posible o a implantar una prótesis, elección esta que se debe consensuar con el paciente, ya que es el último paso posible para solucionar el problema de erección, la última opción de tratamiento cuando las demás alternativas han fallado. Pero no hay que olvidar que la colocación de una prótesis requiere una cirugía importante e irreversible. Es decir, la extirpación y retirada de los cuerpos cavernosos del pene y demás tejidos peneanos supone que ya no habrá otra posibilidad de funcionamiento que la puramente mecánica: la prótesis de pene. Por ello es importante informar adecuadamente al paciente antes de dar el paso.

Voy a analizar los tres niveles de actuación:

1.er nivel de tratamiento

1) Modificación de hábitos insanos.
2) Administración de fármacos orales (IPDE-5).
3) Utilización de aparatos de vacío.

a) Modificación de hábitos insanos

En todo problema de erección lo primero que se debe hacer es conocer aquellos hábitos del paciente que pueden estar impidiendo un funcionamiento correcto del pene. Por tanto, hay que abandonar hábitos como el alcohol y el tabaco y aliviar el estrés. También es conveniente conocer aquellos fármacos que pudiera estar tomando el paciente y que tengan entre sus efectos secundarios una afectación de la erección y por tanto que estén induciendo o favoreciendo el problema. Serían:

1. Fármacos para la hipertensión.
2. Fármacos para tratamientos hormonales.
3. Fármacos psicotrópicos (tratamiento de ansiedad, depresión, enfermedades mentales…).
4. Fármacos quimioterápicos (tratamiento de cáncer).

Asimismo, hay que tener en cuenta que existen muchas enfermedades orgánicas y trastornos que producen problemas de erección.

Sin enumerar toda la extensa gama de posibles enfermedades, mencionaré traumatismos, infartos, esclerosis múltiple, tumores medulares, alzhéimer, párkinson, hipotiroidismo, hepatopatías, prostatectomía, cirugías de diversos tipo…

b) Administración de fármacos orales (IPDE-5)

Si se consigue que el paciente, corrigiendo o mejorando los hábitos inadecuados, supere el problema de erección, estupendo. Habremos comprobado que tales malos hábitos eran los culpables del problema de DE. Pero si a pesar de cambiar tales hábitos el paciente sigue con problemas de erección, procederá pasar a buscar otra alternativa de solución, ya que esta no ha sido suficiente.

En este caso, y si se considera que pueden existir causas de origen orgánico de tipo vascular o neurogénico, procede la utilización de fármacos IPDE-5 (sildenafilo, tadalafilo, vardenafilo), que pueden abordar con éxito muchos de estos casos de DE de origen orgánico.

De forma esquemática, para una fácil comprensión del funcionamiento de los IPDE-5 (inhibidores de la enzima fosfodiesterasa 5), se puede decir que actúan como sigue:

El mecanismo de acción de los IPDE-5 consiste en que inhiben la fosfodiesterasa 5, una enzima que degrada al óxido nítrico (NO en sus siglas en inglés), un neurotransmisor necesario para que los cuerpos cavernosos del pene se relajen y permitan la necesaria entrada de la sangre en el pene para desarrollar la erección.

En los años ochenta y noventa se produjo un avance notorio en el conocimiento de los complejísimos mecanismos neurofisiológicos que posibilitaban la erección del pene (uno de los grandes investigadores fue, por cierto, el médico español Íñigo de Tejada) al descubrirse que los tejidos que componen los cuerpos cavernosos del pene se degradaban cuando les faltaba oxigeno (precursor del óxido nítrico) y que la existencia del óxido nítrico era clave en la relajación necesaria de tales tejidos para producir la erección. El Viagra (sildenafilo), el Cialis (tadalafilo) y la Levitra (vardenafilo) son IPDE-5 que impiden que la citada enzima destruya el tan necesario óxido nítrico.

En el capítulo dedicado a los recursos y técnicas para el tratamiento de la DE recojo una información más amplia sobre los fármacos IPDE-5, pero resumiendo se puede decir que:

Los tres existentes, el sildenafilo, el tadalafilo y el vardenafilo, tienen una notoria eficacia. Los tres se pueden tomar a demanda (antes del encuentro sexual), pero la diferencia más notoria estriba en que uno de ellos (el tadalafilo) presenta una vida media más larga (la vida media de un fármaco es el tiempo que permanece en sangre y por tanto sus efectos se mantienen en el organismo), por lo que puede utilizarse también en dosis diarias.

Duración del efecto de los tres fármacos IPDE-5:

Los efectos del sildenafilo tienen una duración de cuatro a siete horas (hasta 12 puede llegar).

Los efectos del vardenafilo tienen una duración de cuatro a seis horas.

Los efectos del tadalafilo tienen una duración de 36 horas. Ello permite tomarlo a diario (en dosis más pequeñas, claro). Al poder tomarse a diario, es muy compatible con la terapia sexual (terapia combinada), ya que evita el proceso de autoobservación típico de muchos pacientes, ya que la hora de administración diaria del fármaco no coincide con el momento del coito y, por tanto, no se asocia con el acto sexual.

Eficacia:

⇨ Sildenafilo: entre el 70 y el 90 % de eficacia.
⇨ Tadalafilo: entre el 67 y 80 % de eficacia.
⇨ Vardenafilo: entre el 66 y el 80 % de eficacia.

Contraindicaciones: son muy parecidas en los tres fármacos:

⇨ Insuficiencia hepática grave.
⇨ Hipotensión arterial (< 90/50 mm Hg).
⇨ Historia reciente de accidente cerebrovascular o infarto de miocardio.
⇨ Pacientes con disfunciones cardiovasculares graves (angina inestable o insuficiencia cardíaca descompensada).
⇨ Pacientes en tratamiento con nitratos o donadores de óxido nítrico (contraindicación absoluta).

⇨ Pacientes con disminución primaria del deseo.
⇨ Pacientes con trastornos hereditarios degenerativos de la retina.

Efectos secundarios

Aunque se trata de fármacos muy seguros, en algunos pacientes se pueden presentar efectos adversos como:

⇨ Cefalea.
⇨ Rubefacción facial.
⇨ Congestión nasal.
⇨ Molestias gástricas.

CONTRAINDICACIÓN ABSOLUTA

Los fármacos IPDE-5 están absolutamente contraindicados para pacientes en tratamiento cardiológico con nitratos o donadores de óxido nítrico, dado que la mezcla puede hacer que les baje considerablemente la tensión arterial. En el cuadro inferior se puede ver la lista de tales fármacos incompatibles con la administración de IPDE-5. Aquellos pacientes que estén tomando alguno de los fármacos que figura en ella no pueden recurrir a los IPDE-5 (Cialis, Viagra, Levitra).

FÁRMACOS VASODILATADORES UTILIZADOS EN ENFERMEDADES CARDÍACAS (nitratos orgánicos)

NITROGLICERINA	MONONITRATO DE ISOSORBIDA	DINITRATO DE ISOSORBIDA	OTROS VASODILATA-DORES
Cafinitrina	Cardionil Retard	Iso Lacer	Corpea
Cordiplast	Cardiovas Retard	Iso Lacer Retard	Molsidain
Dermatrans	Coronur		
Diafusor	Coronur Retard		
Epinitril	Dolak Retard		
Minitran	Mononitr Isosorb		
Nitradisc	Pertil Retard		
Nitrodur	Uniket		
Nitroderm Matriz	Uniket Retard		
Nitroderm TTS			
Solinitrina			
Triniplatch			
Vernies			

FUENTE: BOT (Base de datos del medicamento. Consejo General de Colegios Oficiales de Farmacéuticos, 2007).

Adquisición de fármacos

Es importante decir que la prescripción de los fármacos IPDE-5 debe ser realizada siempre por un médico. No conviene ni es fiable comprarlos por Internet.

c) Utilización de aparatos de vacío

Dentro todavía del primer nivel de tratamiento, otro recurso conocido desde tiempos antiguos pero poco utilizado son los dispositivos de vacío o succión, que han supuesto una alternativa a las prótesis químicas y mecánicas. Hay referencias que hablan de un 70 % de éxitos entre los usuarios, pero no es un utensilio que haya calado entre los pacientes en general. Hay un estudio que refiere un 84 % de éxito cuando se combinan terapia sexual y dispositivo de vacío (Wylie, Jones y Walters, 2003).

2.º nivel de tratamiento: fármacos intracavernosos.

En un 2.º nivel de tratamiento (si no hubiese funcionado o no hubiese sido posible aplicar el primer nivel) se recurrirá a la utilización de fármacos intracavernosos.

El segundo nivel de abordaje de la DE de causa orgánica será el recurso a los fármacos intracavernosos, llamados así porque funcionan inyectándoselos el propio paciente en los cuerpos cavernosos de su pene, aunque requiere primero que el médico le enseñe cómo hacerlo.

Suele dar resultados beneficiosos, pero el nivel de abandonos por parte de los pacientes es alto por lo referido anteriormente: al ser un fármaco que requiere que el paciente se lo inyecte, muchos de ellos acaben cansándose del proceso y dejándolo. Lo abandonan en torno a un 40 % después de tres meses de tratamiento y de un 70 a 80 % tres años después de utilizarlo (Cabello, 2010).

Utilización:

1. En la actualidad se usa sobre todo la prostaglandina (PGE1), sola o asociada a la fentolamina y a la papaverina.
2. Puede ser útil para aquellas personas que no responden al tratamiento con los IPDE-5.
3. También puede ser válido para algunos casos de DE de origen psicológico que no han funcionado con terapia sexual.

3.ᵉʳ nivel de tratamiento

En el 3.ᵉʳ nivel tratamiento se encuentra la cirugía:

1) Cirugía de vascularización.
2) Cirugía de prótesis de pene.

1. Cirugía de vascularización (arterial y venosa). La cirugía de vascularización es muy poco utilizada en el mundo por lo poco exitosa que resulta.

a) Cirugía arterial. Solo se ha demostrado una cierta eficacia en casos concretos y puntuales: pacientes con lesión arterial traumática sin daño neurológico en los que se ha producido una lesión de uretra o de pelvis reciente.

b) Cirugía venosa. Ha quedado restringida igualmente para pacientes muy jóvenes que padezcan DE primaria (desde siempre) por insuficiencia venosa congénita, como es el caso de la fuga venosa, en que el tratamiento quirúrgico pasa por embolizar la vena dorsal del pene, una técnica utilizada solo en aquellos casos en los que está demostrado que la restricción del flujo de salida es esencial para iniciar y mantener la erección (Wespes y Schulman, 1993). Aun así, su tasa de eficacia es muy baja.

2. Cirugía de prótesis de pene. Es la tercera elección cuando han fracasado los demás recursos (fármacos, terapia, autoinyecciones) siempre y cuando el paciente esté dispuesto a someterse a ella. Hay que informarle bien, debe ser una decisión bien asesorada, meditada y consensuada. Es un proceso que una vez realizado es irreversible (al retirar los cuerpos cavernosos y sustituirlos por un mecanismo artificial, el paciente ya no podrá volver a recibir otros tratamientos futuros).

La intervención consiste en vaciar y sustituir los cuerpos cavernosos del pene por un mecanismo artificial o prótesis (dos cilindros) que puede proporcionar una erección a demanda del paciente.

Indicaciones

El I Consenso Latinoamericano de DE de la Sociedad Latinoamericana para el estudio de la DE y la Sexualidad (SLAIS), celebrado en Salvador de Bahía en 2002, admite las siguientes indicaciones para contemplar la posibilidad de cirugía de prótesis de pene:

— En pacientes con DE de causa orgánica cuando no han resultado satisfactorias otras modalidades terapéuticas, bien porque hayan sido rechazadas por el paciente, bien porque no hayan funcionado, bien porque estén contraindicadas.
— En casos de DE de origen psicológico en que no haya funcionado la terapia sexual y en los que el paciente no presente una psicopatía, esté bien informado y no padezca depresión ni ansiedad.

Requiere una consistente evaluación psicológica previa para admitirle como candidato.

Tipos de prótesis

1. Flexibles semirrígidas. Regresan a su posición inicial.
2. Maleables (semirrígidas). Permiten la recuperación de su posición inicial cuando se las flexiona.
3. Hidráulicas o inflables de uno, dos o tres componentes. Llevan el cuerpo interno dentro del pene, el sistema de bombeo va colocado en el testículo y el reservorio se localiza en el espacio de Tetzius, paravesical. Son más complejas técnicamente que las maleables y más difíciles de colocar y ofrecen una menor duración.

Prótesis maleables

Ventajas

➪ Fáciles de utilizar, sobre todo en varones con poca habilidad manual.
➪ Procedimiento quirúrgico menos complicado al tener menos componentes mecánicos.
➪ Más económicas.

Desventajas

➪ El pene se mantiene permanentemente rígido o erecto, aunque no suele notarse debajo de la vestimenta de la persona.
➪ El pene no tiene una apariencia tan natural como en el caso de las prótesis hidráulicas.

Prótesis inflables

Ventajas

➪ Bomba pequeña, cómoda y fácil de utilizar.
➪ Más fisiológicas que una maleable.
➪ El paso al estado flácido se realiza fácilmente con cuatro o cinco bombeos.

Desventajas

➪ Más caras.
➪ Técnicamente son más complejas.
➪ Su duración es menor.

Principales complicaciones quirúrgicas en la implantación de una prótesis de pene:

⇨ Hematomas.

⇨ Lesión uretral.

⇨ Retención urinaria.

⇨ Infección.

⇨ Fibrosis.

⇨ Perforación de la albugínea del cuerpo cavernoso.

⇨ Defectos mecánicos en la prótesis.

⇨ Insatisfacción con el tamaño del pene (una vez operado) por parte del paciente.

⇨ Insatisfacción de la pareja sexual del paciente.

⇨ Perforación de la prótesis por la uretra o por el glande.

CIRUGÍA DE PRÓTESIS

La operación de cirugía de prótesis de pene es una intervención no exenta de complicaciones, que debe ser muy bien meditada y que requiere información precisa y completa sobre su proceso y los posibles problemas, así como sobre sus consecuencias y resultados. Es una cirugía irreversible que a partir de su implantación no admitirá ninguna otra opción terapéutica posible. Por ello debe ser una decisión muy bien pensada y asumida por parte del paciente.

Tratamiento de la fuga venosa peneana

Es una patología difícil de tratar, ya que ni la cirugía vascular ni los fármacos IPDE-5 suelen solucionarla, de modo que la cirugía protésica es la última opción terapéutica, sobre todo para gente joven (la mayoría de casos) siempre y cuando el paciente la asuma y acepte.

7. TRATAMIENTO DE LA DE MIXTA (TERAPIA SEXUAL + FÁRMACOS IPDE-5)

El tratamiento combinado de la DE de origen mixto debe utilizarse sobre todo:

1. En el tratamiento de los casos de DE en los que, existiendo evidencia de causalidad psicológica, también se considera que hay causa orgánica (o al menos dudas sobre su posible existencia).
   Pero también:
2. En aquellos pacientes con una fuerte ansiedad de rendimiento, ya que el fármaco coadyuva a la desaparición de esta.
3. Como complemento y apoyo del tratamiento de la DE de carácter psicógeno cuando este no ha funcionado solo con terapia sexual.

4. En aquellos pacientes que se muestran recelosos con el funcionamiento de la terapia sexual y son proclives a abandonar el tratamiento salvo que se les recete un fármaco.

El caso en el que más procede aplicar un formato combinado de tratamiento de la DE es cuando, existiendo evidencia de causalidad psicológica, también se considera que existe una causa orgánica (o al menos dudas sobre su posible existencia).

Pero también puede ser aconsejable y resultar procedente su utilización en aquellos pacientes con una fuerte ansiedad de rendimiento, ya que el fármaco coadyuva a la desaparición de esta. Este es un tema un poco polémico porque a decir verdad casi todos los casos de DE (aunque sean de origen o causa orgánica), cuando se mantienen en el tiempo sin solucionar, acaban generando en el paciente una ansiedad de rendimiento. Es decir, el varón afectado, harto de no funcionar, empieza a examinarse de su erección y se autoobserva constantemente durante el coito. Al final, termina con fracaso en sus intentos coitales y su problema se hace crónico. Llega un momento, con el paso de los meses (años, a veces), en que asume su DE y deja hasta de intentarlo. En estos casos, hay expertos, sobre todo los sexólogos de formación médica, que consideran adecuado suministrar fármacos IPDE-5, es decir, los inhibidores de la fosfodiesterasa 5 (Viagra, Cialis, Levitra), como complemento a la terapia sexual porque van a ayudar a contrarrestar la citada ansiedad de rendimiento. Es conocido que la ansiedad genera un aumento del tono adrenérgico que hace disminuir la entrada de sangre en el pene. Como los citados fármacos permiten que afluya más sangre al pene (recordar que la erección es fundamentalmente un incremento de flujo sanguíneo en el pene), podrán contrarrestar la disminución provocada por la ansiedad.

De todas formas hay muchísimos casos de DE de origen psicológico resueltos sin necesidad de fármacos. Digamos que los fármacos IPDE-5 ayudan en la eliminación de la ansiedad incrementando el flujo de sangre en el pene, como acabo de referir, pero no son necesarios para solucionar el problema en la mayoría de casos de DE de origen psicológico. Y hay muchos pacientes que, sabiendo que su problema es psicológico, no desean tomar fármaco alguno salvo que sea estrictamente necesario.

Un centro que utiliza como primera opción de tratamiento de la DE la terapia combinada es el Instituto Andaluz de Sexología y Psicología, situado en Málaga y dirigido por Francisco Cabello, médico sexólogo. En este centro introducen la administración del fármaco en la fase genital, lo mantienen durante el tratamiento y se lo retiran al paciente al final, con la llegada del coito libre, cuando el hombre ya ha resuelto el problema prácticamente. Así realizan el procedimiento:

1.º Fase sensual. Se realiza la terapia sexual correspondiente a esta etapa con las técnicas correspondientes, como son la prohibición del coito y la focalización sensorial. Los expertos del citado centro no prescriben el fármaco todavía.

2.º Fase genital. Se aplica la terapia sexual correspondiente a esta fase, proponiendo la realización diaria de las tareas, y se introduce un fármaco IPDE-5, en concreto el tadalafilo, en dosis de 5 gramos, que se tomará diariamente.

3.º Fase orgásmica. Se realizan los ejercicios correspondientes a esta fase (caricias compartidas, autoestimulación delante de la pareja y rozamiento genital). Sigue prohibido el coito, lo que hace disminuir la ansiedad en el paciente. El fármaco sigue ayudando a superar la ansiedad al facilitar que afluya más sangre al pene. Cuanta más frecuentemente se realicen las tareas, mayor eficacia aportará la terapia.

4.º Fase coital. Se sigue aplicando la terapia sexual correspondiente a esta fase, es decir, la técnica del cartero antes explicada y la penetración sin movimientos. Se sigue prescribiendo como complemento a la terapia el fármaco IPDE-5 en dosis diaria de 5 mg. Se aconseja realizar siete sesiones de ejercicios por lo menos con éxito.

5.º Coito libre sin fármacos. Una vez llegado a este punto final de la terapia, se reinicia la retirada del fármaco al partir de la idea de que ya no es necesario; pero se hace de forma progresiva, nunca de golpe. Así se le explica y hace entender al paciente.

La citada retirada del fármaco se hace de forma progresiva, disminuyendo en primer lugar la dosis, después tomándolo en días alternos, a continuación cada dos días, después cada tres y, por último, cada cuatro. Así hasta la retirada definitiva. Durante los seis primeros meses tras el tratamiento, se recomienda que la pareja practique el coito dos veces al mes como mínimo.

Esta estrategia de retirada progresiva del fármaco tiene como objetivo terapéutico que el tratamiento tenga un efecto «curativo» definitivo sin necesidad de seguir recurriendo a él. De todas formas, como bien refieren los colegas del citado centro, cuando los pacientes presentan o tienen lesiones orgánicas causantes de su problema de erección, no conviene retirar todavía el fármaco. Al existir causa orgánica (aunque también la haya psicológica), el fármaco va a seguir siendo necesario o conveniente.

En el mencionado centro consideran, en base al estudio de seguimiento que realizan de sus pacientes, que el 90 % de los casos tratados con terapia sexual combinada siguen con erecciones adecuadas un mes después de haber terminado la intervención terapéutica (Cabello, 2004). De hecho, inician siempre el tratamiento de la DE con la terapia sexual combinada.

Resumen sobre la terapia sexual combinada

La terapia sexual combinada funciona bien:

1. En casos de DE de larga duración, con pacientes que llevan mucho tiempo con el problema instalado, en cuyo caso el fármaco puede aportar la fuerza y consistencia para «arrancar» las primeras erecciones y completamente a la terapia sexual.
2. En varones muy ansiosos por su obsesión en el rendimiento sexual, ya que el fármaco coadyuva a la desaparición de la ansiedad.
3. En casos de DE de origen psicológico en los cuales no ha funcionado la utilización únicamente de terapia sexual.
4. En aquellos pacientes que están acostumbrados a que les receten fármacos porque si no les parece que «les falta algo».
5. En aquellos pacientes que no creen en la terapia sexual, sea porque les parece inconsistente, sea porque piensan que «solo con palabras» no les van a curar su problema, sea porque les resulta «excesivamente programada» o «poco natural».

La terapia sexual combinada está desaconsejada:

1. En pacientes que presenten contraindicaciones a los fármacos IPDE-5.
2. En los casos de DE psicógena de corta duración.
3. En hombres que tienen reparos en tomar medicación.

Terapia sexual combinada en la prostatectomía radical

Como ya he comentado anteriormente, la prostatectomía radical es la cirugía para extirpar toda la glándula prostática y algunos tejidos alrededor de esta. Se realiza como tratamiento del cáncer de próstata.

Existen cuatro tipos principales de técnicas para la extirpación total de la próstata:

⇨ Cirugía retropúbica.
⇨ Cirugía laparoscópica.
⇨ Cirugía robótica.
⇨ Cirugía perineal.

La cirugía retropúbica suele ser la intervención más utilizada, aunque últimamente ha ganado terreno la cirugía robótica (a través de una consola con mandos el cirujano maneja los brazos articulados de un robot). El porcentaje de varones que tendrán problemas de erección como consecuencia de la cirugía retropúbica oscilará entre el 60 y el 90 % ya que durante la intervención quedan afectadas las bandeletas (un paquete neurovascular fundamental en la obtención de la erección).

Aun así, en los últimos años se ha avanzado notoriamente en la preservación de las bandeletas durante la cirugía. De hecho, la prostatectomía radical con preservación de bandeletas es la técnica de elección en la enfermedad de cáncer de próstata (Padilla Nieva, Cáceres Rodríguez, Gambra Arregui, Mora Christian, Llarena Ibarguren y Arruza Echevarría, 2013). A tal hecho hay que añadir que existe una tendencia general a promover una sexualidad saludable postcirugía prostática en la línea de considerar que la salud sexual es un derecho universal.

Desde tal perspectiva se han producido avances en la mejora de los problemas de erección postcirugía prostática gracias a la utilización de fármacos IPDE-5 combinados con terapia sexual.

TERAPIA SEXUAL COMBINADA TRAS UNA OPERACIÓN DE PROSTATECTOMÍA (cirugía de extirpación de la próstata) (Cabello, 2009)

1.º Dos semanas antes de la intervención:

⇨ Comenzar con iPDE-5:
tres veces/semana sildenafilo (a dosis bajas diarias), o vardenafilo (tres veces/semana) o tadalafilo (dos veces/semana).

2.º Una vez realizada la intervención, y tras la retirada de la sonda:

⇨ Seguir con los fármacos.
⇨ Introducir dos veces/día un succionador de pene (para oxigenar cuerpos cavernosos).
⇨ Una vez a la semana administrar máxima dosis de IPDE-5.
⇨ Tres veces/semana autoestimulación erótica.

3.º Si pasadas seis semanas no hay mejoría, sustituir IPDE-5 por inyecciones intracavernosas de alprostadilo dos veces/semana.
4.º Terapia sexual (si procede).

IMPORTANTE

⇨ Imprescindible el apoyo de la pareja.
⇨ Posibilidad de conflictos en la pareja (aportar consejo sexual o/y terapia sexual).

8. LA DE Y EL CLÍTORIS. RECURRIENDO A LA MASTURBACIÓN. ALGUNAS CONSIDERACIONES

El clítoris y su acertado manejo son fundamentales en la obtención del logro orgásmico femenino. Los eyaculadores rápidos y los varones con DE se acercan a la consulta de sexología con la obsesión permanente de que su pareja alcance el orgasmo recurriendo únicamente a la penetración vaginal o cópula. Es importante hacerles entender que el orgasmo se puede buscar y conseguir recurriendo a la estimulación manual u oral del clítoris.

Si la mayoría de los hombres con disfunción eréctil supiesen y creyesen que sus parejas no siempre comparten su obsesión por lograr el orgasmo con la penetración vaginal y que se dan por satisfechas al obtenerlo con la excitación exclusiva del clítoris, dejarían de menoscabar su autoestima, librándose de gran parte de la culpa que les atenaza.

Por ello conviene que tú y tu pareja conozcáis y deis importancia al manejo del clítoris, tengáis información sexual sobre su funcionamiento y dispongáis de todos los datos acerca del órgano clave en el placer sexual de la mujer.

Para muchas mujeres, la excitación directa del clítoris, sea manual u oral, es mucho más estimulante y placentera, más explosiva e intensa que la propia penetración. A la penetración se le atribuye un valor más afectivo y emocional (unión íntima con su pareja).

Clítoris y orgasmo de la mujer

Se sabe que muchas parejas no recurren a la masturbación entre sus prácticas amatorias. También hay referencias precisas que informan de que no todos los hombres conocen el manejo del clítoris. En realidad existe un porcentaje notorio de varones que no saben utilizarlo. Muchos de ellos no se plantean recurrir a la masturbación de su pareja sexual, bien porque no se han atrevido a sugerirlo ni promoverlo, bien porque ni siquiera lo han pensado.

Sabiendo que la mujer del hombre con DE suele quedarse insatisfecha eróticamente hablando, es conveniente promover en el varón la posibilidad de recurrir a la masturbación de su chica para que esta obtenga el orgasmo. Esta misma proposición es válida también para los casos de eyaculación precoz.

Información básica sobre la anatomía del clítoris

El clítoris (del griego *kleitoris,* «pequeña colina») es el órgano sexual femenino por excelencia. Es un órgano humano que solo existe para recibir y transmitir estímulos sexuales. Digamos que solo existe para el placer (el pene, además de fines placenteros, también tiene fines reproductivos y fisiológicos). Situado donde se unen los labios menores por su parte superior se esconde bajo un capuchón o prepucio, que es el equivalente al que existe en el pene.

De tejido eréctil, semejante a una esponja, se llena de sangre cuando se excita, lo que hace que se agrande y se tense, en definitiva, que entre en erección, igual que el miembro masculino. Se calcula que el glande del clítoris concentra ocho mil terminaciones nerviosas, muchas más que las que existen en las yemas de nuestros dedos o nuestra lengua y ¡atención! el doble que en la cabeza del pene. Contiene dos extremidades o raíces (llamada crura) de tejido eréctil que se extienden hacia atrás, pegadas a la parte interior del hueso púbico, y pueden alcanzar hasta nueve centímetros de longitud, y dos bulbos vestibulares de tejido eréctil que también se expanden a cada lado de la vagina y envuelven la uretra.

Información básica sobre la erótica del clítoris

En líneas generales se puede decir que la mayoría de las mujeres prefieren que el varón, cuando las masturba, no vaya directamente a los genitales. De no hacerlo así, las chicas pueden sentirse «atacadas». Suelen preferir la insinuación, el coqueteo, los besos, las caricias sobre otras partes de su cuerpo, para progresivamente ir centrando la erótica en la zona genital (muslos, ingles). Cuando se aborden los genitales, conviene empezar con suavidad, por labios menores, entrada de la vagina, y siempre con delicadeza. Conforme vaya aumentando la excitación sexual, y siempre de acuerdo con las demandas de cada mujer (no hay dos mujeres iguales), se puede empezar a acariciar el clítoris poco a poco, con poca

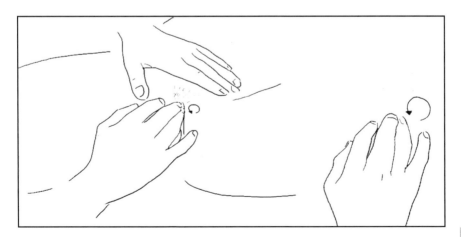

Figura 9.4. *Conviene que los dos miembros de la pareja conozcan y valoren la importancia del clítoris como elemento clave del placer femenino.*

intensidad al principio para no irritarlo y luego cada vez más fuerte. Pero siempre con delicadeza y siguiendo los gestos y señales de la mujer. Existen varias formas de acariciar el clítoris (pellizcando o con movimientos circulares, laterales o directos). También se puede hacer con uno o varios dedos.

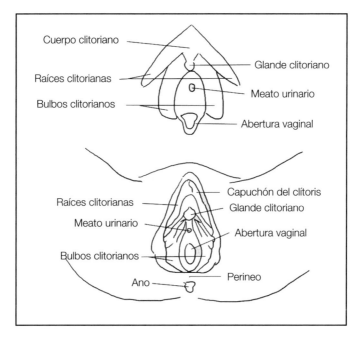

Figura 9.5. *El clítoris (del griego* kleitoris, *«pequeña colina») es el órgano sexual femenino por excelencia. Es, además, el único órgano humano cuya exclusiva justificación existencial es generar placer.*

9. CÓMO AFRONTAR ALGUNAS DIFICULTADES QUE PUEDEN SURGIR DURANTE EL DESARROLLO DEL TRATAMIENTO

Introducción

Cuando se acude a la consulta de un profesional para solucionar un problema de erección, se van a prescribir una serie de pautas terapéuticas encaminadas a resolverlo. No siempre se realizan tales pautas adecuadamente, bien sea porque falta regularidad en la práctica de los ejercicios, bien sea porque el chico no recibe el apoyo de su pareja sexual o por otras razones ajenas a la sexología. Tales impedimentos afectan a los pacientes que acuden a una consulta real pero también al paciente o cliente que desarrolle el tratamiento a través de este libro. En este apartado voy a analizar hechos o circunstancias que pueden impedir que el cliente realice adecuadamente el programa de tratamiento de su problema de DE, ofreciendo unas pautas para superar tales escollos y poder desarrollar con mayor solvencia el tratamiento.

Las circunstancias que a continuación enumero suelen interferir en ocasiones en el normal desarrollo de la aplicación del tratamiento:

1. Cuando no tienes tiempo para ti.
2. Cuando te sientes «programado» durante la realización de los ejercicios.
3. Cuando no tienes continuidad en la realización del programa.
4. Cuando sientes alguna desmotivación durante el tratamiento.
5. Cuando te falta el apoyo de tu pareja.
6. Cuando no encuentres un lugar cómodo y agradable para realizar los ejercicios.
7. Cuando eres incapaz de estar sin realizar la penetración durante el tratamiento.
8. Cuando te falta calma y te sobra estrés a la hora de practicar los ejercicios.

Este es mi análisis y los consejos consecuentes:

1. Cuando no tienes tiempo para ti.

Si quieres solucionar tu problema de erección, es importante que «reserves un tiempo sexual» para ti; para ti y tu pareja (si es que la tienes, claro). Busca tiempo o encuéntralo como sea, pero concédetelo como algo que mereces y debe ser tenido en cuenta. No encasilles el tiempo para los ejercicios en un hueco demasiado constreñido de tu agenda cotidiana. El fin de semana puede ser un buen momento, por ejemplo. Háblalo con tu chica y haced un hueco en vuestras respectivas agendas. Dad prioridad a la solución del problema. Y recuerda que la ansiedad es incompatible con la solución del problema, por lo que el tiempo que dediques al tratamiento debe ser distendido.

2. Cuando te sientes programado durante la realización de los ejercicios.

A algunos pacientes la realización de los ejercicios estructurados en que se basa la terapia sexual les parece un tanto dirigida o carente de espontaneidad. Esta vivencia del programa de tratamiento es producto de la concepción romántica e idealizada que tenemos del sexo en el sentido de que pensamos que la sexualidad debe ser espontánea para ser natural, debe surgir sin necesidad de programarla. Y todo aquello que sea dirigido se aleja de los cánones idealizados que tienen que ver con el sexo. Esta visión utópica de la vivencia sexual es la que subyace en la mente de algunos hombres y mujeres a quienes la terapia les resulta a veces un tanto programada.

Es importante que sepas que si a ti se te pasara por la mente tal consideración o pensamiento, debes entender que es necesaria y común en el tratamiento de la mayoría de los problemas sexuales la realización de una serie de pasos, pautas o ejercicios clínicos que tienen como objetivo recuperar la capacidad sexual de las personas. No hay que olvidar que con este tipo de tratamiento de los problemas sexuales (pasa con la disfunción eréctil pero también con la eyaculación precoz) se intenta establecer unas pautas clínicas programadas para que, cuando termine, el paciente recupere una dinámica natural, propia y libre.

Digamos, por tanto, que debes entender que aunque el tratamiento pudiera parecer «programado», está hecho o concebido así para poder en el futuro disponer de una sexualidad solvente y satisfactoria.

3.   Cuando no tienes continuidad en la realización del programa.

Está comprobado que una realización continuada de los ejercicios conlleva una mayor eficacia en la solución del tratamiento. La experiencia clínica me ha permitido observar que interrumpir el tratamiento, sea por vacaciones, enfermedad, enfado de la chica pareja sexual u otras múltiples razones circunstanciales, supone un parón en su efectividad. El avance suele quedar paralizado o enfriado. Si te pasara tal cosa, intenta retomarlo y hacerlo con más continuidad.

4.   Cuando sientes alguna desmotivación durante la realización del tratamiento.

Cuando se comienza el tratamiento psicológico de la DE, suelen percibirse pronto los avances (la técnica de ganar y perder erección suele dar resultados inmediatos), pero también puede ocurrir que la ansiedad que generan las expectativas de resolver el problema haga que el cliente busque una solución rápida e inmediata y quiera «adelantar pasos como sea», protagonizando algún episodio fallido como consecuencia de las prisas. Ello puede inducir a que te desmotives o pierdas el interés por continuar con él. Es admisible que te pueda ocurrir eso porque el programa de tratamiento de la DE requiere una cierta constancia. He de decirte que te compensa seguir realizando el tratamiento porque si lo abandonas y dejas pasar un tiempo largo, tendrás que volver a comenzarlo desde el principio cuando lo retomes.

5.   Cuando te falta el apoyo de tu pareja.

Tu chica puede no querer apoyarte por estar resentida contigo o decepcionada por algo que has hecho inadecuadamente. O simplemente enfadada por algún motivo, quizá por el hecho de haber tardado tanto en consultarlo. El apoyo de tu chica es muy importante para que el tratamiento sea redondo. No puedes olvidar que una de las razones que te motivan a intentar solucionar tu problema de erección es dejarla satisfecha sexualmente a ella. Así que debes decírselo para empezar a recuperarla. Si tu chica está enfadada o resentida contigo, tendrás que saber pedirla perdón y ganártela. Si tu chica está distanciada emocionalmente de ti, tendrás que volver a seducirla. Y si tu chica no quiere colaborar contigo en la realización del programa de tratamiento de la DE, tendrás que convencerla de lo necesario que es su apoyo para resolver tu problema. Merece la pena que ella te ayude colaborando en la realización de los ejercicios clínicos para mejorar vuestra vida sexual y por el bien de vuestra relación de pareja.

6. Cuando no encuentras un lugar cómodo y agradable para realizar los ejercicios.

No tiene por qué ser vital para que funcione el tratamiento, pero sí es conveniente que el lugar donde vas a realizar los ejercicios o prescripciones que forman parte de él emane tranquilidad, sea silencioso y, sobre todo, cómodo y fácil de utilizar para la pareja. Hacerlo agradable es la mejor manera de empezar bien el tratamiento. Puedes ayudarte recurriendo a velas, luces suaves y tenues, olores agradables, música relajante…

7. Cuando eres incapaz de estar sin realizar la penetración durante el tratamiento.

Durante una parte del tratamiento está prohibido realizar la penetración vaginal. La citada prohibición coital es necesaria para que el paciente se olvide de exigirse rendir sexualmente durante el acto sexual y también para que se concentre mejor en los otros ejercicios no penetrativos que se le prescriben. A algunos pacientes les cuesta mucho mantener la prohibición y lo que hacen es saltársela por su cuenta. Es importante para la buena eficacia del tratamiento que respetes la prohibición de la penetración coital mientras esté prescrita. La prohibición coital no deja de ser una técnica terapéutica, un recurso clínico cuya eficacia está comprobada desde hace muchos años.

8. Cuando te falta calma y te sobra estrés a la hora de practicar los ejercicios.

Realiza con calma y perseverancia los ejercicios prescritos. No tengas excesiva ansiedad por terminar rápidamente. No te desanimes si algún paso no sale adecuadamente. Ten paciencia y repítelo sin agobios. Tómatelos con tranquilidad. Conviene que durante la realización del tratamiento seas capaz de dejar de lado tu estrés cotidiano, la vida agobiada que muchas veces llevamos, las prisas. Por ello te aconsejo que reserves un tiempo de tu vida para afrontar el tratamiento que en el libro propongo y lo desarrolles de manera completa a lo largo de las siete u ocho semanas que dura. Debes conseguir que durante ese tiempo no haya interferencias de ningún tipo que impidan estar concentrado en el programa. Por ello debes mantener a raya al estrés durante tal período.

CONCEPTO DE ABANDONO TERAPÉUTICO

Consiste en la interrupción del tratamiento de forma unilateral por parte del cliente, es decir, sin el conocimiento, acuerdo o consentimiento del experto, y se manifiesta en la anulación o no asistencia a la cita fijada, sin querer volver a fijar otra, a pesar de aconsejarlo el experto.

RAZONES ARGUMENTADAS POR LOS PACIENTES PARA JUSTIFICAR EL ABANDONO DEL TRATAMIENTO DE LA DISFUNCIÓN ERÉCTIL MEDIANTE TERAPIA SEXUAL:

⇨ Carecer de apoyo por parte de la pareja sexual.
⇨ Tener en el momento de la terapia una crisis de pareja.
⇨ Estar estresado.
⇨ No disponer de una vivienda para realizar los ejercicios terapéuticos.
⇨ Considerar que el tratamiento tenía un número excesivo de sesiones.
⇨ No haber comunicado (informado) a su pareja de que había consultado el problema con un experto.
⇨ Carecer de tiempo.
⇨ Estar en tratamiento por depresión o ansiedad.
⇨ Creer que la causa de su DE era física.
⇨ Haberse solucionado ya el problema.
⇨ Irse de vacaciones.
⇨ Perder el puesto de trabajo.
⇨ Por motivos del entorno familiar ajenos a la sexualidad.
⇨ Preocupación laboral intensa.
⇨ Por considerar el paciente que no tenía paciencia en ese momento para realizar todo el tratamiento.

10. TRATAMIENTO DE LA DE PARA HOMBRES SIN PAREJA SEXUAL

INTRODUCCIÓN

Cuando un hombre con disfunción eréctil no dispone de pareja sexual, los expertos trabajamos con mayor intensidad los ejercicios que se han de realizar en solitario. También abordamos aquellos aspectos del chico que están impidiendo que tenga relaciones sexuales o de pareja: timidez, complejos, inseguridad, comunicación y formas de seducir o relacionarse con las chicas. En suma, se trata de conseguir que el varón sea capaz de salir de su «propio mundo» de persona acomplejada para adentrarse en el «mundo de las relaciones sexuales y de pareja».

Con esta pretensión, voy a ir exponiendo a continuación el programa de tratamiento de la DE para hombres sin pareja sexual para que veas que puedes ir ganándole terreno a la timidez y a tu complejo eréctil y ser capaz de relacionarte sexualmente.

He de recordarte que los ejercicios de autoestimulación masturbatoria (los puedes llamar también de autoaprendizaje) que tienes que realizar en solitario son los mismos prescritos para que los ejecuten individualmente aquellos varones que disponen de pareja sexual.

Figura 10.1. *Aunque no se disponga de pareja, existe un programa de tratamiento de la DE para hombres sin compañera sexual.*

1. PROGRAMA DE TRATAMIENTO DE LA DE PARA HOMBRES SIN PAREJA SEXUAL

El programa de tratamiento de la DE para hombres que no disponen de pareja sexual consta de una serie de recursos que pongo a tu disposición y que son los siguientes:

1. Infórmate bien sobre la DE.
2. Cambia tu actitud sexual ante la DE.
3. Autoaplícate una técnica de relajación para el control de tu ansiedad.
4. Realiza los ejercicios de autoestimulación masturbatoria para aprender a manejar tu erección (seis pasos).
5. Aprende la técnica de control del músculo pubococcígeo (también llamado ejercicio de Kegel).
6. Cambia algunas ideas desacertadas sobre tu problema de DE.
7. Pierde el miedo a relacionarte con chicas. Busca una pareja sexual.
8. Si has encontrado una pareja sexual, pasos eróticos a realizar con ella para superar la DE.

2. PASOS O EJERCICIOS QUE DEBE REALIZAR ÚNICAMENTE EL HOMBRE

Desarrollo del programa de tratamiento de la DE para hombres sin pareja sexual:

1. Infórmate bien sobre la DE.

Es importante que conozcas lo que es la DE, sus causas, sus tipos y sus consecuencias. En los diversos capítulos previos de este libro puedes conocer todo lo que rodea a la DE.

De todas formas, recuerda varias ideas básicas a la hora de plantearte aspirar a solucionar tu problema de EP:

⇨ Si te sientes fracasado en tu erección (algunos hombres refieren sentirse «impotentes», pero como el término es un tanto peyorativo, yo prefiero no utilizarlo), debes cambiar tu actitud sexual ante el coito. Y para ello debes aprender a sustituir una conducta sexual inadecuada, la que tienes ahora (ir con prisas, mostrarte obsesivo por cumplir con tu chica, examinarte durante el coito, estar pendiente de si fallas…), por otra actitud más adecuada a la que has de aspirar (concentrarte en tu excitación sexual, en los estímulos eróticos, en las fantasías sexuales…).

⇨ La erección es un mecanismo reflejo involuntario pero que el hombre puede aprender a gestionar con solvencia (salvo cuando la causa o causas de la DE son orgánicas, en cuyo caso se suele necesitar medicación). Para ello debes anular y superar el motivo principal de la pérdida de erección: la ansiedad de rendimiento que suele anquilosar al hombre al enfrentarse al coito.

⇨ En los casos de DE de origen psicológico, se puede perder la erección, pero también se puede volver a recuperarla.

⇨ Utilizando la autoestimulación, y mediante varios recursos muy validos (técnica de ganar y perder erección, técnica de desensibilización sistemática, técnica de focalización sensorial…), puedes aprender a manejar tu respuesta eréctil volviendo a recuperarla y, con ella, tu autoestima sexual.

---

2. Cambia tu actitud sexual.

Es probable que dentro de ti estés viendo el sexo como un reto y a tu problema de DE como un examen. Si es así, te conviene cambiar dentro de ti tal visión. Debes empezar por no tomarte con tanta responsabilidad tu vivencia sexual. El sexo es placer (además de reproducción y comunicación), y hacer un drama del placer es contraproducente. Te aconsejo que intentes cambiar tu actitud negativa, presurosa y excesivamente autoexigente por otra que sea más sosegada y positiva. Esto es clave. Por ello, te interesa empezar a cambiar tu forma de ver el sexo. El sexo es intentar disfrutar, comunicarte y ser feliz. Cambia por dentro tu visión del sexo y empezarás a tomártelo de otra forma. No te retes a ti mismo. El sexo no es una competición, ni siquiera contigo mismo.

---

3. Autoaplícate una técnica de relajación para el control de tu ansiedad.

Puedes autoaplicarte la técnica de relajación progresiva de Jacobson que figura detalladamente explicada en este libro, concretamente en el capítulo dedicado a las técnicas, recursos y estrategias para abordar la DE.

---

4. Realiza los ejercicios de autoestimulación masturbatoria para aprender a manejar tu erección (seis pasos).

Los ejercicios a solas contribuyen de forma ideal a comenzar el programa de autoayuda, tanto si se tiene pareja como si no.

Los ejercicios de autoestimulación masturbatoria a realizar por los hombres sin pareja sexual son los mismos (seis pasos) que se les prescriben a los hombres con pareja sexual y que figuran desarrollados en el capítulo dedicado al tratamiento de la DE para hombres con pareja sexual. Recordemos que son los siguientes:

PASOS O EJERCICIOS A REALIZAR POR EL HOMBRE SOLAMENTE
1.er paso individual. Concéntrate en tus sensaciones eróticas no genitales.
2.º paso individual. Concéntrate, ahora sí, en tus sensaciones eróticas genitales y consigue tener erección.
3.er paso individual. Consigue tener erección pero mantenida y repetida varias veces.
4.º paso individual. Estimula tu pene con la técnica de ganar y perder erección.
5.º paso individual. Consigue erección simulando con tus manos húmedas una vagina.
6.º paso individual. Profundiza en lo aprendido.

(Estos ejercicios están explicados detalladamente en el capítulo 9, Tratamiento de la DE para hombres con pareja sexual, página 243.)

5. Aprende la técnica de control del músculo pubococcígeo (también llamado ejercicio de Kegel) para poder aplicártela. En el capítulo dedicado a las técnicas, recursos y estrategias para abordar la DE, figura una explicación detallada de la técnica de los músculos pubococcígeos.

6. Cambia algunas ideas desacertadas sobre tu problema de DE.

3. CÓMO CAMBIAR ALGUNAS IDEAS DESACERTADAS SOBRE TU PROBLEMA DE DE

Tradicionalmente al varón humano le cuesta comunicarse emocionalmente, expresar sus sentimientos. De hecho, no es infrecuente que muchos hombres lo hagan a través de su vivencia erótica. Los roles educativos le han inducido (sin que esto sirva de disculpa o justificación de comportamientos machistas) a reprimir sus emociones y sus sentimientos en pos de manifestarse seguro, firme y protector.

Este rol de fortaleza y seguridad que al hombre le ha destinado la historia creada por el propio hombre es alimentado con premisas que contemplan la necesidad de transmitir seguridad y protección. Tal hecho evidentemente ha conllevado sus costes: menor tolerancia a la frustración, represión emocional, rechazo a la intimidad y una baja autoestima que se alimenta notoriamente en su respuesta sexual.

En suma, y en no pocas ocasiones, bajo una capa de consistencia hercúlea se esconde un niño incapaz de gestionar su vivencia erótica, de manejar sus prestaciones fisiológicas con consistencia y racionalidad. Se trata de un varón proclive al fracaso en cuanto su respuesta amatoria no siga los parámetros eróticos «oficiales», aquellos que se esperan de él.

En esta línea de funcionamiento se produce una estrecha convivencia entre pensamientos, afectos y conductas que va a favorecer la aparición de distorsiones cognitivas. Ante el fracaso por una pérdida de la erección o una incapacidad para conseguirla, el varón va a tener pensamientos negativos del tipo: «mi pareja se queda insatisfecha pero no se atreve a decírmelo», «igual me abandona», «parece que no se ha quedado satisfecha», «siempre han dicho que una mujer que se queda satisfecha está más relajada».

Estos pensamientos, con su correspondiente vivencia emocional, le van a inducir al varón un incremento de su ansiedad que, a su vez, como ya se evidenció en la explicación del funcionamiento del círculo de rendimiento amatorio, le va a provocar aún mayor ansiedad, sentimiento de fracaso, falta de deseo sexual y disfunción eréctil.

Este círculo de funcionamiento sexual ansiógeno necesita una reestructuración cognitiva de las ideas que están retroalimentando negativamente la disfunción eréctil. Por ello es útil y conveniente la utilización de recursos de la terapia cognitiva.

Los sexólogos tenemos evidencias de que las técnicas conductuales y cognitivas actuales pueden ayudar a disminuir la ansiedad y aflicción asociadas con la DE.

Asimismo, debemos contrarrestar aquellas ideas negativas o erróneas que el paciente y su pareja traen a la consulta sobre su problemática erótica, en este caso la DE.

En esta línea, he de decirte que muy probablemente tengas en tu cabeza una serie de cogniciones (forma clínica de denominar a las ideas o pensamientos) que están perjudicando tu forma de entender la sexualidad y, de paso, afectando a tu erección.

A la técnica consistente en pretender cambiar una serie de ideas perjudiciales para nuestro comportamiento se le llama reestructuración cognitiva. En la experiencia personal del individuo que padece problemas de erección es importante el abordaje de tales ideas o cogniciones negativas asociadas a su problemática eréctil.

Dentro de este capítulo dedicado al tratamiento de la DE para hombres sin pareja sexual hago una propuesta a tales «chicos solitarios» que consiste en animarles a que se relacionen, a que sean capaces de «salir al mercado» en busca de relaciones con chicas. El ser humano (el hombre y la mujer) es social por naturaleza, y la relación le hace crecer. Necesita relacionarse. Todos necesitamos relacionarnos. Fuera de la manada, el ser humano está condenado a la soledad. Si eres un «chico solitario» en contra de tu soledad (te gustaría perderla), sal y relaciónate. Si encuentras una posible pareja, te va a ayudar en la solución de tu problema de erección.

A lo largo de este libro he comentado varias veces el hecho de que los problemas sexuales surgen en pareja y se solucionan en pareja. Quiero añadir y matizar que los problemas sexuales también pueden surgir sin tener pareja. De hecho, se dan casos de muchos hombres acomplejados ante sí mismos, hundidos en su propia soledad, incapaces de relacionarse con chicas por miedo a no ser solventes a la hora de realizar el coito.

Es obvio pensar que si no han tenido relaciones sexuales todavía, su posible problema de DE no ha surgido en pareja, pero es evidente que va a ser dentro del marco de una relación sexual de pareja donde va a poder resolverse con mayor solvencia y eficacia su disfunción sexual.

Y para ello es fundamental que estos chicos tengan una buena autoestima que les permita atreverse a enfrentarse a lo bueno y a lo menos bueno de la relación de pareja, que también lo hay (no hay rosas sin espinas). Y para incrementar la mencionada autoestima, la mejor estrategia es potenciar la asertividad.

Ser asertivo es fundamental para relacionarse. Por ello explicaré brevemente en qué consiste. Manejar tal actitud (junto con otras cualidades, obviamente, como tener don de gentes, sinceridad, naturalidad, carisma…) abre las puertas de las relaciones sociales, de la posibilidad de salir con chicas.

4. TÉCNICAS DE ASERTIVIDAD. ATREVERSE A RELACIONARSE Y SALIR CON CHICAS

¿Qué es la asertividad? Asertividad es la capacidad de autoafirmar los propios derechos sin dejarse manipular y sin manipular a los demás. Digamos que es la capacidad de las personas de ser ellas mismas o, lo que es lo mismo, de decir o expresar lo que sienten y piensan pero haciéndolo sin agresividad ni timidez. Lo voy a decir de manera más coloquial y directamente: asertividad es el arte de relacionarse sin hacer daño pero también sin dejarse pisar. No es fácil, pues requiere habilidad, consciencia y una cierta estrategia. Porque saber relacionarse no deja de ser un arte, una habilidad, un talento, una capacidad. Y debemos admitir una realidad palpable: cada vez es más difícil relacionarse. Vivimos tiempos de excesiva corrección, donde se lleva «el quedar bien» y no molestar, donde cualquier cosa que digamos atrevidamente puede molestar. Hay una excesiva sensibilidad en muchos campos y sectores. Muchas veces por pura hipocresía. Ser asertivo no debe implicar ganar a los demás, superarles o quitarles la razón, quedar por encima de ellos, sino respetar y ser respetado, buscar ese punto de equilibrio que nos permita relacionarnos sin crispación, sin entablar una competencia. Respeto y comprensión. Soltura pero sin pasar los límites que provoquen daño. Quererse a uno mismo, pero no olvidar a los demás. Existen tres tipos de conducta o respuesta básica de una persona ante otra. Vamos a analizarlas:

1. Respuesta de inhibición (cortarse ante algo o alguien y no hacer nada, callarse, asustarse, reprimirse).
2. Respuesta de agresividad (envalentonarse, crecerse, contestar desairado, iracundo o borde). La persona que utiliza este estilo, el denominado agresivo, para dirigirse a los demás lo hace con menosprecio y prepotencia, intentando estar siempre por encima de los otros (lo haga de manera consciente o no).
3. Respuesta de asertividad: Actuar con serenidad, decir o hacer lo que se quiere, sin alterarse, sin agredir, sin inhibirse. Es una respuesta situada en un «punto medio», ni reprimida ni agresiva. Se llama respuesta asertiva.

Voy a poner un ejemplo práctico de los tres tipos básicos de comportamiento mencionados, el inhibido o tímido, el agresivo (inadecuado, obviamente, para encontrar una chica) y el asertivo, reflejados en el comportamiento diferenciado de tres amigos ante una chica que les gusta a los tres.

Ejemplo:

Un trío de amigos (Pablo, David y Borja) acuden a un bar de copas. Se encuentran con un amigo (Ernesto), que a su vez está en una velada con un grupo numeroso de amigos y amigas (unas doce personas). Ernesto presenta a Pablo, David y Borja al grupo, integrando a los tres amigos en el citado grupo para compartir charla y entretenimiento. Casualmente coincide que los tres amigos reparan en una chica del grupo (Joanna) que les gusta (a uno por la mirada y sonrisa, a otro por su físico y al tercero por algo especial que ella tiene, aunque no sabría precisarlo). La cuestión es que los tres se sienten atraídos por ella y a todos les encantaría conseguir una cita privada con la chica, pero la forma de manifestar sus sentimientos de atracción y la actitud que van a mostrar ante ella va a ser diferente. Uno va a mostrarse inhibido o tímido, otro agresivo o borde y solo un tercero va a ser capaz de ser asertivo, es decir, capaz de transmitir su atracción hacia ella con sinceridad y educación, con eficacia y solvencia, con éxito en suma (conseguir que la chica entienda sus sentimientos y obtener una cita).

Pablo «el tímido»

Pablo se siente atraído por la chica pero es muy tímido, no se siente capaz de proponerle una cita a Joanna. Únicamente se atreve a mirarla de vez en cuando y a duras penas sigue el diálogo entablado por los integrantes del numeroso grupo. Apenas acertará a balbucear delante de ella unas palabras aseverativas sobre alguno de los muchos temas que se tratan a lo largo de la charla (fiesta, música, universidad…).

David «el agresivo o borde»

David en cambio no calla, intenta llevar el peso de varias conversaciones dentro del grupo y no siente pudor alguno en mirar sin recato a Joanna con frecuencia. Llega un momento en que la propia chica se turba en tal cruce de miradas. Pretende transmitir seguridad hasta el punto de que parece ir de «sobrado», impresión que podría constatar cualquier espectador imparcial que estuviese observando al grupo.

Borja «el asertivo»

Sin embargo, el tercer amigo, Borja, a lo largo de la velada va a mantener varios diálogos con Joanna. Al principio temas de «aterrizaje» tratados con amenidad, sin aparente interés íntimo (sus estudios de empresariales y su gran afición al baloncesto). Pero cuando ha transcurrido ya más de media hora, y aprovechando que se han formado varios subgrupos con temas de diálogo diferentes, se acerca a Joanna y le dice con tono suave y agradable pero firme que «le gustaría quedar con ella un día para tomar un café o realizar alguna actividad deportiva juntos». Joanna le comenta que «bueno, pues sí. Quedamos un día, si quieres». Para Borja ello supone un cierto éxito porque siente que ha expresado su deseo de quedar con alguien que le gusta y atrae. Ello no garantiza que pueda surgir un idilio con Joanna ni que sea la chica de su vida, pero de entrada ha sido capaz de expresar un deseo, un sentimiento.

El ejemplo descrito es sencillo, pero refleja un poco la actitud asertiva y cómo es conveniente expresar sentimientos hacia alguien, una chica en este caso, de forma natural, sin miedo al posible rechazo. Tener un estilo de comunicación asertivo no garantiza el éxito, pero sí facilita un nivel claro de comunicación y la posibilidad de expresar lo que deseamos con solvencia. Ser asertivo es fundamental para relacionarse. Por ello explico brevemente en qué consiste. Manejar tal actitud (junto con otras cualidades, obviamente, como tener don de gentes, sinceridad, naturalidad, carisma…) abre las puertas de las relaciones sociales, la posibilidad de salir con chicas…

Como he referido anteriormente, existen tres tipos básicos de modelo comunicativo:

Estilo pasivo: el estilo pasivo puede identificarse con una persona tímida o ausente, pero también con alguien reprimido o miedoso. La persona que utiliza un lenguaje o estilo pasivo de conducta puede quedar a disposición de los demás al no atreverse a expresar sus sentimientos, emociones, deseos, ambiciones u opiniones. También puede generar incomodidad a la pareja, al receptor o al grupo de amigos, consiguiendo que se sientan tensos o agobiados por las continuas indecisiones o pasividad de tal actitud. Una cosa es ser discreto y otra pasivo. Una cosa es ser cauto y otra indeciso. Si en un momento importante o clave no se toman decisiones, puede que otros lo hagan por ti. Y lo que es fundamental: cuando alguien no ha dicho lo que piensa o cree sobre un tema o sentimientos (sobre todo si son relevantes), no es raro que posteriormente aparezca el arrepentimiento en su mente con pensamientos de autorreproche del tipo «tendría que haberlo dicho», «siempre me pasa igual: me reprimo y luego estoy mal conmigo».

Estilo agresivo: la propia palabra «agresivo» lo transmite: expresarse con cierto nivel de agresividad es una forma gratuita de buscarte antipatías o enemigos. También es una forma de generar crispación y acritud hacia uno mismo. Comunicarse agresivamente es una manera de no «llegar al otro», puesto que el receptor se va a poner a la defensiva o alerta y el mensaje no le va a llegar claro, sino sesgado. El receptor no va a ser convencido por el argumento, en su mente va a «quedar» fundamentalmente una huella agresiva, dura, tensa o cuando menos desagradable. La persona que se manifieste con estilo agresivo puede pen-

277

sar que está convenciendo a los demás, pero se engaña. Y, además, corre el riesgo de proyectar una imagen de engreimiento o altanería.

Estilo asertivo: la persona asertiva intenta manifestar lo que piensa de algo pero sin agresividad ni virulencia. Quiere reflejar sus sentimientos o creencias sobre diversos temas pero haciéndolo sin ofender ni molestar. Para ello es conveniente utilizar un tono sereno y agradable, nunca grandilocuente ni exagerado, sino comedido pero firme, sincero y natural. Este estilo, el ideal para comunicarse, no debe pretender convencer a todos. Simplemente debe transmitir lo que se piensa, sin reprimirse ni agredir o crear animadversión al receptor del mensaje.

Posibilidades que ofrece el estilo de comunicación asertivo:

⇨ Expresar opiniones o consideraciones.
⇨ Expresar sentimientos y emociones.
⇨ Reflejar actitudes.
⇨ Saber dar las gracias.
⇨ Realizar sugerencias.
⇨ Saber pedir favores.
⇨ Y algo que es muy importante: saber poner límites a las personas del entorno.

Un ejemplo típico que te permitirá comprobar si eres o no asertivo es el siguiente:

Llevas esperando en una cola bastante tiempo. Alguien llega de repente y se coloca delante de ti por toda la cara. Si le dices bravamente que es un jeta, estarás cayendo en un estilo agresivo y corres el riesgo de enfrentarte o crear un conflicto (estilo agresivo). Si no te atreves a decirle nada, estás siendo inhibido o reprimido. Y si le dices con respeto y educación que tú estabas antes y que no es justo que se ponga delante de ti, estás actuando asertivamente.

Matización importante:

También es cierto y conveniente matizar que existen situaciones u ocasiones en nuestro convivir cotidiano en que es mejor callarse para evitar líos mayores. De hecho, existen ocasiones en que, aunque, tengamos un comportamiento inhibido, no deja de ser prudente y hasta conveniente mostrarlo (dada la crispación del entorno). Cada persona en cada momento deberá calibrar lo que procede.

Aun así, si te cuesta decir que NO en general ante situaciones «incómodas» cotidianas de tu vida, tienes un estilo que no es asertivo.

Creo que he dejado claro los tres tipos básicos de comunicación interpersonal, pero si te queda alguna duda, aquí tienes unas aclaraciones reveladoras sobre si eres o no asertivo en tu modo de expresarte. Si te ocurre con frecuencia que:

⇨ Te cuesta expresar emociones, sentimientos…
⇨ Te cuesta decir NO a la gente en situaciones de la vida común...
⇨ No te atreves a pedir favores...
⇨ Te cortas cuando te han hecho daño y no te atreves a decirlo o expresárselo al otro...
⇨ Tienes problemas para pedir tus derechos...

No eres nada ASERTIVO.

Y si eres de los que te sueles arrepentir por no haber sido capaz de expresar algo una vez ocurrido un hecho o te echas en cara no haberte atrevido a hacer o decir algo que tú consideras que era tu derecho u opción, está claro que tienes un estilo INHIBIDO.

Y si sueles tener conflictos o peleas verbales continuas por la forma en que expresas tus opiniones o emociones y encima no consigues hacerte entender ni crear empatía a tu alrededor, está claro que tu estilo de comunicación no es nada diplomático, es sencillamente AGRESIVO y, obviamente, vas a tener muchos problemas y dificultades para encontrar compañía.

Saber comunicar

Comunicarse bien, hacerlo con solvencia, sin reprimirse y expresando lo que uno siente es todo un arte, sobre todo cuando se consigue sin crear animadversión hacia uno mismo por parte de los demás. Conseguirlo no es fácil; nadie ha dicho que lo sea. Pero sí es algo mejorable.

Seguramente estés considerando íntimamente que es difícil. O, por lo menos, que no es nada sencillo. Para conseguir el equilibrio comunicativo referido es importante que controles el tono de tus palabras y los ademanes (las expresiones no verbales, como la mirada, el gesto o los movimientos de las manos, también influyen mucho) y que no confundas la queja con el ataque. No es lo mismo decirle a alguien: «me he sentido mal con esto que me has hecho» que soltarle: «tío, eres un burro o un insensible». Con la primera expresión manifiestas algo que te ha dolido, un estado personal, y lo haces con sinceridad, mientras que con la segunda frase estás reprochándole algo al otro, que se sentirá ofendido o molesto y no admitirá nada de lo que le estás intentando comunicar (por ejemplo: que algo te ha dolido o molestado sin tú tener culpa alguna ni haberlo merecido).

Matización importante:

Expresar algo con sencillez y naturalidad no es humillarse ni agachar la cabeza. No es sentirse menos que nadie. Ser asertivo es partir del principio de que «nadie es superior a ti, pero tú no eres tampoco superior a nadie». En suma, se trata de RESPETAR Y SER RESPETADO. Y no olvidar que el tono y la forma de decir las cosas son clave (con suavidad pero con firmeza, con naturalidad pero sin brusquedades, con educación pero sin reprimirse).

Aclaración:

Este libro está dedicado básica y fundamentalmente a la DE, por lo que el tema de la asertividad y la capacidad para mejorar las habilidades sociales y relacionales está tratado solo colateralmente. Si tenéis interés en mejorar vuestra capacidad relacional, existen varios libros dedicados exclusivamente al tema. En concreto, hay uno muy recomendable: *La asertividad, expresión de una sana conducta,* de la psicóloga Olga Castanyer. En él encontraréis explicadas y desarrolladas una serie de técnicas para mejorar la mencionada asertividad.

5. CAMBIAR LAS IDEAS EQUIVOCADAS MEDIANTE LA TERAPIA COGNITIVA

A la hora de cambiar una idea equivocada, llamémosla irracional, que nos pueda estar haciendo daño psicológico por el hecho de «tenerla incrustada» en nuestro pensamiento, y sustituirla por otra, hay que trabajar terapéuticamente en tres niveles: cognitivo, emocional y motórico.

El nivel cognitivo hace referencia a las ideas, cogniciones o pensamientos que tenemos de las cosas y personas; el nivel emocional, a las emociones o sentimientos que nos genera algo, y el nivel motórico, a la propia conducta en sí, cómo es, lo que nos genera (nerviosismo, sudoración, palpitaciones…).

Tras haber analizado una conducta problema y poder trabajarla para cambiarla, hay que plantearse tres frentes:

1. Ver si el problema viene principalmente de las ideas mentales que tiene la persona y que hacen que su conducta sea poco asertiva.
2. Ver si el origen está en una falta de habilidades para comunicarse correctamente.
3. O ver si la ansiedad es la causa que frena la emisión de la conducta.

Normalmente la conducta inadecuada o frustrante se produce por un conjunto de los tres factores, pero suele existir uno más preponderante que está manteniendo el problema.

Existen también en consonancia tres tipos de técnicas (o grupo de técnicas) para cada uno de los niveles de funcionamiento:

1. Técnicas de reestructuración cognitiva.
2. Técnicas en entrenamiento en habilidades sociales.
3. Técnicas de reducción de ansiedad.

Voy a empezar por el primer apartado, el de la reestructuración cognitiva, explicando y aplicando a modo de terapia breve unos ejemplos prácticos de cómo funciona.

6. TÉCNICAS DE REESTRUCTURACIÓN COGNITIVA

Introducción

Todas las personas tenemos ideas preconcebidas de cosas, hechos y personas. Muchas de tales ideas son correctas, racionales, lógicas y ciertas. Pero otras tantas no tienen base lógica, son incorrectas y nos generan pensamientos erróneos y conductas equivocadas. Si conseguimos detectar tales ideas dañinas, tomar conciencia de ellas y sustituirlas por otras adecuadas, eliminaremos la conducta errónea y posibilitaremos la correcta o sana. Esta pretensión u objetivo descrito es el principio terapéutico en que se basa la técnica de reestructuración cognitiva.

Amplia aplicación

Las técnicas de reestructuración cognitiva no se utilizan solo para el tema de la asertividad, sino para una amplia gama de problemas que pueden afectar a la persona.

En el desarrollo de la terapia de reestructuración cognitiva hay que seguir un programa más amplio con una serie de pasos. Voy a comentarlos todos, aunque solo voy a proponer en este capítulo una aplicación sencilla y abreviada dirigida al tema de la DE, a una serie de ideas que sobre ella suelen sostener las personas afectadas por tal disfunción sexual.

Pasos clásicos o generales de la reestructuración cognitiva:

1. Tomar conciencia de la importancia que tienen las creencias o pensamientos en nosotros.

2. Apuntar en un registro tales pensamientos (para darnos cuenta nosotros mismos de cómo y cuáles son).
3. Analizar tales pensamientos para detectar a qué idea irracional está asociado cada uno de ellos.
4. Elegir pensamientos alternativos a los irracionales que sean más realistas y prácticos.

Breve aplicación de la técnica de reestructuración cognitiva a algunos pensamientos o ideas erróneas o dañinas sobre la DE.

A continuación expongo una pequeña y breve utilización de la citada terapia de reestructuración cognitiva aplicada a siete ideas equivocadas que pueden estar perjudicándote, ya que es posible que alguna de ellas figure en tu mente y esté muy asentada y asumida. Todas ellas son equivocadas. Probablemente encuentres alguna que tú consideres cierta. Estás en tu derecho de pensar así, pero debo decirte que es un error y que eres tú quien tiene que darse cuenta. Por ello te aconsejo que sigas los cuatro pasos arriba anunciados y que vuelvo a repetir:

1. Toma conciencia de cómo puede influir una idea en tu respuesta sexual.
2. Comprueba si tú la tienes en tu mente.
3. Analiza la base en que pueda estar fundada.
4. Sustitúyela por las ideas que yo propongo sobre tales pensamientos erróneos e intenta hacerlas tuyas.

Ideas o pensamientos equivocados que puede tener el hombre con problemas de erección:

1. «El hombre es el responsable de la satisfacción erótica de la mujer».
2. «El hombre debe controlar su erección el tiempo que sea necesario».
3. «Si el hombre no maneja su erección, la pareja no va a ser capaz de alcanzar el orgasmo».
4. «Es necesaria la penetración para alcanzar el orgasmo».
5. «Una mujer insatisfecha eróticamente dará problemas».
6. «La mayoría de los hombres seguro que no tienen problemas de erección. Esto solo me pasa a mí».
7. «Si no soluciono mi problema sexual, ninguna chica querrá salir conmigo».
8. «Sin pareja sexual no voy a ser capaz de solucionar mi problema de DE».
9. «El hombre siempre tiene que estar dispuesto para el sexo, si no no es hombre».

---

7. ALGUNAS IDEAS EQUIVOCADAS SOBRE LA DE QUE, SI LAS TUVIERAS, TE CONVIENE CAMBIAR

Idea equivocada n.º 1:

«El hombre es el responsable de la satisfacción erótica de la mujer».

Esta idea errónea es clave en la configuración de la DE. Es probable que tú seas víctima de ella. Si realmente estás pensando o crees que eres el único responsable de que tu chica no disfrute sexualmente, probablemente estés equivocado. Es obvio que si tienes un problema de erección, tal hecho (dependiendo del tipo y grado que sea) va a repercutir sobre tu funcionamiento durante el coito.

Pero no olvides que la satisfacción sexual de la mujer no solo depende de ti sino también de ella (su forma de entender la sexualidad, su experiencia sexual, su biología, su proceso de sexuación…). Y recuerda que al orgasmo también se llega mediante otros métodos como la excitación del clítoris (manual u oral).

Por ello te conviene retirar tal idea de tu cabeza y sustituirla por otra del tipo:

Idea correcta n.º 1:

«La satisfacción sexual de la mujer depende de muchos factores. Yo no soy el único responsable».

Idea equivocada n.º 2:

«El hombre debe mantener su erección todo el tiempo que sea necesario».

Si tienes en tu cabeza esta idea, vete pensando en desecharla. Te está haciendo daño e influyendo negativamente al sentirte obligado a tener un control excesivo sobre la respuesta de tu pene. Tú no tienes la obligación de estar permanentemente en erección durante el coito.

¿Por qué?

a) Porque cada mujer tiene o necesita un tiempo personal para alcanzar el orgasmo y no todas tienen facilidad para obtenerlo. La respuesta orgásmica de las chicas puede variar mucho de unas a otras.

b) No existe una respuesta estándar o generalizada en cuanto a duración temporal del coito, ni menos del tiempo que tiene que estar el varón en erección.

c) La fisiología del varón no está diseñada para tener una erección permanente o estar siempre disponible.

d) En ningún manual sexual, médico o psicológico está escrito durante cuánto tiempo deben los hombres mantener la erección. No existe un patrón.

Luego te conviene cambiar tal idea por otra del tipo:

Idea correcta n.º 2:

«En ningún manual sexual está escrito que el hombre tenga que permanecer en erección continua».

Idea equivocada n.º 3:

«Si el hombre no maneja con solvencia su erección, la pareja no va a ser capaz de alcanzar el orgasmo».

Como he referido anteriormente, la mujer puede alcanzar el orgasmo mediante otras formas que no sean la penetración vaginal.

Luego la idea a la que he adjudicado el n.º 3 es falsa o incorrecta. Puedes sustituirla en tu cabeza por otra más acertada y verdadera como esta:

Idea correcta n.º 3:

«Puedo posibilitar que mi pareja alcance el orgasmo mediante otras formas diferentes al coito».

Idea equivocada n.º 4:

«Es necesaria la penetración para alcanzar el orgasmo».

La mujer puede alcanzar el orgasmo mediante la estimulación manual u oral de su clítoris. Luego es mentira que la mujer necesite la penetración para obtener el clímax orgásmico.

Si estabas convencido y tenías en tu cabeza la idea n.º 4, te conviene eliminarla y sustituirla por otra que sea verdadera. Por ejemplo:

Idea correcta n.º 4:

«La mujer puede alcanzar el orgasmo sin necesidad de penetración, recurriendo a la estimulación del clítoris de diversas formas (boca, manos...)».

Idea equivocada n.º 5:

«Una mujer insatisfecha eróticamente dará problemas».

Este pensamiento es rancio y refleja la actitud de muchos hombres que tienen miedo a que la mujer les complique la vida. Una chica con problemas eróticos no tiene por qué dar problemas. La mujer es más comprensiva hacia el hombre de lo que algunos pudieran creer, y más aún si ese hombre es su pareja. La mujer ha estado durante años sometida a mayor represión sexual que el varón y está acostumbrada a sufrir en silencio. En los últimos años ha mejorado la igualdad sexual de hombres y mujeres, y de hecho las chicas se atreven a expresar con más sinceridad su demanda sexual, pero el hombre no debe sentirse receloso por ello ni pensar que la chica va a darle problemas. Si estás convencido de que toda mujer que esté insatisfecha sexualmente dará problemas, vas a «salir al mercado» de las relaciones con dos miedos: el tuyo a «no cumplir bien» y el que supones que va a traer o aportar la posible chica que conozcas «con dificultades eróticas a satisfacer». Nadie nace sabiendo. Todos somos o hemos sido alguna vez novatos, seamos hombres o mujeres, y debemos asumir nuestras limitaciones y complejos, intentando no echar la culpa de ellos a los demás. No debemos exigir a otros lo que nosotros no somos capaces de exigirnos. La mujer es más realista que el hombre y va a asumir sus limitaciones.

Si alguna vez se te ha pasado por la cabeza esta idea analizada, la n.º 5, debes desecharla de tu cabeza y sustituirla por otra más acertada y verdadera como:

Idea correcta n.º 5:

«La mujer tiene derecho a una sexualidad sana y satisfactoria, pero es lo suficientemente madura e inteligente para buscar ayuda sin hacer reproches a su pareja ni crear conflictos».

Idea equivocada n.º 6:

«Los demás hombres seguro que no tienen problemas de erección».

Esta idea también es errónea, ya que la DE se da en un porcentaje que va del 25 % al 40 % de la población masculina. En realidad todos pensamos, cuando tenemos algún problema sexual, que solo nos pasa a nosotros, nos sentimos solos, afligidos y nos regocijamos en nuestra tristeza. Las dificultades sexuales han aumentado en los últimos años, aunque también se han incrementado los recursos de que disponemos los profesionales de la salud sexual.

Si alguna vez se te ha pasado por la cabeza la idea n.º 6, no te conviene dejarla fijada en tu mente porque es mentira. Puedes sustituirla por otra como esta:

Idea correcta n.º 6:

«La disfunción eréctil es un problema más común de lo que se piensa. Lo que me pasa a mí le pasa a mucha gente. Además, sé que tiene solución».

Idea equivocada n.º 7:

«Si no soluciono mi problema de DE, ninguna chica querrá salir conmigo».

Este pensamiento es compartido por un buen número de varones con DE. Es probable que te ocurra a ti: consideras que no vas a ser capaz de seducir a ninguna chica mientras sigas teniendo episodios de fallos con la erección. Si sigues adecuadamente el programa de tratamiento que figura en este libro, vas a ser capaz de solucionar tu problema. Aun así, debes tener en cuenta que la sexualidad es importante en una relación de pareja, pero la mujer otorga tanta importancia o más a factores no sexuales (ser educado, respetuoso, honesto y atento con las chicas, por poner un ejemplo). El sexo es importante en la pareja, pero no lo es todo.

Si tienes en la cabeza la idea n.º 7, puedes desecharla y sustituirla por otra idea más auténtica y correcta:

Idea correcta n.º 7:

«Si gustas realmente a una chica y tienes un problema sexual, ella va a ayudarte a solucionarlo».

Idea equivocada n.º 8:

«Sin pareja sexual no voy a ser capaz de solucionar mi problema de erección».

Poder disponer de pareja sexual a la hora de desarrollar el programa de tratamiento de la EP es una ventaja para poder solucionar el problema, siempre y cuando la chica apoye al varón. No disponer de una chica pareja sexual para poder realizar los ejercicios que se deben realizar conjuntamente supone, obviamente, un cierto hándicap. Aun así, los expertos sabemos que un chico que no disponga de pareja sexual también puede solucionar su problema de DE siempre y cuando siga con rigor las pautas del programa de tratamiento de la DE para hombres sin pareja sexual.

Idea correcta n.º 8:

«Existe tratamiento de la DE para hombres sin pareja sexual».

Idea equivocada n.º 9:

«El hombre siempre tiene que estar dispuesto para el sexo, si no no es hombre».

Durante años, y a través de los mitos sexuales, se han ido expandiendo múltiples ideas equivocadas sobre el sexo. Esta es una de las más antiguas y mantenidas. Es fruto también de una falta de educación sexual y de la ignorancia de muchos varones, que la han transmitido jocosamente, incluso a veces a sus propios hijos, en aras de mantener una equivocada masculinidad familiar.

Idea correcta n.º 9:

«El hombre debe librarse de la losa que le supone a veces la tiranía de su propio pene y de la mentalidad mal entendida de que se es más hombre porque se tiene más capacidad sexual. La evolución no ha diseñado al varón para estar siempre dispuesto. Tal idea es consecuencia de una fatal y desastrosa educación sexual.

7. Pierde el miedo a relacionarte con chicas. Busca una pareja sexual.

(Cómo ser capaz de relacionarte con chicas).
Te conviene conocer chicas y relacionarte.

Introducción

Una vez has completado con éxito los seis pasos o ejercicios que debías realizar tú solo, debes plantearte extrapolar el progreso adquirido a las relaciones sexuales con alguna chica. Es decir, se trata en suma de que apliques con una compañera los avances técnicos adquiridos en los seis pasos realizados por ti en solitario. Se trata por tanto de conocer a una chica, empezar a salir con ella y, dentro de un contexto de relación, completar con ella la parte de tratamiento que se debe realizar en pareja.

No se trata de que busques una chica solamente para completar tu tratamiento, sino de que con los conocimientos previos adquiridos por ti en solitario seas capaz de atreverte a buscar una relación de pareja. Una vez que tengas pareja, todo irá mejor, porque el marco de confianza que suele facilitar el hecho de tener una pareja estable te va a permitir que mejores en la solución de tu problema de DE.

En mi experiencia profesional con pacientes que carecían de pareja sexual, el problema más inmediato que se presentaba, una vez tratado al paciente individualmente en la consulta, era dar con la forma o manera de que este consiguiera conocer y empatizar con una chica. Muchos de mis pacientes «solitarios» me han comentado con frecuencia su *a priori* difícil situación, la de ser capaces de encontrar una chica para poder completar los ejercicios en pareja y, de paso, sopesar la posibilidad de entablar una relación de continuidad con ella.

8. CÓMO ATREVERTE A RELACIONARTE

Para poder relacionarte y salir de tu complejo de persona con problemas de erección tienes que promover en ti mismo algunos cambios que te permitan atreverte a buscar relaciones. Anímate, que a continuación voy a explicarte cómo son tales cambios:

1. Cambia la visión que tienes de ti mismo

Te sientes disfuncional, incapaz de mantener una erección suficiente para poder realizar el acto sexual, lo que te genera miedo a relacionarte y conocer a chicas. Lo primero que debes cambiar es la visión de ti mismo. Una persona con problemas de erección no es un apestado, ni alguien que lleve una etiqueta en la frente que ponga «tengo fallos en mi erección». No tienes por qué avergonzarte ni evitar relacionarte con chicas.

2. Cambia también la visión que tienes de las chicas

Te conviene empezar a quitarte ese complejo de chico con «un problema sexual» que llevas encima y «salir al mercado» a relacionarte. Seguramente pienses que las chicas exigen mucho sexualmente. Te voy a adelantar una idea: seguramente no encuentres chica alguna que te exija sexualmente más de lo que tú mismo te exiges. Es decir: las chicas, en general, exigen más en nuestra mente que en la suya propia. Una cuestión es que una chica quiera quedarse satisfecha sexualmente tras un encuentro sexual y otra muy distinta es que si no lo consigue deje de tener interés por continuar la relación. Si conoces a una chica y le gustas realmente, te puedo asegurar que no te va a abandonar a las primeras de cambio porque tengas problemas de erección o de eyaculación precoz, por mencionar otra problemática sexual que también afecta y limita a los hombres de manera parecida en su capacidad para relacionarse con personas del otro género. Y si lo hiciera, si la chica rompiese contigo por tu problema de erección, está claro que no le gustabas realmente ni ella iba a ser la «chica de tu vida». No te merecía, luego no has perdido nada. Así de claro. He sido testigo en consulta de cómo multitud de chicas pareja sexual de hombres con problemas de erección apoyaban a «su chico». La mujer, cuando se siente querida e implicada emocionalmente, tiene un compromiso implícito increíble (mayor que el nuestro, por cierto) con su pareja.

Si tu complejo de padecer de DE te está impidiendo salir a buscar pareja, debes sobreponerte y empezar a pensar en relacionarte con chicas. En cuanto cojas un poco de confianza con la realización de los ejercicios en «solitario», tienes que animarte y perderle el miedo a «salir al mercado».

3. ¿Qué tipo de chica te interesa?

Figura 10.2. *La mujer ha evolucionado y reivindica su derecho a una sexualidad libre e igualitaria. Tal hecho ha supuesto que muchos hombres sientan que han perdido la corona y no acierten a desempeñar su nuevo rol sexual.*

9. LA BÚSQUEDA DE UNA CHICA COMO PAREJA SEXUAL Y LOS TRES NIVELES DE IMPLICACIÓN

LA BÚSQUEDA DE UNA CHICA COMO PAREJA SEXUAL Y LOS TRES NIVELES DE IMPLICACIÓN

Personalmente considero que existen tres niveles de chicas a las que puedes aspirar según lo que pretendas o desees inicialmente:

⇨ Accesibilidad: que sea fácil para ti acceder a ella sexualmente, aunque no te guste lo suficiente.
⇨ Atracción: que te atraiga realmente.
⇨ Formar pareja: que además de gustarte, la veas con valores y cualidades para comprometerte con ella de manera seria y responsable en una relación de futuro.

Es decir:

Partiendo de la idea de que crees tener un problema de DE y deseas solucionarlo, puedes partir inicialmente de tres niveles diferentes de aspiración y búsqueda del tipo de chica:

1. Buscar una chica solo para que te ayude a solucionar tu problema de DE, aunque no te atraiga especialmente, sin querer comprometerte con ella (que sea fácilmente accesible para ti desde el punto de vista sexual).
2. Buscar una chica que te atraiga y a la que tú atraigas e intentar solucionar tu problema de DE dentro de tal relación sexual (que te guste sexualmente).
3. Buscar una chica con la que, además de sentir atracción sexual mutua, pretendas formar una pareja y aspires a solucionar tu problema de DE dentro de tal relación (que la veas futurible como pareja).

Importancia del factor de confianza

La solución de la DE pasa fundamentalmente por tener confianza con una chica. Y si además te apoya sexualmente, fabuloso. Una chica con la que no aspiras a comprometerte facilita no sentirte presionado por satisfacerla, pero no ofrece la seguridad emocional y el apoyo que te puede brindar una mujer que sientes que lucha por ti, está contigo, te ayuda y apoya en la solución de tu problema sexual y que, además, es probable que desee formar pareja contigo.

Hecha esta reflexión, para la solución de tu problema es más conveniente que busques una compañera a la que veas como una posible amiga o novia, no únicamente como un objeto para el placer. Te sugiero que no te plantees conocer a una chica únicamente para poder realizar con ella los ejercicios en pareja que forman parte del programa de tratamiento de la DE. Simplemente, plantéate conocer chicas que te vayan, que tengas tus valores o una forma parecida de ver la vida. Obviamente, que te gusten y sean de tu agrado. Y la evidencia terapéutica demuestra que el marco de seguridad que otorga una chica que «apuesta por ti» ofrece un alto nivel de eficacia en la solución de la DE. Por ello, no te obsesiones con buscar rápidamente una chica para poder realizar «prácticas sexuales» con ella. Lo que importa es que pierdas el miedo de enfrentarte a la posibilidad de conocer chicas, y que no te retraigas a la hora de llevar la vida social que te gustaría por culpa de tu complejo eréctil.

SUSTITUTAS SEXUALES O ASISTENTAS SEXUALES

Una sustituta sexual (ahora se las denomina asistentas sexuales) es una profesional que colabora con los centros o consultas de sexología como asistenta sexual de aquellos pacientes que no tienen pareja sexual y necesitan completar aquella parte del tratamiento de un problema sexual (disfunción eréctil, eyaculación precoz, falta de deseo sexual…) que se realiza en pareja. Su figura profesional fue contemplada por primera vez en Estados Unidos, en la década de los sesenta, por los sexólogos Masters y Johnson. Es una profesión que está regulada en muy pocos países (en España todavía no). Originalmente su trabajo consistía exclusivamente en colaborar con el paciente en la ejecución de los ejercicios clínicos que se debían realizar en pareja (masaje, focalización sensorial, técnica del apretón…). En la actualidad se está planteando que reciban una formación orientada a prestar al paciente unos servicios pedagógicos y sexológicos más amplios, como enseñarle al hombre a relacionarse y comunicarse mejor con las chicas, a expresar sentimientos y emociones, a perder la timidez, a quitarse complejos, etc.). En España actualmente existen varios centros sexológicos privados que están trabajando para poder posibilitar la existencia legal y sexológica de esta figura profesional. En un futuro no muy lejano puede estar reglada e institucionalizada tal profesión, la de asistenta sexual.

---

8. Si has encontrado una pareja sexual, pasos clínicos que has de realizar con ella para superar la DE.

(Cómo actuar sexualmente con una chica que acabas de conocer. Pasos o ejercicios eróticos que debes realizar).

Si acabas de conocer a una chica y tienes posibilidades de entablar una relación afectiva de continuidad, puedes plantear tu problema dentro de ese contexto.

Empieza tus relaciones sexuales con esta actitud:

⇨ Ve a tu compañera como amiga y no solo como objeto de placer.
⇨ Evita realizar la penetración vaginal desde la primera cita.
⇨ Entiende que las mujeres no buscan un «experto», sino alguien con quien tener una relación afectiva.
⇨ Comprende que, si bien el sexo es importante en una relación de pareja y toda mujer desea (como nosotros los hombres, claro) obtener la satisfacción erótica, también aspira a satisfacer necesidades emocionales y afectivas, a las que otorga tanta o más importancia que al sexo.

10. LAS TRES DUDAS: DECÍRSELO O NO. CUÁNDO Y CÓMO

LAS TRES DUDAS: DECÍRSELO O NO. CUÁNDO Y CÓMO

Cuando un chico que se siente incapacitado o limitado para las relaciones sexuales por un problema de erección conoce a una chica que le gusta mucho y con la que aspira a mantener una relación continua, siempre tiene una duda fundamental: *decirle o no decirle que tiene un problema de DE.* Y si decide decírselo, aparecen otras dos dudas o interrogantes: en qué momento de la relación hacerlo y cómo hacerlo (decírselo).
Por ello, se puede considerar que:

Debes decírselo: puedes informarle sobre tu problema eréctil diciéndole que te sientes inseguro sexualmente y que te preocupa satisfacerla eróticamente. No te etiquetes ante ella como una persona «impotente», entre otros motivos por uno muy simple: puedes equivocarte. Simplemente transmítele tu intención de aspirar a mejorar algo que tú consideras mejorable. También le puedes decir que has adquirido este libro con tal intención, la de superar el problema y compartir con ella su lectura.

Cuándo: si has decidido contárselo, no retrases en exceso el momento de hacerlo. Puedes aprovechar alguno de tus primeros encuentros sexuales con ella para expresarle tus sentimientos sexuales y tus miedos. Algunos varones con DE, antes de «contarlo», esperan a tener varios encuentros coitales con su nueva chica para comprobar si funcionan bien. Parten de la idea: «si me va bien, no hace falta que le diga nada». Es un pequeño truco o pillería que no suele funcionar. Lo dicho: no te compliques, sé sincero y pídele su apoyo. Si la chica tiene interés real por ti, lo va a comprender y te va a ayudar. También te voy a decir algo importante: si ella, la chica a quien has contado tu problema, no quiere ayudarte, deberás plantearte si realmente es una chica que te convenga para mantener una relación de pareja de continuidad. Si una chica ha empezado a salir contigo, existe atracción mutua, sentimientos recíprocos y tenéis ambos en mente un proyecto de futuro, lo lógico es que te ayude si le cuentas tu problema con sinceridad. Además, su apoyo hacia ti puede revelarse como una prueba de su verdadera implicación contigo, y el abordaje comprometido de la DE por parte de ambos puede ser una medida o baremo de vuestro futuro como relación verdadera de compromiso serio y responsable. Te lo voy a decir más claro aunque pueda parecer duro: si a las primeras de cambio tienes un problema sexual y la chica te deja por eso, muy probablemente no te convenía. Por tanto, si te ocurriera así, no sufras. O mejor dicho, sufre le menos posible porque a la larga iba a ser peor tu relación con ella.

Cómo: te aconsejo hacerlo con naturalidad y, por supuesto, sin darle a ella la sensación de que le cuentas un «secreto inconfesable» o «una enfermedad contagiosa». Padecer un problema de DE no significa ser «un apestado» ni tener una enfermedad que haya que esconder. Lo dicho: cuéntaselo con naturalidad y sin dramatismo.

11. DESARROLLO PROGRESIVO DE LOS PASOS ERÓTICOS QUE SE HAN DE REALIZAR CON LA NUEVA PAREJA SEXUAL PARA SUPERAR LA DE

Los pasos eróticos que tienes que realizar con la chica con la que has empezado a salir o estás quedando con cierta asiduidad y con la que aspiras a mantener una relación de continuidad o compromiso son los mismos que figuran en el programa de tratamiento de la DE para hombres que ya disponen de pareja sexual, y que figuran en el capítulo correspondiente de este libro, donde los tienes desarrollados.

CÓMO EXPLICAR A TU CHICA QUE NO TIENES PRISAS POR REALIZAR LA PENETRACIÓN

Normalmente, cuando una pareja se acaba de conocer y empieza a salir, lo lógico es pensar que ambos desean tener pronto una vinculación sexual y, por tanto, quieren y aspiran a realizar el acto sexual. Ello se produce en la pareja porque ambos buscan placer, unión, intimidad y cubrir una mutua necesidad afectivo-emocional. Lo esperado es pensar que el chico desea penetrar a la chica y va a proponer el coito. Si no lo hace así y en cambio sugiere realizar un juego sin penetración, más de una chica se sorprende. Por ello, es mejor que seas sincero y comuniques a la chica esto: «Me siento inseguro sexualmente, no siempre consigo o mantengo la erección y prefiero empezar, si no te importa, con juegos sin penetración».

Nerviosismo inicial: ya lo he recogido anteriormente: no te conviene obsesionarte con tener ansiedad por realizar la penetración. No tengas prisas por realizar el coito con inmediatez. De hecho, para solucionar tu problema de DE es contraproducente querer realizar la penetración en la primera cita sexual que tengas con una chica con la que aspiras a entablar una relación de pareja. Te conviene empezar por una serie de juegos eróticos sin penetración para ir ganando confianza en ti mismo antes de enfrentarte al acto sexual. Puedes utilizar como juego previo la técnica de focalización sensorial ya explicada en anteriores capítulos de este libro.

12. TÉCNICAS EN ENTRENAMIENTO EN HABILIDADES SOCIALES (EHS)

Las habilidades sociales son el arte de las relaciones interpersonales. O, dicho más prosaicamente, la capacidad de la persona para conseguir un objetivo en situaciones sociales específicas. Nos sirven para desempeñarnos adecuadamente ante los demás. Son formas de comunicarnos tanto verbal como no verbalmente con el otro.

Podemos decir, por tanto, que las habilidades sociales son el conjunto de hábitos que incluyen conductas, pensamientos y emociones que nos permiten comunicarnos y relacionarnos con los demás de forma eficaz y satisfactoria, posibilitando nuestra realización personal sin menoscabo de las otras personas. Como nuestra felicidad e insatisfacción tienen mucho que ver con nuestras relaciones, el hecho de tener recursos en habilidades sociales influye notoriamente en el incremento de nuestra felicidad y calidad de vida. La inteligencia emocional, la empatía, la asertividad y la autoestima son conceptos entroncados con la capacidad para desarrollar habilidades sociales.

Ser socialmente hábil incrementa nuestro bienestar, puesto que nos ayuda a conseguir lo que queremos y sentirnos bien por ello.

Y se manifiesta en los tres niveles básicos de la respuesta humana: lo que pensamos (cogniciones), lo que hacemos (la conducta observable) y las emociones que ello nos genera (miedo, alegría, tristeza…).

Existen multitud de actuaciones personales que tienen que ver con las habilidades sociales. A modo de referencia, voy a poner un ejemplo de habilidades sociales:

- ⇨ Iniciar o mantener una conversación.
- ⇨ Formular preguntar.
- ⇨ Convencer a los demás.
- ⇨ Hablar en público.
- ⇨ Presentarse ante alguien.
- ⇨ Resolver miedos.
- ⇨ Pedir disculpas.

⇨ Expresarse con soltura ante una chica.
⇨ Atreverse a pedir algo.
⇨ Saber negociar.
⇨ Evitar problemas a los demás.
⇨ Expresar sentimientos.
⇨ Y un largo etcétera.

Digamos por tanto que las habilidades sociales son herramientas de comunicación verbales y no verbales que nos permiten relacionarnos con los demás con solvencia y eficacia. No todas las personas nacen o tienen la capacidad innata de saber relacionarse con eficiencia. Pero lo que sí es cierto es que desde mediados del siglo pasado el tema de la capacidad para saber relacionarse ha sido muy estudiado por las ciencias del comportamiento humano (psicología social, pedagogía), y se han desarrollado técnicas que permiten mejorar notoriamente la capacidad del ser humano para aprender a comunicarse adecuadamente en su entorno.

Si consideras que tienes dificultades para relacionarte con chicas, debes saber que existen técnicas en entrenamiento en habilidades sociales (EHS) que pueden ayudarte a superar los posibles déficits relacionales que tengas.

Las técnicas en EHS están integradas a su vez por diversos conjuntos de técnicas, cada una de las cuales se orienta a la consecución de determinados objetivos dentro de la estrategia llamada adquisición de conductas. La planificación de estos objetivos y la aplicación de dichas técnicas se hacen de una forma coordinada.

A modo de información, y para que tengas una orientación clara sobre su contenido, te resumo su funcionamiento y la forma en que se aplica su metodología de aprendizaje:

Estos son los pasos a seguir en su desarrollo y aplicación:

1. Instrucciones y modelado.
2. Ensayo conductual.
3. Retroalimentación y refuerzo.
4. Conjunto de estrategias y técnicas.

Las explico brevemente:

1. Instrucciones y modelado.

Esta fase tiene como objetivo informar al paciente y hacerle demostraciones de las conductas adecuadas que debe mostrar en cada situación o contexto social.

2. Ensayo conductual

Esta fase tiene como objetivo que el paciente reproduzca y practique esas conductas adecuadas para él.

3. Retroalimentación y refuerzo

Su objetivo: moldear y perfeccionar las conductas exhibidas por el sujeto.

4. Conjunto de estrategias y técnicas

Su objetivo: facilitar el mantenimiento y la generalización de las conductas aprendidas. Deben ser aplicadas en el contexto de entrenamiento y fuera de él.

Para que te quede claro, debo decirte que tales técnicas se aprenden estando en grupo terapéutico. Su aprendizaje se desarrolla dentro de un grupo social que comparte tal problemática: un déficit en el desarrollo de habilidades sociales. Si bien existen programas individuales de aprendizaje de tales técnicas, son los programas grupales los que mejor funcionan. Por ello, si te apuntas a uno de tales talleres de técnicas en entrenamiento de habilidades sociales (EHS), debes asumir que te integrarás en un grupo en el cual vas a desarrollar el aprendizaje de técnicas adecuadas para saber actuar en contextos y situaciones sociales en las que tú te mueves y para las que necesitas ayuda.

El desarrollo del aprendizaje de tales técnicas va encaminado a enseñar a las personas a responder adecuadamente en situaciones sociales que les superan. Ello implica que los componentes del grupo primero deben observar a otros modelos, después imitarles, posteriormente corregir su comportamiento y finalmente saber perfilar su actuación, delimitando la forma exacta y correcta de abordar cada conducta social (una situación social deficitaria y susceptible, por tanto, de mejorar sería, por ejemplo, seducir a una chica).

Como queda evidenciado, para aprender dichas técnicas de entrenamiento (mejora) en habilidades sociales se requiere participar en un taller grupal para poder mejorar los comportamientos individuales a través de la observación ensayada en grupo. La persona con déficits sociales debe estar dispuesta, por tanto, a inscribirse en tales talleres grupales.

Existen muchos y diversos centros (normalmente privados) que imparten talleres presenciales sobre técnicas en entrenamiento de habilidades sociales y que están a cargo de psicólogos y pedagogos. También han sido publicados en el mercado editorial manuales de autoayuda en el desarrollo de habilidades sociales que pueden conseguir que mejores en tu capacidad para poder comunicarte mejor con las personas y relacionarte con más solvencia con las chicas.

Son técnicas que requieren una participación en grupo, un protocolo escrito extenso y concreto de aplicación que va más allá de las pretensiones de este libro y de su contenido específico, la DE. Por ello, me he limitado a informaros básicamente de su concepto y aplicación y a explicaros básicamente su desarrollo.

Si consideras que necesitas mejorar en tus habilidades sociales, inscríbete en algún taller desarrollado en la ciudad o provincia en la que vivas y, si no pudieras hacerlo, recurre a alguno de los múltiples manuales de autoaprendizaje en habilidades sociales que hay publicados.

13. TÉCNICAS DE REDUCCIÓN DE ANSIEDAD

Cuando es la ansiedad la que frena la emisión correcta de una conducta, se debe trabajar la reducción o eliminación de esta mediante la aplicación de alguna técnica de relajación. Una de las más eficaces es precisamente la técnica de relajación de Jacobson, cuyo formato de funcionamiento y aplicación te recuerdo está desarrollado y a tu disposición en el capítulo dedicado a recursos, técnicas y estrategias para el tratamiento de la DE.

BIBLIOGRAFÍA

Abraham, G. y Porto, R. (1979). *Terapias sexológicas.* Madrid: Pirámide.

Arch. Esp. Urol., 63(8), oct. 2010. Archivos Españoles de Urología (ed. impresa).

Aytac, I. A., Mckinlay, J. B. y Krane, R. J. (1999). The likely worldwide increase in erectile dysfunction between 1995 and 2025 and some possible policy consequences. *BJU Int., 84,* 50.

Barlow, D. H. (1986). Causes of sexual dysfunction: The role of anxiety and cognitive interference. *Journal of Consulting and Clinical Psychology, 54,* 140-148.

Baum, N., Randrup, E., Junot, D. y Hass, S. (2000). Prostaglandin E1 versus sex therapy in the management of psychotogenic erectile dysfunction. *International Journal of Impotence Research, 12* (3), 19.

Blanquer, M. H., Thomas, S. y Bosch, J. L. (2001). Erectile dysfunction: Prevalence and effects on the quality of life: the Boxmeer study. *Nederkabds Tijdschrift voor Geneeskunde, 145* (21), 1035.

Cabello, F. (2010). *Manual de sexología y terapia sexual.* Madrid: Síntesis.

Corona, G., Fagioli, G., Mannucci, E., Romeo, A., Rossi, M., Lotti, F., Sforza, A., Morittu, S., Chiarini, V., Casella, G., Di Pascale, G., Bandini, E., Forti, G. y Maggi, M. (2008). Penile doppler ultrasound in patients with erectile dysfunction (ED): Role of peak systolic velocity measured in the flaccid state in predicting arteriogenic ED and silent coronary artery disease. *The Journal of Sexual Medicine, 5* (11), 2623-2634.

Chew, K.-K., Earle, C. M., Stuckey, B. G., Jamrozik, K. y Keogh, E. J. (2000). Erectile dysfunction in general medicine practice: Prevalence and clinical correlates. *International Journal of Impotence Research, 12* (1), 41-45.

Documento de Consenso sobre Disfunción Eréctil. Foro de la Salud del Hombre en Disfunción Eréctil (2002). Barcelona: Pfizer Ediciones.

Feldman, H. A., Hatzichristou, D. G., Krane, R. J. y Mckinlay, J. B. (1994). Impotence and its medical and psychosocial correlates: Results of the Massachusetts male aging study. *The Journal of Urology, 151,* 54-91.

Ferrini, M. G., Dávila, H. H., Kovaneck, I., Sánchez, S. P., González-Cadavid, N. F. y Rajfer, J. (2006). Vardenafil prevents fibrosis and loss of corporal smooth muscle that occurs after bilateral cavernosal nerve resection in the rat. *Urology, 68,* 429-435.

Fusco, F., Razzoli, E., Imbimbo, C., Rossi, A., Verze, P. y Mirone, V. (2010). A new era in the treatment of erectile dysfunction: Chronic phosphodiesterase type 5 inhibition. *BJU Int., 105,* 1634-1639.

García Álvarez, C. T. et al. (2008). *Salud Sexual y Práctica Sexológica*, p. 23. La Habana: Centro Nacional de Educación Sexual (Cenesex). Editorial Cenesex.

299

George, L. K. y Weiler, S. J. (1981). Sexuality in middle and later life. *Archives of General Psychiatry, 38,* 919-923.

Hartmann, U., Heiser, K., Ruffer-Hesse, C. y Kloth, G. (2002). Female sexual desire disorders: Subtypes, classification, personality factors and new directions for treatment. *Word Journal of Urology, 20* (2), 79-88.

Hawton, K. (1985). *Terapia sexual.* Barcelona: Doyma.

Herbaut, A. G. y Wespes, E. (1990). Neurophysiological studies in 200 impotent men: The value of the bulbocavernous reflex and of penile evoked potentials. *Acta Urológica Bélgica, 58* (2), 95-101.

Hirshkowitz, M., Karacan, I., Howell, J. W., Arcasoy, M. O. y Williams, R. L. (1992). Nocturnal penile tumescence in cigarette smokers with erectile dysfunction. *Urology, 39* (2), 101-107.

Lue, T. F. (1993). Erectile dysfunction: Problems and challengers. *The Journal of Urology, 149,* 1256.

Martín-Morales, A., Sánchez-Cruz, J. J., Sáenz de Tejada, I., Rodríguez-Vela, L., Jiménez-Cruz, J. F. y Burgos-Rodríguez, R. (2001). Prevalence and independent risk factors for erectile dysfunction in Spain: Results of the Epidemiology of the Dysfunction Erectile Masculine Study (EDEM). *The Journal of Urology, 166* (2), 569-574.

Masters, W. H. y Johnson, V. E. (1981). *Incompatibilidad sexual humana.* Interamericana.

Master, W. H., Johnson, V. E. y Kolodny, R. C. (1987). *La sexualidad humana,* 3 tomos. Barcelona: Grijalbo.

Master, W. H., Johnson, V. E. y Kolodny, R. C. (1996). *Eros: Los mundos de la sexualidad.* Barcelona: Grijalbo.

McConhagy, N. (1990). Disfunción y desviación sexual. En A. S. Bellack y M. Hersen (dirs.), *Manual práctico de evaluación de conducta* (pp. 531-575). Bilbao: Desclée de Brouver.

Montorsi, F., Brock, G., Lee, J., Shapiro, J., Van Poppel, H., Graefen, M. et al. (2008). Effect of nightly versus on-demand vardenafilo on recovery of erectile function in men following bilateral nerve-sparting radical prostatectomy. *European Urology, 54,* 924-931.

Morales, A. y Lunenfeld, B. (2001). Androgen replacement therapy in aging men with hypogonadism. Draft recommendations for endorsement by ISSAM. *The Aging Male, 4,* 151-162.

Moreira, E. D., Abdo, C. H., Torres, E. B., Lobo, C. E. y Fittipaldi, J. A. (2001). Prevalence and correlates of erectile dysfunction: Results of the Brazilian study of sexual behavior. *Urology, 58* (4), 583-588.

National Institute of Health Consensus Development Panel on Impotence (1993). *Jama, 270,* 83-90.

Noguerol, M., Berrocal, M. y De Alaiz, J. (1996). Actividad sexual en ancianos en un medio rural. *Atención Primaria, 3,* 105-110.

Padilla Nieva, J., Cáceres Rodríguez, P. F., Gambra Arregui, L., Mora Christian, J., Llarena Ibarguren, R. y Arruza Echevarría, J. A. (2013). Preservación de las bandeletas neurovasculares en la prostatectomía radical robótica. LXXVIII Congreso Nacional de Urología, Granada, 2013. Asociación Española de Urología.

Padma-Nathan, H., Payton, T. P. y Goldstein, L. (1987). *Treatment for organic impotence: Alternatives to the penile prosthesis.* Houston: ASSN.

Padma-Nathan, H., PDE-5 inhibitor therapy for erectile dysfunction secondary to nerve-sparing radical retropubic prostatectomy. *Reviews in Urology,* 3005; 7 suppl. 2: S33-38.

Papaharitou, S., Nakopoulou, E., Kirana, P., Giaglis, G., Moraitou, M. y Hatzichristou, D. (2008). Factors associated with sexuality in later life: An exploratory study in a group of Greek married older adults. *Archives of Gerontology and Geriatrics, 46* (2), 191-201.

Pérez, M. C., Ureta, S. S. y De León, J. S. (2002). Andropausia o climaterio masculino. ¿Umbral al futuro? *Revista Mexicana de Urología, 3,* 148-152.

Pérez-Martínez, C. et al. (2005). Proyecto de las recomendaciones de prevención, diagnóstico, tratamiento y seguimiento de la andropausia o hipogonadismo de inicio tardío de la Sociedad Latino Americana para el Estudio del Hombre Maduro (LASSAM). *Revista Internacional de Andrología,* vol. E, n.º 1, 38-46.

Primo, F., Elorduy, M. A. y Martínez, C. (2005). ¿Qué piensan las personas mayores de la sexualidad? Opiniones, mitos y creencias. *Revista Española de Sexología, 130,* 7-110.

Puigvert, A. M., Prieto, R. y García, F. (2018). Uso continuado de inhibidores de la PDE-5 en el tratamiento de la disfunción eréctil: nuevas perspectivas y oportunidades. *Revista Internacional de Andrología, 16* (1), 28-33. Barcelona: Asociación Española de Andrología, Medicina Sexual y Reproductiva (ASESA).

Kaplan, H. S. (1978). *Manual ilustrado de terapia sexual.* Bercelona: Grijalbo.

Siewcki, B. J. y Mansfield, L. W. (1977). Determing readiness to resume sexual activity. *American Journal of Nursing, 77,* 604.

Smith, L. J., Mulhall, J. P., Deveci, S., Monaghan, N. y Reid, M. C. (2007). Sex after seventy: A pilot study of sexual function in older persons. *Journal of Sexual Medicine, 4,* 1247-1253.

Sohn et al. (2013). Standard operating procedures for vascular surgery in erectile dysfunction: Revascularization and venous procedures. *The Journal of Sexual Medicine, 10,* 172-179.

Sontag, A., Ni, X., Althof, S. E. y Rosen, R. C. (2014). Relationship between erectile function and sexual self-confidence: A path analytic model in men being treated with tadalafil. *International Journal of Impotence Research, 26,* 7-12.

Steenbergen, W. V. (1993). Alcohol, liver cirrhosis and disorders in sex hormone metabolism. *Acta Clínica Bélgica, 48* (4), 269-283.

Wespes, E. y Schulman, C. (1993). Venous impotence: Pathophysiology, diagnosis and treatment. *The Journal of Urology, 149,* 1-238.

Wespes et al. (1998). Corporeal veno-oclussive dysfunction: A distal arterial patology? *The Journal of Urology, 160,* 2054-2057.

Wylie, K. R., Jones y Walters, R. H. (2003). The potential benefit of vacuum devices augmenting psychosexual therapy for erectile dysfunction: A randomized controlled. *Journal of Sex and Marital Therapy, 29* (3), 227-236.

Zarco Rodríguez, J., González Correales, R. y Sánchez Sánchez, F. (2004). Talleres de práctica clínica en Atención Primaria. Disfunción eréctil. Madrid: SEMERGEN (Sociedad Española de Médicos de Atención Primaria).

TÍTULOS PUBLICADOS

50 TÉCNICAS PSICOTERAPÉUTICAS, *L. Nomen.*

ABORDAJE TERAPÉUTICO GRUPAL EN SALUD MENTAL, *I. Gómez (Dir. y Ed.) y L. Moya (Ed.).*

AMANDO SIN DOLOR, DISFRUTAR AMANDO, *F. Gálligo Estévez.*

ANSIEDAD SOCIAL, *M.ª N. Vera Guerrero y G. M.ª Roldán Maldonado.*

APOYO PSICOLÓGICO EN SITUACIONES DE EMERGENCIA, *J. M. Fernández Millán.*

BULIMIA NERVIOSA, *I. Dúo, M.ª P. López, J. Pastor y A. R. Sepúlveda.*

BULLYING, CIBERBULLYING Y SEXTING, *J. A. Molina del Peral y P. Vecina Navarro.*

CALIDAD DE VIDA Y BIENESTAR EN LA VEJEZ, *M.ª del M. Ferradás y C. Freire.*

CINE, METÁFORAS Y PSICOTERAPIA, *I. Caro Gabalda (Coord.).*

CLAVES PARA APRENDER EN UN AMBIENTE POSITIVO Y DIVERTIDO, *B. García Larrauri (dir.).*

CÓMO POTENCIAR LAS EMOCIONES POSITIVAS Y AFRONTAR LAS NEGATIVAS, *C. Maganto Mateo y J. M.ª Maganto Mateo.*

CÓMO SOLUCIONAR LA DISFUNCIÓN ERÉCTIL, *K. Seco.*

CÓMO SOBREPONERSE A LA ANSIEDAD, *I. Zych.*

COMPRENDER LA ANSIEDAD, LAS FOBIAS Y EL ESTRÉS, *J. Rojo Moreno.*

LOS CONFLICTOS, *J. M. Fernández Millán, y M.ª del M. Ortiz Gómez.*

CONSUMIR SIN CONSUMIRSE, *J. M.ª Arana y D. de Castro.*

LA COMUNICACIÓN PARA PAREJAS INTELIGENTES, *R. Roche Olivar.*

DEJE DE SUFRIR POR TODO Y POR NADA, *R. Ladouceur, É. Léger y L. Bélanger.*

DEJA ATRÁS LA DEPRESIÓN Y ALCANZA LA FELICIDAD, *F. L. Vázquez, P. Otero, Á. J. Torres y M. Arrojo.*

DISCAPACIDAD INTELECTUAL EN LA EMPRESA, *A. de la Herrán Gascón y D. Izuzquiza Gasset.*

DISCRIMINACIÓN POR OBESIDAD, *J. I. Baile Ayensa.*

EL DUELO Y LA MUERTE, *L. Nomen Martín.*

EDUCACIÓN SOCIAL Y ATENCIÓN A LA INFANCIA, *M. Fernández Navas, J. M. Fernández Millán y A. Hamido Mohamed,*

EDUCACIÓN VOCAL, *M.ª J. Fiuza Asorey.*

EMOCIÓNATE, *A. Soldevila.*

ENSEÑAR EN LA UNIVERSIDAD, *M. Brauer.*

EL ESTRÉS EN CUIDADORES DE MAYORES DEPENDIENTES, *M.ª Crespo y J. López.*

FORMACIÓN DE FORMADORES, *P. del Pozo.*

GESTIÓN DE EMOCIONES EN EL DÍA A DÍA, *J. M. Mestre, J. M. Gutiérrez-Trigo, Cristina Guerrero y R. Guil.*

GUÍA PRÁCTICA PARA EL MANEJO DE LA ESQUIZOFRENIA, *E. Aznar y Á. Berlanga.*

GUÍA PRÁCTICA DE DETECCIÓN DE PROBLEMAS DE SALUD MENTAL, *B. Ausin y M. Muñoz.*

GUÍA DE TÉCNICAS DE TERAPIA DE CONDUCTA, *A. Gavino.*

HABILIDADES DEL TERAPEUTA DE NIÑOS Y ADOLESCENTES, *A. Fernández-Zúñiga.*

INICIATIVA PERSONAL, *A. Lisbona y M. Frese.*

LA INFERTILIDAD, *Y. Gómez, R. Antequera, C. Moreno, C. Jenaro, A. Ávila y B. Hurtado.*

INFERTILIDAD Y REPRODUCCIÓN ASISTIDA, *Y. Gómez, F. J. de Castro, R. Antequera, C. Moreno, C. Jenaro y A. Ávila.*

LA PAREJA EN LA VEJEZ, *M.ª H. Feliu.*

LIBERARSE DE LAS APARIENCIAS, *M.ª Calado.*

MANUAL DE LA ENTREVISTA PSICOLÓGICA, *C. Perpiñá (coord.).*

MENTE ACTIVA, *M. Fernández, A. da C. Soares, M.ª Lens y J. M. Mayán.*

MI PAREJA NO ME ESCUCHA, *J. A. Delgado.*

MUJERES VÍCTIMAS DE LA VIOLENCIA DOMÉSTICA, *F. J. Labrador, P. de Luis, R. Fernández-Velasco y P. Paz Rincón.*

PEQUEÑO TRATADO DE MANIPULACIÓN PARA GENTE DE BIEN, *J.-L. Beauvois y R.-V. Joule.*

LA PERSUASIÓN, *J. Borg.*

PLACEBOS, FÁRMACOS Y PSICOTERAPIAS, *J. Toro.*

PLAN ESTRATÉGICO PERSONAL, *M. Á. Mañas.*

¿POR QUÉ VÍCTIMA ES FEMENINO Y AGRESOR MASCULINO?, *E. Echeburúa y S. Redondo.*

PROGRAMA DE INTERVENCIÓN MULTIDIMENSIONAL PARA LA ANSIEDAD SOCIAL (IMAS). Libro del terapeuta, *V. E. Caballo, I. C. Salazar, L. Garrido, M.ª J. Irurtia y S. G. Hofmann.*

PROGRAMA DE INTERVENCIÓN MULTIDIMENSIONAL PARA LA ANSIEDAD SOCIAL (IMAS). Libro del paciente, *V. E. Caballo, I. C. Salazar y L. Garrido.*

PROCEDIMIENTOS TERAPÉUTICOS EN NIÑOS Y ADOLESCENTES, *J. M. Ortigosa Quiles, F. X. Méndez Carrillo y A. Riquelme Marín.*

PROGRAMA PARA EL CONTROL DEL ESTRÉS, *M.ª I. Peralta Ramírez y H. Robles Ortega.*

PROGRAMA PARA MEJORAR EL SENTIDO DEL HUMOR, *B. García Larrauri.*

¿QUÉ ES EL ANSIA POR LA COMIDA?, *S. Moreno, S. Rodríguez y M.ª del C. Fernández-Santaella.*

¿QUÉ ES EL PARKINSON?, *M.ª J. Fiuza y J. M. Mayán.*

QUÉ FÁCIL GANARLO, QUÉ DIFÍCIL PERDERLO, *M. Costa y E. López.*

¿QUIÉN QUEDA EN EL ARMARIO?, *D. Di Marco, L. Munduate, A. Arenas y H. Hoel.*

LA REGULACIÓN DE LAS EMOCIONES, *J. M. Mestre.*

SER GORDO, SENTIRSE GORDO, *I. Amigo Vázquez.*

SER PADRES, ACTUAR COMO PADRES, *J. Olivares, A. I. Rosa Alcázar y P. J. Olivares Olivares.*

SI LA VIDA NOS DA LIMONES, HAGAMOS LIMONADA, *E. López y M. Costa.*

SITUACIONES DIFÍCILES EN TERAPIA. *F. J. Labrador Encinas.*

SOY ESTUDIANTE, *J. Gallego Codes.*

SUPERAR UN TRAUMA, *E. Echeburúa Odriozola.*

EL TDAH, *R. Lavigne y J. F. Romero.*

TÓCAME OTRA VEZ, *M. Costa y E. López.*

TRATAMIENTO PSICOLÓGICO DE LOS TRASTORNOS DE ALIMENTACIÓN, *J. Sevillá y C. Pastor.*

EL TRASTORNO OBSESIVO-COMPULSIVO, *A. Gavino.*

TRASTORNOS ALIMENTARIOS, *M.ª Calado Otero.*

TRATAMIENTO DEL TOC EN NIÑOS Y ADOLESCENTES, *A. Gavino, R. Nogueira y A. Godoy.*